CARTAS DEL ARCHIVO DE GALDOS

PERSILES

SEBASTIÁN DE LA NUEZ
Y
JOSÉ SCHRAIBMAN

CARTAS DEL ARCHIVO

DE

PEREZ GALDOS

TAURUS

INDICE GENERAL

INTRODUCCION

A DQUIRIDO, entre otros efectos personales de Galdós, para la Casa-Museo de Las Palmas, lo que quedaba del Archivo particular del gran novelista, nos fue posible, gracias a la gentileza del Cabildo Insular y del Museo Canario de la misma ciudad, consultar la interesante colección de cartas inéditas que hoy ofrecemos a la curiosidad del investigador y del lector de la obra galdosiana.

Es evidente que este Archivo—tal como lo hemos estudiado—está incompleto, pues ya señala el célebre biógrafo de Galdós, Chonón Berkowitz, que aún viviendo el novelista "habían desaparecido algunos autógrafos de sus obras, y aún más, cartas de su archivo epistolar". En otro lugar afirma que cuando lo examinó había cartas de Pereda, Valera, *Clarín,* Menéndez Pelayo, Pardo Bazán, Zola, Tolstoi y Turguéniev, pero más tarde desaparecieron sin conocerse su paradero. Hoy, después de algunas pesquisas, podemos indicar que las cartas que faltan en el Archivo canario, examinado por nosotros, fueron a parar a manos del gran escritor y amigo de Galdós, don Ramón Pérez de Ayala, que después de su fallecimiento han sido cedidas, con otros papeles, a doña Soledad Ortega, hija del gran filósofo, para publicarlas en la *Revista de Occidente.* Con nuestra publicación y la suya quedaría reconstruido, en casi su totalidad, el rompecabezas del epistolario galdosiano, y el público tendrá una interesantísima fuente de información literaria, biográfica e histórica, que representan tantas y tantas cartas, que nos vienen a demostrar la estrecha relación que los escritores, dramaturgos, artistas y políticos contemporáneos tuvieron con la extraordinaria figura del gran novelista canario.

Todavía, a pesar de los avatares y expurgos por que ha pasado este Archivo, es muy rico en epístolas y documentos de diversa índole, como el lector puede comprobar por el Apéndice que incluimos aquí como el índice del Archivo particular de don Benito, que aunque fue publicado en la *Revista del Museo Canario* (núms. 77-84, años 1961-62), lo reeditamos con importantes modificaciones. Este viene a completar el índice de cartas incluido por S. Ortega al final de su tomo de *Cartas a Galdós* (M. 1964).

Naturalmente, en esta primera colección de epístolas no pretendemos ser exhaustivos. Sólo daremos ahora lo más representativo e interesante del Epistolario galdosiano. En este volumen van, como puede verse por el índice, las cartas de los escritores más importantes de su época, agrupados aproximadamente por tendencias y géneros: los del modernismo y el noventa y ocho (Baroja, Unamuno, Valle-Inclán), los novelistas de tendencias realistas (Blasco Ibáñez, Palacio Valdés), otros novelistas menores (Octavio Picón, León), algunos escritores hispanoamericanos (Amado Nervo, Gómez Carrillo), algunos dramaturgos (Martínez Sierra, los Quintero), y finalmente algunas cartas de políticos o profesionales, amigos de Galdós (Costa, Tolosa Latour). Todas las epístolas aquí incluidas son rigurosamente inéditas, menos las de Pérez de Ayala, editadas por la revista *Hispanófila* (núm. 17, año 1963) y unas treinta cartas de Tolosa Latour, publicadas en la citada *Revista del Museo Canario* (núms. 77-84, año 1961-62).

En otro volumen nos proponemos dar a conocer el resto del epistolario que contiene aún algunos corresponsales, paisanos del novelista, que llegaron a representar importantes papeles en la política, como León y Castillo, Estévanez, etc., o en las letras, como "Angel Guerra", Guimera, los hermanos Millares Cubas, etc., y a ellos añadiremos las cartas de artistas y actores famosos, como Díaz de Mendoza, María Guerrero, Thuillier, etc.

No nos detenemos a examinar la variada temática de este epistolario porque, aparte de indicarse someramente en el Apéndice, cada grupo de cartas lleva una introducción, suficientemente detallada, donde se indican los temas, la época y las relaciones de cada corresponsal con Galdós, que además se completa con un buen número de notas que aclaran, a cualquier lector, las referencias más importantes que se hacen a personajes reales o literarios, a hechos, lugares o circunstancias de diversa clase, que se encuentran en las epístolas, descartando, naturalmente, a personas o hechos muy conocidos de todos.

Otra cosa es la reunión y edición del epistolario de Galdós mismo dirigido a los corresponsales que enumeramos aquí, cuya publicación vendría a darnos la otra cara de la incógnita que queremos despejar. Hasta ahora son pocas las cartas que de Pérez Galdós se conocen. Unas veinte dirigidas a Mesonero Romanos, publicadas por don Eulogio Varela; las aparecidas en periódicos, como *El País, El Liberal* y *El Sol;* las publicadas en las revistas *La Torre, Hispanic Review,* y otras menos conocidas, que en conjunto no pasan de una docena. Afortunadamente, un grupo de animosos investigadores de la casa de Galdós, al frente de su director, Alfonso Armas, basándose en el índice epistolar del Archivo, aquí reproducido, han emprendido la búsqueda de las cartas galdosianas, que hasta ahora está dando espléndidos resultados, aunque también—como era de esperar—se tropieza con numerosas dificultades. Es posible que muy pronto podrá editar la misma Casa-Museo el primer volumen de tan importante epistolario, que, como decimos, vendrá a completar el que ahora presentamos. En la transcripción de las cartas hemos procurado ser fieles a los originales, aunque se mantengan algunas incorrecciones de estilo, modernizando solamente la acentuación.

Sólo nos resta decir que, gracias a TAURUS EDICIONES hoy podemos dar a la estampa esta interesante colección epistolar, que no dudamos han de agradecernos no sólo los galdosianos—pues su importancia para el estudio de las relaciones humanas y literarias del gran escritor es obvia—, sino todos los que se interesan, por cualquier motivo histórico o literario, por esa época tan decisiva para nosotros.

S. N. y J. S.

CARTAS DE "AZORIN"

No hemos encontrado en el Archivo particular de Galdós más que estas dos cortas misivas que insertamos aquí. Su brevedad nos anuncia ya al creador de un estilo personal, inconfundible por su justeza, intensidad y concisión.

A pesar de esta falta de correspondencia, *Azorín* fue el más permanente de los admiradores y defensores de la obra galdosiana, entre los escritores del noventa y ocho.

En sus *Lecturas españolas* (1912) resume lo que significa don Benito para su tiempo: "Pérez Galdós, en suma, ha contribuido a crear una conciencia nacional: ha hecho vivir a España con sus ciudades, sus pueblos, sus monumentos, sus paisajes." Y añade un poco más abajo: "Este hombre, a través de su vasta, inmensa obra, a lo largo de los numerosos volúmenes que han salido de su pluma, ha ido haciendo lo que Menéndez Pelayo ha hecho análogamente en otro orden de cosas."

S. N.

Sr. D. Benito Perez Galdós.

Mi querido y admirado maestro: gracias cordialísimas por el ejemplar de su último Episodio. Con verdadera fruición lo leeré y escribiré luego acerca de él un artículo.

Su siempre devotísimo,

José Martínez Ruiz

Madrid 6 diciembre 1911.

I

J. Martínez Ruiz

B. l. m. al insigne maestro don Benito Pérez Galdós y le remite un pequeño cuestionario cuya contestación agradecería vivamente.

II

Azorín

Sr. D. Benito Pérez Galdós.

Mi querido y admirado maestro: gracias cordialísimas por el ejemplar de su último *Episodio* (1). Con verdadera fruición lo leeré y escribiré luego acerca de él un artículo.
Su siempre devotísimo,

José Martínez Ruiz

Madrid, 6 diciembre 1911.

---

(1) Seguramente se refiere a *De Cartago a Sagunto,* escrito entre agosto y noviembre de 1911, y que corresponde al penúltimo de los que comprenden la última serie.

CARTAS DE PIO BAROJA

Estas dos cartas, probablemente las únicas que escribió a Galdós, que ahora presentamos, nos dan un interesante testimonio de una etapa decisiva en la vida del escritor vasco: su segundo viaje a París. En ellas aparecen los nombres de los grandes políticos canarios, León y Castillo y Nicolás Estévanez, a los que Baroja recordará especialmente en sus *Memorias*. Y así dice en *Galería de tipos de la época:* "En 1905, don Benito Pérez Galdós me dio a mí, sabiendo que iba a París, una carta para León y Castillo...", y sigue narrando su entrevista con éste (véase *O. C.,* t. VII, página 906). De Estévanez habla en varios lugares, como en las crónicas de *Final del siglo* XIX *y principios del* XX, en las que le hace sospechoso de colaboración en el atentado de Morral a los reyes (véase *O. C.,* t. VIII, pág. 788), o cuenta, en *Galería de tipos de la época,* cómo le conoció: "Don Nicolás era rectilíneo y muy de su época. Yo le conocí a principios del siglo en París. Pérez Galdós me dio una carta para que le visitara", y a continuación traza un estupendo retrato de él: "Don Nicolás, corpulento, de ojos azules, perilla larga y mejillas sonrosadas, parecía un militar francés del segundo Imperio" (véase *O. C.,* t. VII, páginas 853-855).

También tenemos en estas cartas el testimonio de su estancia en El Paular, que recuerda, con precisión, en las *Memorias:* "Con las impresiones de Córdoba escribí mi novela *La feria de los discretos,* que comencé en Madrid y la terminé en El Paular, en un cuarto que tenía una ventana que daba a la entrada del antiguo cenobio" (véase *O. C.,* t. VII, pág. 788).

En cuanto a las relaciones de don Benito y Baroja, quedan muchas pruebas de la preocupación de éste por la obra y la figura del gran creador de la novela moderna en España. Ya había publicado, en vida de éste, en *El País* (enero, 1913), un artículo sobre "Galdós vidente", y después, en sus *Memorias,* nos da una personal crónica del estreno de *Electra* (véase *O. C.,* t. VII, pág. 741), o nos reproduce una interesante conversación—pasada por el tamiz barojiano—con Galdós sobre la técnica novelística (ídem, págs. 1.083 a 84), o le evoca, ya viejo, de paseo, por su querido Madrid (ídem, pág. 1.041). Estas preciosas cartas, que publicamos, pueden servir, pues, de introducción, tanto a su visión de París decimonónico, como a las llanas relaciones con Galdós, algo teñidas, desde una posición distinta, de cierto malhumor, pero siempre sinceras y llenas de admiración por el maestro.

S. N.

Mi querido maestro; He recibido
las cartas para Estevanez y León
y Castillo. Se lo agradezco á Vd.
muchísimo. Ya que me brinda Vd.
tan cariñosamente, si necesito alguna
otra recomendación, le molestaré á Vd.
de nuevo, desde Paris

No sé á punto fijo lo que haré
allí. El dinero que llevo es poco
y no podré hacer grandes habilidades,
pero intentaré

Ya me figuro yo que los españoles no

podemos hacer nada en Francia, porque
sus manera de ser y su ambiente es
hostil á nosotros; pero es el único
sitio próximo por donde podemos acercarnos á
la civilización.

Dispénseme Vd. que escriba de una mane
ra tan deshilvanada, pero en este aire
tan banal, en esta vida vegetativa de
San Sebastian, que lo único que tiene
de intelectual es la oscuridad, el cerebro
se queda á oscuras.

Es de Vd. afectísimo

Pío Baroja

S. Sebastian 14 de Setiembre 1895

Mi querido amigo y maestro: Voy a ir a París a pasar un mes o dos y quisiera que me hiciese usted el favor de darme una tarjeta de presentación para León y Castillo (1) y otra para Estévanez (2). Me salieron mal los pequeños negocios que tenía, el socio resultó un estafador y yo perdí dinero y además estuve a punto de tener un pleito.

Huyendo de complicaciones me fui al Paular (3), donde he escrito un libro que le enviaré dentro de unos días (4).

Usted como siempre estará trabajando como una fiera.

Si me contesta usted hágalo a San Sebastián calle Mayor n.º 6, y si quiere usted hacerme algún encargo o comisión para París ya sabe usted que puede usted mandar.

Su afectísimo,

PÍO BAROJA

---

(1) Don Fernando León y Castillo (1842-1918), ilustre político canario, compañero de estudios de don Benito, que fue ministro de Ultramar en la época de la Regencia y embajador de España en París a principios de siglo.

(2) Nicolás Estévanez (1838-1914), militar, político y escritor canario, que llegó a ser ministro de la Guerra en la primera República; luego revolucionario y conspirador en París.

(3) Pueblecito situado al norte de la provincia de Madrid, célebre por su monasterio.

(4) Se refiere a *La feria de los discretos,* firmada en El Paular, en junio de 1905.

Mi querido maestro: He recibido las cartas para Estévanez y León y Castillo. Se lo agradezco a usted muchísimo. Ya que me brinda usted tan cariñosamente, si necesito alguna otra recomendación, le molestaré a usted de nuevo, desde París (5).

No sé a punto fijo lo que haré allí. El dinero que llevo es poco y no podré hacer grandes habilidades, pero intentaré.

Ya me figuro yo que los españoles no podemos hacer nada en Francia, porque su manera de ser y su ambiente es hostil a nosotros; pero es el único sitio próximo por donde podemos acercarnos a la civilización.

Dispénseme usted que escriba de una manera tan deslabazada, pero en este aire tan banal, en esta vida vegetativa de San Sebastián, que lo único que tiene de intelectual es la vanidad, el cerebro se queda a oscuras.

Es de usted afectísimo,

Pío Baroja

San Sebastián, 14 de septiembre 1905.

---

(5) Estas cartas se refieren a su segundo viaje a París, 1905-1906. Antes había estado en 1899, y luego volvería en 1913 y en 1937.

CARTAS DE VALLE-INCLAN

Los textos de las cartas y tarjetas que ofrecemos aquí abarcan casi todo el largo período de su vida que Valle-Inclán dedicó al teatro. Estos manuscritos nos muestran interesantes y curiosos aspectos de las relaciones de don Ramón con el mundo teatral, sus fases de actor aficionado, de director artístico y, finalmente, detalles como refundidor y creador dramático.

En la primera carta vemos cómo busca una recomendación de "una gran Autoridad", como era la de Galdós, para ser admitido en esa "empresa nueva y flamante que acaba de tomar la Comedia". Efectivamente, no mucho después de haber escrito esta carta, don Ramón consigue ser admitido—no gracias a los buenos oficios de don Benito, sino al buen humor de Benavente—en la Compañía de Thuillier y la Cobeña. Así, Valle-Inclán representará el papel de Teófilo Everit, sátira de su propia y real figura, que Benavente creó para él en *La comida de las fieras,* pues don Ramón no quería variar ni un ápice de su catadura típica y estrafalaria, que le hacía representativo de los poetas decadentes, estetas o modernistas, como se les decía a los nuevos escritores en aquella época. Fernández Almagro, en su *Vida y Literatura de Valle-Inclán* (1943), nos dice que la actuación del nuevo actor terminó con la "interpretación de un corto papel en *Los reyes en el destierro,* arreglo escénico de la novela de Daudet por A. Sawa.

23

Por la carta número tres de esta colección nos enteramos de la vida errante que llevó don Ramón por España como director artístico de la Compañía de Ricardo Calvo, que llevaba algunas obras de Galdós en su programa. Hace alusión a su futuro viaje a Las Palmas, en donde actuó su compañía en enero de 1907. La sociedad canaria de "Los Doce" ofreció en honor a don Ramón una velada artística, donde actuaron el fino prosista Miguel Sarmiento, el pianista Cástor Gómez, y luego, Valle-Inclán, Josefina Blanco (todavía su novia) y Ricardo Calvo. (Para más detalles véase mi obra sobre *Tomás Morales, 1956.*) Todavía volverían a Las Palmas don Ramón y Josefina, ya casados, con la Compañía de García Ortega, que estuvo allí unos días, en marzo de 1910, de paso para América. En esta fecha ocurrió el famoso escándalo de don Ramón, que no quería dejar representar a su mujer en *El Gran Galeoto* de Echegaray.

También vemos, por las cartas segunda y tercera, cómo Galdós había concertado, desde 1904, con Valle-Inclán la dramatización de *Marianela,* y cómo el temperamento del autor gallego no pudo adaptarse a la gran creación galdosiana. Los biógrafos de Galdós tendrían que explicar por qué esta obra, tan querida por su autor, no se atrevió a dramatizarla él mismo, hasta que al fin realizaron este trabajo los hermanos Alvarez Quintero en 1916. Tampoco hoy nos parece lógico el que don Ramón aceptara hacer la refundición de la célebre novela, si no se piensa en que en muchos aspectos temáticos y de orientación literaria, la obra de Valle no se puede entender sin la de Galdós. Los críticos modernos están de acuerdo en considerar que *Las guerras carlistas* tienen su raíz en la segunda serie de los *Episodios Nacionales,* y que la serie del *Ruedo ibérico* es la deformación estética y esperpéntica de la España novelada por Galdós, quien aparece caricaturizado en la figura de don Benito "el garbancero" de *Luces de Bohemia.* Por otra parte, Fernández Almagro ya indica que en uno de los primeros dramas de don Ramón, *Cenizas* (1899), refundido de su cuento *Octavia Santino,* "el autor pretende dar al asunto un giro francamente realista, complicándolo con la intervención directa de la madre, la hija y el marido de la protagonista, y con más intencionados actos de presencia del padre Rojas, jesuita. Por lo que le resulta un drama claramente influido por el teatro que Galdós venía cultivando a partir de *Realidad*". Más tarde, esta obra sería refundida en *El yermo de las almas* (1908).

Las dos últimas cartas tratan de la publicación y la representación de una de las comedias de la segunda fase de la actividad teatral de Valle-Inclán. La primera está fechada en Cambados, pueblecito de la costa de Pontevedra. En ella cuenta a don Benito cómo ha escrito una comedia, que llama bárbara, *El Embrujado,* que después incluirá en la serie del *Retablo de la avaricia, la lujuria y la muerte.* La obra está desarrollada en el clímax céltico-galaico y mueve pasiones violentas de una fuerza poética y dramática, difícil de ser entendida por el público mayoritario de la época.

En la última carta insiste sobre el mismo tema de *El Embrujado,* y plantea el origen de los acontecimientos que separaron definitivamente a Valle de don Benito. Ya con anterioridad a esta carta, aquél se había enemistado con la Compañía Guerrero-Díaz de Mendoza. Entonces, don Ramón se dirige a la Compañía del Español, donde actuaban Matilde Moreno y Francisco Fuentes, y era director artístico Galdós, para que representen su obra, que subtitula "Tragedia de tierra de Salnés", de lo que nos dan testimonio las cartas que aquí publicamos. Mas el resultado de estas consultas no debieron ser favorables a la obra, pues poco después, como nos cuenta Fernández Almagro, Valle-Inclán arremete contra don Benito y contra los primeros actores del Español: primero en un escrito de protesta dirigido al Ayuntamiento de Madrid, y luego también en la introducción a la lectura de la obra, dada en el Ateneo el 26 de febrero de 1913, en medio de una sesión tumultuosa.

S. N.

[Texto manuscrito dispuesto en sentido vertical:]

...rarga en esa mi novela
Barbara del... Embrujado =
una comedia capaz de la
la el teatro, resurrec-
dola en alguna parte.
Usted juzgará.
El Matilde de tanga la
cha... alguna
casa... para que de tango
cada. Por eso tengo un
... table interés en cono-
con su opinión sobre
El... Embrujado =

Con el cariño de siempre le saluda el mas damato de sus amigos. Un abrazo de

Valle — Inclán

Señas = Pontevedra — [firma]

26

ATENEO DE MADRID

Sr. Dn. Benito Pérez Galdós.

Mi querido amigo y maestro: Desde hace mucho tiempo acaricio la idea de dedicarme al teatro, como actor, para lo cual he estudiado un poco, y creo tener algunas disposiciones (1). Pero usted sabe las dificultades con que aquí se tropieza para todo. Necesito el apoyo de una gran Autoridad, y ruego a usted que me preste el suyo, recomendándome a Carmen Cobeña (2), a Emilio Thuillier (3) y a Donato Giménez (4)—empresa nueva y flamante que acaba de tomar "La Comedia" (5)—. Si usted echa mano de toda su respetabilidad, yo sé que la recomendación de usted será para ellos un "hukasse" (6).

----

(1) Sabido es cómo Valle-Inclán satisfizo este capricho gracias a un papel que Benavente escribió para él en *La comida de las fieras,* estrenada por la compañía de Thuillier en el teatro de la Comedia el 7 de noviembre de 1898.

(2) Ilustre actriz de la época, que debutó en 1891 e interpretó *Los condenados* y *La fiera,* de Galdós; *La comida de las fieras,* de Benavente, y actuó junto a Thuillier, Emilio Mario, etc.

(3) Fue uno de los más grandes actores dramáticos de principios de siglo (1866-1940). Estrenó en 1891, con gran éxito, la obra de Galdós *Realidad,* donde, según nuestro novelista, "se reveló como uno de los grandes actores de nuestro tiempo".

(4) Gran actor de finales de siglo, que actuó junto a Ricardo Calvo en el Español, y que precisamente formó parte de la compañía de la Comedia en 1898.

(5) Teatro inaugurado en 1875 por la compañía de Emilio Mario en la calle del Príncipe, donde aún continúa abierto al público.

(6) El *Diccionario* de la Academia escribe *ucase,* del ruso *ukasati,* decreto del zar, a lo que habrá que añadir la acepción que le da Valle como fuerza poderosa que no se puede eludir.

Perdone usted, don Benito, que le moleste, y sírvame de disculpa sus amabilidades para conmigo.

Anticipándole las gracias, le saluda con afectuoso respeto su admirador y su amigo Q. L. B. L. M.,

RAMÓN DEL VALLE-INCLÁN

Madrid, 5-IX-98.
S/c. Calvo Asensio, 4.

II

GRAN HOTEL DE PASTOR
ARANJUEZ

Aranjuez, 5 de Agosto de 1904

Sr. Benito Pérez Galdós.

Querido y admirado Don Benito:

Aquí, en Aranjuez, a donde llego después de una excursión por varios pueblos de las Castillas, recibo su carta con la natural vergüenza, y el natural retraso. No crea usted que no he trabajado en *Marianela,* pero me contentaba muy poco lo hecho, y lo rompí (7).

Ahora vuelvo a tenerla entre manos. Creo que muy pronto le enviaré algo.

Disculpe mi pereza, y mande a su admirador y su amigo que le quiere,

RAMÓN DEL VALLE-INCLÁN

---

(7) Según Berkowitz, *Pérez Galdós: Spanish Liberal Crusader* 1948, pág. 118, Galdós contrató con Valle-Inclán la dramatización de esta novela, pero sólo la llevarían a cabo los hermanos Alvarez Quintero en 1916.

III

Querido D. Benito:

Antes de salir de Madrid fui a despedirme de usted, pero no lo hallé.

Aquí tenemos en ensayo *Alma y Vida* (8) que estrenaremos el domingo. Está muy bien en los protagonistas Josefina (9) y Ricardo Calvo (10). Los demás tampoco descomponen, y saldrán vestidos con bastante propiedad pues les hice hacerce *(sic)* los trajes con arreglo a figurines dibujados *por mí*.

Lo que andará un poco mal es el decorado, pues como estamos empezando no he podido mandar pintarlo. Si usted pudiese hacer que nos alquilasen el decorado con que se estrenó sería una gran cosa para hacer la obra en Las Palmas (11).

Tengo casi terminada *Marianela*.

De todo le tendrá al corriente su amigo que le quiere tanto como le admira,

VALLE-INCLÁN

Dirección: Teatro Cervantes, Granada.

---

(8)   Fue estrenada en el teatro Español, de Madrid, el 9 de abril de 1902, por la compañía de Thuillier.

(9)   Se refiere a Josefina Blanco, joven actriz en esta época, con la que Valle casó en agosto de 1907.

(10)   Actor dramático de la estirpe de Rafael y Ricardo Calvo, que tanta fama dieron a la escena española en la segunda mitad del siglo XIX.

(11)   Efectivamente, este viaje se llevó a cabo, con estos mismos actores, en enero de 1907. Para más detalles, véase mi obra citada sobre Tomás Morales, t. I, pág. 167.

IV

A Don Benito Pérez Galdós.

Paseo de Areneros, 46. Madrid.

Teatro Cervantes. Granada

Querido Don Benito:

Se han extraviado hojas del ejemplar de *Alma y Vida* correspondiente al segundo apunte, y le agredecería que me mandase uno.

Suyo siempre su amigo que le quiere,

VALLE-INCLÁN

V

Hoy 20 (13)

Querido Don Benito:

Si a las dos está usted en casa, iré a saludarle con el secretario de la Legación de México, y poeta Amado Nervo, que desea mucho conocerle (14).

Siempre suyo su amigo que le quiere,

VALLE-INCLÁN

---

(12) Lleva un matasellos que dice: "Granada-31-Oct.-06", o sea, el día siguiente de la carta anterior.

(13) Deducimos que esta nota la escribió en el año 1905 ó 1906, pues las primeras cartas de Amado Nervo a Galdós—que copiamos más adelante—fueron escritas en esa última fecha.

(14) El gran poeta modernista mejicano estuvo en la Embajada de su país en Madrid desde 1905 hasta 1915.

VI

(Tarjeta)

Querido don Benito:

Mañana volveré a verle para darle la enhorabuena por *Pedro Minio* (15).

Un abrazo,

VALLE-INCLÁN

VII

(Tarjeta)

HOTEL INGLÉS

Calle de Echegaray

Comida que se efectuará el día 15 de febrero, a las ocho de la noche, en honor del novelista D. Gabriel Miró.

Precio: 10 pesetas.

Señor D. ... ... (16).

Querido D. Benito:

Estuve a verle con Gabriel Miró que quería agradecerle su carta. Un abrazo,

VALLE-INCLÁN

---

(15) Se estrenó en el teatro Lara, de Madrid, el día 15 de diciembre de 1908 por la compañía de Rubio-Rodríguez, y constituyó un franco éxito.

(16) Tarjeta impresa para el banquete ofrecido a Miró por haber obtenido, con su obra *Nómada*, el premio de *El Cuento Semanal* en el año 1908.

VIII

(Tarjeta postal) (17)

A Don Benito Pérez Galdós.

Paseo de Areneros, 46. Interior. Madrid.

Querido don Benito:

¿Se olvidó usted de *(sic),* asunto de mis libros con Hernando o Jubera? (18).

Sabe cuanto le admira y le quiere su amigo

VALLE-INCLÁN

IX

Sr. D. Benito Pérez Galdós.

Cambados, 22 de noviembre de 1912.

Mi muy querido y admirado Dn. Benito:

Comienzo a publicar en el folletín de *El Mundo* (19) una comedia bárbara al modo de otras que ya escribí, como *Romance de Lobos* (20). Si sus ocupaciones le dejan vagar, yo le agradeceré que lea el folletín. Acaso haya en esa mi comedia bárbara de *El Embrujado* una comedia

---

(17) El matasellos borroso parece indicar la fecha de abril 1906.

(18) Conocidos editores de la época.

(19) Diario madrileño de la época, fundado por don Julio Burell, político, protector de los jóvenes literatos.

(20) Segunda de las "Comedias bárbaras" publicadas, también en folletín, en *El Mundo* (1907).

capaz para el teatro, reduciéndola en alguna parte (21).
Usted juzgará.

A Matilde (22) le tengo hecha promesa de alguna cosa
para fin de temporada. Por eso tengo un doble interés en
conocer su opinión sobre *El Embrujado.*

Con el cariño de siempre le saluda el más devoto de sus
amigos. Un abrazo de

VALLE-INCLÁN

Señas: Pontevedra-Cambados (23).

X

Sr. Don Benito Pérez Galdós.

Muy querido y admirado don Benito: Dos mañanas estuve a verle en su casa, y no le hallé porque ya era tarde
para encontrarle en ella.

Me dijeron que después de las diez no era posible verle,
y como yo vivo muy distante de la casa de usted tendría
que levantarme de víspera.

Tengo muchos deseos de abrazarle y consultarle mi *Embrujado.* ¿Sería usted tan bueno que me señalase día y ho-

---

(21)   Este melodrama en prosa formó luego parte de la serie
del *Retablo de la avaricia, la lujuria y la muerte.*

(22)   Matilde Moreno, primera actriz de la compañía de García
Ortega, que trabajaban en esta época, en el teatro Español.

(23)   Hay una nota en el encabezamiento de la carta, que dice:
"Contestado en 6 de diciembre de 1912."

33

3

ra, procurando que también Fuentes (24), lo pudiese oír? Aún cuando esto no es absolutamente preciso, pues ya conoce la obra.

Le abraza, y le quiere tanto como le admira,

VALLE-INCLÁN

Febrero-3.

S/c. Santa Engracia, 23.

---

(24) Francisco Fuentes (1870-1934) prestigioso primer actor de la citada compañía de García Ortega, que había representado, con gran acierto el papel de Máximo en la *Electra,* de Galdós, y que participaría en la escenificación de *Marianela.*

CARTAS DE LA FAMILIA MAEZTU

Curioso es el grupo de cartas aquí reunidas porque nos muestran las relaciones que Galdós sostuvo con esta familia vasco-inglesa que dio tales ilustres hijos a España: un gran pensador y escritor, una importante pedagoga y escritora y un estimable pintor.

Las breves misivas de Ramiro nos lo muestran siempre atareado, en su época de febril inquietud periodística, de sus comentarios para la Prensa, como el que hace a *Mariucha;* pero en las cartas de su hermana y de su madre, ya él ausente de la patria, su figura—a través de ellas—va cobrando solidez y universalidad. Pues como dice Vicente Marrero en su *Maeztu* (Pág. 57, 1955): "Este internacionalismo, aire que le acompaña durante toda su vida, puede verse también, aunque en diversa medida, en la pintura de su hermano Gustavo y en la obra docente de su hermana María."

El padre, don Manuel Maeztu, muere en 1894, y la madre, doña Juana Whitney, con sus cinco hijos, se establece en Bilbao, donde para poder subsistir abre un colegio de idiomas. De allí han de salir los tres hermanos famosos: primero es Ramiro, hacia Madrid y a Cuba, y más tarde a Londres, como enviado de *La Correspondencia de España* y *La Prensa,* de Buenos Aires. La segunda será María, hacia Madrid y Salamanca, a estudiar Letras y Pedagogía, cuando ya apuntan sus inclinaciones, claramente indicadas en una de las cartas a Galdós: "Yo, que tengo grandes entusiasmos por la enseñanza popular quisiera poner mis energías y mi escaso valer al servicio de tan noble idea", cuya realización será objeto de su vida. Y, por último, vemos a la madre solicitando de Galdós protección para Gustavo, al que querían dedicar a otra cosa, pero que siente una invencible vocación por el arte, que se logrará en magníficas producciones de la escuela pictórica tradicional española tocada de una fina elegancia inglesa.

Al examinar la historia de esta generación, vemos a Ramiro de Maeztu formándose a la luz de la obra de Galdós, al que consideraba como a uno de los profetas de la España nueva. Por eso está junto a él en el estreno de *Electra*, y por eso decía en *Hacia otra España* que era un neomístico, cuyos ojos se fijan en la escena contemporánea, y finalmente, en *Defensa de la Hispanidad,* compara la influencia de Galdós con la que ejerció Rubén en América.

S. N.

I

Sr. Don Benito Pérez Galdós.

Querido maestro:

He recibido ahora su carta y le envío adjunto la de Buenos Aires (1).

Perdone la tardanza y la informalidad a su buen amigo,

RAMIRO DE MAEZTU

Madrid, 12 abril 1902.

II

"ALMA ESPAÑOLA" (2)
Revista semanal ilustrada
Oficinas y talleres propios:
c/ Claudio Coello, 104. Madrid.

Sr. Don Benito Pérez Galdós.

Mi querido maestro:

¿Quiere usted enviarme dos butacas, una para Martínez Ruiz (3) y otra para mí con objeto de ir al estreno de *Mariucha* (4).

Suyo afmo. amigo,

RAMIRO DE MAEZTU

---

(1) Se refiere a alguna carta o artículo publicado en *La Prensa,* de Buenos Aires, de la que Maeztu sería nombrado corresponsal en Londres desde 1905.

(2) Revista de tendencias espirituales y esteticistas, que comenzó a publicarse en 1903, donde colaboraron Dicenta, Bonafoux, Darío, *Azorín,* Maeztu y otros.

(3) Sólo en el número del 26 de enero de 1904 del diario *España* adopta definitivamente el seudónimo de *Azorín.*

(4) Esta obra dramática de Galdós se estrenó el 16 de julio de 1903 en el teatro Español, de Madrid, y Maeztu publicará un

III

Bilbao, 3 enero 1903.

Sr. Don Benito Pérez Galdós.
Madrid.

Muy Sr. mío y distinguido amigo. Hace ya unos días me sorprendió muy agradablemente su última obra, *Narváez* (5) que usted se dignó enviarme y que como todas las suyas he leído con el entusiasmo que se merecen, pues sobre todo en sus episodios están en tan perfecta amalgama la novela y la historia que forman un todo delicioso especialmente para el alma de la mujer.

Siempre he admirado en todos sus libros el prodigioso talento que le ha elevado a ser el primero de nuestros literatos, pero esta vez ha unido a ese culto intelectual la simpatía y el cariño que como caballero y amigo supo inspirarme cuando tuve el placer de conocerle personalmente en su casa de Santander.

Por lo demás nada puedo decirle yo de *Narváez,* porque sus grandes méritos, su constante trabajo y sus muchas obras le han colocado en un pedestal tan alto que mi pobre persona no puede hacer más que rendir la adoración debida al genio y enorgullecerse de que en nuestra patria haya hombres que como usted la honran, pero sí me permitirá que desde el fondo de mi alma le envíe mi profunda gratitud por su delicada atención al mandarme su libro con tan cariñosa dedicatoria, y aunque bien sé que no merezco por la frase que me prodiga no podía esperar menos que galantería de quien en sus novelas ha sabido hacer tan bien esas creaciones de la mujer.

---

artículo sobre ella en *Alma Española,* titulado "Mariucha y el público".

(5) Corresponde al segundo volumen de la cuarta serie de los *Episodios Nacionales,* publicado en 1903.

Que el año que hemos comenzado sea para usted como los anteriores, lleno de triunfos en su brillante carrera, que se realicen todas sus ilusiones y que se cumplan hasta sus menores deseos, es lo que de muy veras pide para usted su afma. amiga q. l. b. s. m.

MARÍA DE MAEZTU (6)

Presente usted mis respetos a su señora hermana (7).

IV

Calle de Berástegui, 2
24-abril-1907.   Bilbao

Sr. Don Benito Pérez Galdós.

Muy señor mío y distinguido amigo: La prensa de ayer trajo para mí una feliz nueva al enterarme de que en las últimas elecciones ha sido usted nombrado Diputado a Cortes por Madrid (8).

Yo que sigo paso a paso toda su vida literaria, admiradora entusiasta de todas las obras con que constantemente nos brinda su fecundidad portentosa, he experimentado un

---

(6) Nace en Vitoria en 1882 y fue una eminente pedagoga, conferenciante y escritora. Dio varios cursos de carácter pedagógico en EE. UU. y Argentina, donde se estableció hasta su muerte, acaecida en 1948. Escribió muchos artículos para la Prensa española y americana, publicó un tratado sobre *Pedagogía social* e hizo varias traducciones de libros de su especialidad; finalmente, publicó, al frente de los *Ensayos,* de su hermano Ramiro, de la editorial Emecé, de Buenos Aires, una excelente semblanza del gran escritor vasco.

(7) Se refiere sin duda a su hermana Concepción Pérez Galdós, que acompañó a don Benito hasta su muerte.

(8) Para detalles sobre la actuación política de Galdós, véase el capítulo "Republican interlude" en la citada obra de Berkowitz, páginas 383-408.

verdadero placer al ver que desde hoy el Congreso cuenta entre sus miembros al más ilustre de nuestros novelistas.

Por eso más que a usted felicito al pueblo de Madrid que tiene la honra de contarle entre sus gobernantes y de cuya gestión en las Cortes tanto puede esperar la nación española.

Reciba con este motivo la expresión sincera de admiración y afecto de su affma. amiga q. s. m. b.,

MARÍA DE MAEZTU

V

Londres, 17 agosto 1907.
Morehall Cyele c.º-292. Chesiton Road-Feltrestone.

Sr. Don Benito Pérez Galdós.

Mi distinguido y cariñoso amigo: Desde esta playa inglesa, donde me encuentro pasando el verano, dirijo a usted un afectuoso saludo, a la vez que, abusando de su bondad, me permito distraer su atención unos minutos para dirigirle una súplica.

El Estado español ha votado un crédito considerable para enviar pensionados al extranjero que estudien lo que sea de aplicación más inmediata y necesaria a nuestra patria, y la Junta de Investigaciones Científicas acaba de hacer una convocatoria al profesorado todo.

Yo que tengo grandes entusiasmos por la enseñanza popular, quisiera poner mis energías y mi escaso valer al servicio de tan noble idea, y a este fin he solicitado la pensión.

Ignoro si la pedirán muchos por lo que podrían surgir dificultades al hacer los nombramientos que en breve publicará la *Gaceta*. ¿Sería usted tan amable que quisiera hablar por mí a algunos de los señores que componen la Junta?

Su ilustre nombre y su elevado prestigio le convierten en una autoridad indiscutible y por eso sólo una palabra suya ha de ser de una influencia decisiva.

Espero de su bondad al dispensarme su inmerecida simpatía que sabrá perdonarme esta molestia que le ocasiono y por la que quedará muy reconocida su affma. y atenta amiga q. b. s. m.,

MARÍA DE MAEZTU

Cariñosos afectos de Ramiro.

NOTA: A la carta acompaña una relación de los miembros que componían la "Junta para ampliación de estudios e investigaciones científicas":

Presidente: Don Santiago Ramón y Cajal.
Don José Echegaray.
Don Marcelino Menéndez Pelayo.
Don Joaquín Sorolla.
Don Joaquín Costa.
Don Vicente Santa María de Paredes.
Don Alejandro San Martín.
Don Julián Calleja y Sánchez.
Don Eduardo Vincenti.
Don Gumersindo de Azcárate.
Don Luis Simarro.
Don Ignacio Bolívar.
Don Ramón Menéndez Pidal.
Don José Casares Gil.
Don Adolfo Alvarez Buylla.
Don José Rodríguez Carracido.
Don Leonardo de Torres Quevedo.
Don Julián Ribera y Tarragó.
Don José Maura.
Don José Fernández Jiménez; y
Don Victoriano Ascarza.

VI

Sr. D. Benito Pérez Galdós.

Mi ilustre amigo: Hoy sábado, a las diez de la noche salgo para Salamanca, y por lo tanto no me será posible ver a usted mañana domingo, como hubiera sido mi deseo.

Regresaré el miércoles o jueves de la próxima semana y aplazo para entonces la visita que ha de proporcionarme el gratísimo placer de charlar con usted un rato aún a trueque de sacrificar a usted unos minutos.

Suya affma. amiga que le quiere y le admira,

María de Maeztu

VII

Bilbao, 26 noviembre 1907

Sr. Don Benito Pérez Galdós.

Muy señor mío y de mi más distinguida consideración y respeto:

Presento a usted por esta carta al más joven de mis hijos, Gustavo de Maeztu, hermano de Ramiro (9) a quien usted tanto distingue con su amistad.

---

(9) Vivió entre 1887 y 1947; llegó a ser un estimable pintor y obtuvo grandes éxitos, como son su célebre retrato del maharajá de Patiala, y otras obras ya clásicas de nuestra pintura contemporánea, como *Cacería vasca, Crepúsculo en el pueblo de Estella, La vuelta del marino* y otros.

Gustavo quiere ser pintor, al arte está dedicado desde que tiene uso de razón, y a pesar de las luchas que hemos sostenido con él por creer que sería para él más lucrativa otra carrera, el muchacho no se desanima y sigue adelante pintando mucho ya que no con perfección.

Desea visitar a usted antes de venirse a casa a pasar una temporada, y sé que le recibiría usted con benevolencia por ser hermano de Ramiro y de María, a quienes usted ha distinguido ya tantas veces en el terreno del aprecio y amistad.

Tendremos todos en casa mucho gusto en recibir sus gratas noticias por Gustavo, y se las trasmitiremos a Ramiro, quien nos pregunta con deseos por todos los amigos con frecuencia y se alegra siempre de saber algo de los buenos amigos de su España tan querida.

Con saludos muy respetuosos de María y Angela, queda suya affma. amiga y sincera admiradora,

JUANA WHITNEY VDA. DE MAEZTU (10)

S/c. Berástegui, 2, 4.º

---

(10)   Era hija del cónsul inglés en París, y allí conoció a su futuro marido, don Manuel Maeztu, terrateniente vasco-cubano.

43

CARTAS DE MIGUEL DE UNAMUNO

Quizás, de las cartas que han quedado en el archivo de Galdós, sean éstas las más interesantes de la colección que ahora damos a la publicidad. Aun dentro del enorme acervo del epistolario de Unamuno—que García Blanco reunió pacientemente—(*) hay aquí tres o cuatro cartas realmente excepcionales, donde el rector de Salamanca se nos muestra con toda su descarnada intimidad en momentos tan cruciales de su vida, como los que van de la duda de *La Esfinge* (1898) a la afirmación de la fe quijotesca (1905), o los que van de la crisis del proyectado tratado del amor de Dios (1906) a la agónica creencia que se expresa en *El sentimiento trágico de la vida...* (1912).

Pero más que ahondar en los momentos del pensamiento y del sentir unamunianos que se reflejan en estas cartas nos interesa señalar algunos puntos de las relaciones de Unamuno y Galdós; y así preparar al lector para la completa interpretación de estas epístolas que pusieron en contacto a las dos figuras acaso más representativas de sus generaciones, cuyas diferencias esenciales el mismo Unamuno indica: "Nosotros, a quienes se nos ha calificado de hombres del 98, nos hemos rebelado contra los hombres

---

(*) Estas cartas fueron publicadas por S. N., en "Papeles de Son Armadans", núm. CX, mayo de 1965, pero ahora aparecen corregidas—pocos días antes de su muerte—por M. García Blanco.

del 68, por llevar lleno el espíritu de ilusiones que no tenían contenido ni realidad" (Vid. *Discurso en memoria de Galdós, O. C.* t. VII, p. 958).

Son complejas las relaciones entre ambos escritores; pero, a mi juicio, la obra de Galdós es una de las preocupaciones literarias e ideológicas más cercanas a Unamuno de lo que a primera vista parece. Para demostrarlo se necesitaría realizar un estudio que los pusiera a ambos frente a frente en sus múltiples aspectos humanos y artísticos (**).

No cabe duda que en la vida de Unamuno hay etapas de acercamiento y de alejamiento de la obra galdosiana. El primer contacto corresponde aún casi a la niñez, de la que el mismo nos cuenta: "recuerdo aquellos años de mi mocedad soñadora y atormentada, en que, con los ecos de la guerra civil, de que fui inocente testigo, en mis oídos, leía las primeras novelas de Galdós, las de su época de liberalismo romántico, *Gloria, La familia de León Roch, Doña Perfecta*." Y a continuación confiesa que "No las he vuelto a leer. No quiero, por ahora al menos, volver a leerlas. Pero recuerdo cómo me hacían latir el corazón y empañarse en lágrimas mis ojos" (Vid. *Nuestra impresión de Galdós, O. C.* t. V, p. 366).

Esta actitud apasionada e idealizadora de la primera lectura de Galdós fue la que presidió las relaciones iniciales de ambos escritores. Mas el epistolario abarca una época más amplia (1898-1912), y en ella podemos seguir varias actitudes de Unamuno respecto a la obra de Galdós, pues no en vano atraviesa, en este período, las crisis más importantes de su madurez. a) La primera actitud, entre 1898-1905, es de más dependencia, aunque se notan las divergencias profundas que les separan. Bien claro se ve cuando exclama: "¡Si usted supiera cuantas veces recuerdo a su Amigo Manso!", o cuando dice: "Su Nazarín

---

(**) Vid. el trabajo de Ch. Berkowitz, *Unamuno relations with Galdós,* en "Hispanic Review", vol. III, 1940; y S. de la Nuez, *Unamuno y Galdós en unas cartas,* en "Insula", núms. 216-217, noviembre-diciembre, 1964.

de usted se mueve, aunque con amplitud y vigor en el moralismo latino. Tenía razón Clarín al decir que no tenía casi nada de místico, como apenas lo tuvo S. Francisco de Asís" (1898). b) Otra segunda actitud puede estar representada por el entusiasmo que siente por Doña Juana, principal personaje de *Casandra,* pero que señala, al mismo tiempo, la diferencia del pensamiento, ingenuamente liberal y progresista científico, de Galdós y el suyo, angustiado por la eterna congoja de los problemas metafísicos y religiosos: "Hace falta eso, el pobre Dios preso de la materia, a quien tenemos que libertar. Y créame, amigo don Benito, no es la Ciencia sólo, y ante todo no es principalmente la Ciencia, la que nos ha de libertar." (C. 25-XII-1905).

Esta carta marca ya una segunda etapa crítica frente al mundo ideológico galdosiano, que se mostrará claramente más tarde cuando escribe: "Porque Galdós, artista exclusivamente, sentía la superstición de una aplicación científica para él desconocida." Con ello trata de limitar los campos ideológicos, y luego también, creativos de ambos. Censura obras que antes había alabado, como *Nazarín,* del que dice: "es un perfecto extranjero en el Madrid del último tercio del siglo pasado, que no podía ofrecer sino una sociedad sin pasiones" (Vid. *La sociedad galdosiana, O. C.* tomo V, p. 362). Quiere situar la obra de Galdós dentro de una ideología determinada, verla como producto de una sociedad y de una época histórica: "El mundo social que en sus obras nos deja eternizado es el de la Restauración y la Regencia, un mundo de una pobreza intelectual y moral que pone espanto". Y es que esa etapa final del siglo XIX tenía que ser mirada así por los hombres del 98, que representan la más viva oposición a esa sociedad y a ese mundo. Y ya es mucho que Unamuno—con toda su pasión iconoclasta—supiera ver en Galdós un maestro, un creador y un artista formidable, como cuando confiesa que la lengua de Galdós "es su obra de arte suprema" (Vid. *Galdós en 1901, O. C.* t. V, p. 364). El mayor escollo en la comprensión de Galdós, en esta etapa unamuniana de más alejamiento de su obra, está en el terreno ideológico, sobre el que insiste en el párrafo siguiente: "Los personajes de Galdós, como sus modelos reales, son muy pobres de doctrina. Viven al día. Y la de él, la de Galdós, se reducía acaso al progresismo generoso y romántico, pero cándido de sobra, sencillo, de la setembrina, de la Revolución española del año 1868". (Vid. *La sociedad galdosiana, O. C.* tomo V, p. 361). Sin embargo, cuando Unamuno compara la producción literaria de la primera serie de las novelas contemporáneas de Galdós con las novelas realistas o el teatro anticlerical y cientificista del dramaturgo, prefiere las producciones de la primera época del novelista, sin duda por hondas razones de sentimiento o por evocación de sus primeras lecturas juveniles.

Pero todavía Unamuno volverá a enfrentarse con la obra literaria y la figura de Galdós, precisamente en una de las Islas Canarias (tierra natal del novelista), donde estuvo desterrado en 1924, bajo la dictadura de Primo de Rivera. El párrafo de una carta dirigida a su amigo Castañeyra, al que dedicó su libro *De Fuerteventura a París,* nos sitúa en este último acercamiento de Unamuno a Galdós: "Nunca podré olvidar que fue ahí, y gracias a usted y su librería, como releí a Galdós y aprendí a conocerlo. Pues le debo declarar que aun cuando yo conocí y traté a don Benito, mi verdadero conocimiento de su obra data de mi estancia en esa" (12-IV-1932). A consecuencia de esa relectura Unamuno cambia, en ciertos aspectos, sus ideas sobre Galdós, como él mismo dice: "Me permitió modificar y rectificar mi juicio estético de su obra parte a mejor y parte a peor" (Vid. *Alrededor del estilo, O. C.* t. XI, p. 833). ¿Cuáles son las causas que hacen mejorar o empeorar la figura de Galdós en el Unamuno de sus últimos años? El no lo dice claramente, sólo lo podemos conjeturar por algunas frases. 1.º) La principal causa de censura puede estar en "su falta de estilo individual", que le llevó a definir su personalidad artística como una **representación de** la impersonalidad. 2.º) La causa más importante de su revalorización está en que los personajes "y los héroes—cómicos y trágicos—de don Benito vienen en mi memoria trabados con el sol desnudo de Fuerteventura", que se enlazan siempre con sus años de mocedad, que ahora se transforman en poesía y en recuerdo:

> "*de la mar libre, días liberales*
> *que me llenó de ensueños don Benito.*"

(De Fuerteventura... soneto XXXIX, versos 13-14)

Después de esto, ¿no es lícito preguntar hasta qué punto el pensador vasco se sintió atraído o influído por el creador y novelador canario? Ya algunos críticos han señalado semejanzas evidentes: por ejemplo, la utilización simbólica de personajes como en *La Venda* de Unamuno, cuya figura central representa la fe, lo mismo que el joven de *Marianela* (F. de Cossío) o también en la creación de *El amigo Manso* que es un precedente de las "invenciones análogas de Pirandello y de Unamuno" (Gullón). Estas cartas, que ofrecemos ahora, demuestran bien el interés que tuvo Unamuno por Galdós. Pero, como siempre, habla mucho más de sus propias obras, como las declaraciones que hace sobre *Paz en la guerra:* de lo que tardó en preparar la obra y de las angustias que pasó en su creación y de sus coincidencias con el período histórico que novelaba Galdós en la tercera serie de los *Episodios Nacionales.*

Para conocer las impresiones de Galdós sería necesario leer las cartas que éste le dirigió a Unamuno, que hoy están en el archivo de Salamanca. Pero no cabe duda que —por lo que podemos deducir—D. Benito sintió gran curiosidad y estima por su amigo el escritor vasco. Bastantes cartas de Unamuno son contestación a otras de Galdós, lo cual es ya significativo, por ser éste—a lo contrario de don Miguel—poco epistológrafo. Las interesantes cartas señaladas con los números I, III, VII y VIII, corresponden a otras tantas epístolas donde Galdós le hablaba sobre cuestiones políticas, sociales, lingüísticas o religiosas que Unamuno había expuesto en sus artículos. Significativo es también lo que se deduce de la carta VI, donde notamos que el interés que tenía Unamuno por entrevistarse con Galdós, correspondía a un interior deseo de verle de éste último.

Es natural que dos hombres de generaciones distintas y tan característicos—como Unamuno y Galdós—tuvieran hondas diferencias. Lo que les separa más—a mi juicio—son las preocupaciones religiosas y el estilo desnudo de uno, y las ideas progresistas y el estilo abundante y popular del otro. Pero les unen otras muchas cosas: la creación y concepción de la obra y el personaje, en la novela y en el teatro; las preocupaciones lingüísticas y el estilo, en el terreno propiamente artístico; las ideas en torno a la política, a la sociedad y a la historia contemporánea, y sobre todo les acercaba el hondo apasionamiento por el pasado y el porvenir de la patria común. No dudamos que estas cartas—completadas con las de Galdós a Unamuno—servirán para aclarar las relaciones entre dos de las figuras más importantes de nuestra literatura contemporánea, que coincidieron, por un momento, en el alborear de nuestro siglo (***).

S. N.

(***) Desgraciadamente en el archivo particular de Unamuno no han aparecido las cartas de Galdós, a pesar de los diligentes trabajos de García Blanco.

EL RECTOR
DE LA
UNIVERSIDAD DE SALAMANCA

Particular

6 nov. 1902

Sr. D. Benito Pérez Galdós

Mi querido amigo: El joven argentino D. Manuel Ugarte, corresponsal de _El Tiempo_ y _El País_, de Buenos Aires, escritor cultísimo y buen amigo mío desea verle. Le doy esta carta de presentación que lo demás, el recomendarse, que de de mi cuenta, pues con poco que hablen quedarán amigos.

Como él mismo se recomienda — según la frase consagrada — yo nada añado.

Ya sabe cuan de veras es su amigo y admirador

Miguel de Unamuno

Sr. D. Benito Pérez Galdós.

Mi distinguido amigo: No sabe usted bien con cuanto placer he leído las seis líneas de su carta. "Me está ya dando fruto mi artículo" me he dicho. Porque lo cierto es que desde que vine hace siete años de mi Vizcaya a encerrarme en el rinconcito de este viejo ciudadón castellano he vivido lo más del tiempo recluido en mí mismo, en perpetua rumia, en casi constante monólogo. ¡Si usted supiera cuantas veces recuerdo a su amigo Manso. (1). No es que lo haya visto, lo he sentido dentro de mí. Aquí maduraron mis gérmenes hipocondríacos y de tal modo he debido hacerme que, cuando publiqué mi novela *Paz en la Guerra* (2) no faltó quien dijese que los personajes eran reales, excepto uno que no pasaba de un ente de razón. Y en ese ente de razón me había puesto a mí mismo, había trazado una autobiografía. "Me había convertido en un ente de razón", me decía. Y no es esto lo peor. Lo peor es que a fuerza de vivir solo conmigo llegó a ulcerárseme la conciencia, y me sucedió con ello lo que, con el estómago ulcerado, que empezó a digerirse, esto es a analizarse a sí mismo. Dios sólo sabe lo que sufrí.

Y basta de mí, que debo combatir ante todo el *yoismo*.

-----

(1) Título de la novela, publicada en 1882, que "pasa por ser la más personal" de las de Galdós. Vid. *O. C.* de Unamuno, Ed. Aguilar, t. XI, pág. 845, el art. *Al amigo Galdós sobre el estilo.*
(2) Novela publicada en 1897, donde Unamuno trata de plasmar—según su teoría—la intrahistoria de su ciudad natal en la última guerra carlista.

Desde que fui a usted presentado por Villegas (3) y charlamos un rato sentí vivo escozor de que volviéramos a vernos, más despacio y con mayor calma. Eran muchas las cosas que tenía que decir a usted, con cuyas obras me he recreado tanto de muchacho. Aún recuerdo alguna noche en vela leyendo alguna de sus primeras novelas. ¡Cuántas cosas puse en su *León Roch* mientras lo leía! ¡Cuántas en *Doña Perfecta*! (4).

La serie de episodios que ha emprendido usted ahora me interesa muchísimo (5). Me he llevado más de diez años dedicado a estudiar el carlismo, y como necesario complemento el período histórico que usted noveliza. Por mi parte me siento poco animado a volver a escribir novelas. Lo que hice me costó mucho trabajo; una larga y enorme labor de concentraciones y expansiones sucesivas, un estudio tenaz del menor detalle, un constante *masaje* del contenido, una gran tensión para hacerlo significativo todo. Lo único que en su mayor parte tracé de un tirón fue la forma externa, el lenguaje (no el estilo). Creo que cometí la torpeza de meter demasiadas cosas y todas muy apretadas en mi libro, y que no tuve el bastante arte para darlas relieve, para subrayarlas. ¡Se me hacía tan costoso publicar el libro todo en letra cursiva! Porque mi constante empeño en diez años de labor fue suprimir materia conjuntiva y hacer que fuese todo hueso, músculo y nervio.

En lo que sí he venido a dar es en lo que no creí nunca, en lo mismo en que fue usted a dar: en el teatro. Cuando hace tres o cuatro años me excitaban Villegas y Colorado (6) a que hiciese algo para el teatro me resistí ale-

(3) Se refiere a Francisco Fernández Villegas, conocido periodista, redactor de *La Epoca*, bajo el seudónimo de Zeda.

(4) Novelas galdosianas de la primera época, publicadas en 1878 y 76 respectivamente.

(5) Se refiere a la tercera serie de los *Episodios Nacionales,* que tratan de la primera guerra carlista (1833-1840).

(6) Según García Blanco, se refiere a Vicente Colorado, amigo salmantino de Unamuno.

gando que ni mis gustos, ni mi complexión espiritual, ni mi estilo me llevaban a él. Y a él he ido a dar casi sin sentirlo; intentando hacer una novelita. Con usted que tiene experiencia del teatro y que de la novela ha ido a él; con usted quisiera hablar de ello. Hasta hoy me resulta mi drama sombrío, muy sombrío, aplastado por la obsesión de la muerte que sobre él se cierne y por el temor de la nada de ultratumba. A veces creo que le doy exagerada tensión. No sé tampoco cómo recibirá nuestro público un drama en que se sacan a escena íntimas luchas religiosas, el combate de un hombre que quiere creer y no puede, que pelea entre la gloria y la paz. Tal vez lo salve el desarrollo externo hasta la muerte del protagonista en un motín popular (7).

Me dicen que es poco español este subjetivismo religioso, esta constante preocupación por el destino individual de cada uno. No lo sé. Lo que sé es que la religión aquí en puro socializada apenas pasa de liturgia y moral; que no se piensa en las relaciones personales y directas con Dios o con quien haga sus veces para uno.

Cuando leí a Nazarín se me ocurrieron muchas cosas que por esta condenada insociabilidad de que me quejo en el artículo que ha ocasionado su carta, no le escribí (8). Su Nazarín de usted se mueve, aunque con amplitud y vigor, en el moralismo latino. Tenía razón *Clarín* al decir que no tenía casi nada de místico, como apenas lo tuvo S. Francisco de Asís. El misticismo en cuanto enfermedad en ninguno se ve mejor que en Pascal, en Enrique

---

(7) Se refiere a *La Esfinge,* obra compuesta por estas fechas y estrenada en Las Palmas en 1909. Vid. *Teatro completo de Unamuno,* con prólogo de García Blanco, M., Madrid, 1959, páginas 11 y ss.

(8) Se refiere al artículo de Unamuno titulado *¡Más sociabilidad!,* publicado en *Vida Nueva,* Madrid, 27-XI-1898, recogido en los *Ensayos,* t. XI, págs. 60 y ss.

Suso (9), algo en algún período de la vida de Juan Jacobo (10).

De otra cosa tengo que hablarle a usted y es de Orozco (11), de su Orozco, a quien he conocido y tratado y de quien me despedí no hace muchos días. Iba a América. Es un hermoso drama, todo un drama que ha transcurrido silencioso en una villa muerta de esta provincia. ¡Qué pena me daba verle acariciar a mis hijos; él, *que no podía tenerlos,* cada vez que venía a verme! Usted no sabe lo que sintió cuando vio en el libro de usted un reflejo tan real de sí mismo, y mucho más cuando usted no le conocía siquiera.

En fin, si me dejase llevar de mi epistolomanía (que es una de mis enfermedades) esta carta no se acababa nunca. No sabe usted cuánto celebro que mi artículo haya provocado un reanudamiento de relaciones interrumpidas no bien comenzadas, cuando apenas hacían más que iniciarse. ¡Es tan grato encontrar eco!

Creo que no ha de pasar mucho tiempo antes de que le envíe un nuevo libro mío, sea *En torno al casticismo* (12), sea *Paisajes y celajes* (13) o sea *Niñez* (14), memorias de mi infancia. Aún no tengo decidido cuál publicaré antes.

---

(9) Su nombre es Enrique de Berg (1295-1365), dominico, célebre por su vida ascética y sus coloquios y soliloquios místicos.

(10) J. J. Rousseau (1712-1778), uno de los escritores que más han influido en la evolución del pensamiento social moderno, y que expresó en sus *Confesiones* el tormento del hombre oprimido por la sociedad.

(11) Uno de los principales personajes de la novela de Galdós *Realidad* (1889), dramatizada por él mismo en 1892.

(12) Esta obra se publicó en la librería-editorial de Fernando Fe, Madrid, 1902.

(13) Bajo el título de *Paisajes* se publicó esta obra en la colección Colón, vol. V, Salamanca, 1902.

(14) Esta obra se publicó con el título *Recuerdos de niñez y mocedad,* en la librería-editorial de Victoriano Suárez y Fernando Fe, Madrid, 1908.

Las desgracias patrias y el vendaval de barbarie que se desencadena en Europa me tienen en tensión. Es horrible lo que pasa. ¡Hay que crear consumidores! Esta es la frase fatal. No se trata de hacer productos para los hombres, sino hombres para los productos. El infeliz fabricante de corbatas se ve obligado ¡pobrecillo! a producir y producir sin descanso so pena de quiebra, y no hay más remedio que civilizar a cañonazos a los salvajes, para que gasten corbata. Nunca ha sido más verdad lo de que el pabellón cubre la mercancía. Como que toda bandera es ya bandera mercante, las naciones sindicatos de industriales y los suelos de ellas hipoteca de los tenedores de la deuda. ¡Y aún querrán que no consideremos al progreso como un mal necesario!

Basta de desahogo.

Usted sabe, Don Benito, cómo le admira y aprecia y agradece su recuerdo su afmo. amigo

MIGUEL DE UNAMUNO

Salamanca, 30 nov. de 1898.

EL RECTOR
DE LA
UNIVERSIDAD DE SALAMANCA
Particular

1 febrero 1901

Sr. D. Benito P. Galdós.

Mi querido amigo:

Acabo de leer en *El Imparcial* la reseña de su *Electra* (15), así como ya ayer supe el grandísimo éxito que ha obtenido. Felicítole por ello.

Volveré a hacerlo cuando lo haya leído, pues por extractos poco se saca de obras de arte en que todo estriba en el desarrollo.

Como estos días serán para usted de parabienes y emociones no quiero distraerle. Pronto nos veremos, me parece.

A don Federico (16) que aún no sé si recibió lo mío.

Estoy metido de hoz y de coz en mi novela pedagógico-humorística *Nacimiento y muerte de Apolodoro Carrascal* (17) (o cómo se hace un genio), que llevo muy avanzada ya. Veremos lo que sale.

---

(15) Al estreno de esta importante y popular obra alude Unamuno casi cada vez que habla de Galdós; así, en su artículo *Galdós en 1901,* recogido en el t. XI de los *Ensayos,* pág. 364.

(16) Se refiere a F. Oliver y Crespo (nació en 1879), escultor, dramaturgo de obras de tesis sociales y director de compañías teatrales, como la que formó con su esposa, la célebre actriz Carmen Cobeña (fallecida en 1963).

(17) Primitivo título de la novela que conocemos bajo el nombre *Amor y Pedagogía* (1902), que según J. Marías representa "el tránsito hacia la vida individual" (Vid. *Miguel de Unamuno,* C. Austral, M., 1950, págs. 91 y ss.).

Que se repita mucho su *Electra* y que nos dé usted nuevos dramas.

Y con un aplauso y un apretón de manos se le despide su afmo. amigo y admirador

MIGUEL DE UNAMUNO

III

EL RECTOR
DE LA
UNIVERSIDAD DE SALAMANCA
Particular

14 setiembre 1901

Sr. D. Benito P. Galdós.

Mi querido amigo: Gracias mil por su carta. Cumplí sencilla y serenamente con mi deber, diciendo la verdad. Y como quiera que eso del vascuence levanta roncha voy a esplayarlo en unos artículos que se publicarán probablemente en *El Imparcial* (18). El vascuence es un obstáculo a la cultura y sobre todo al liberalismo y al espíritu moderno. Hay que resignarse al progreso.

Frente a aquello del cura que decía: "no envíen a los hijos a la escuela que allí les enseñan castellano y el castellano es el vehículo del liberalismo" el aldeano no contaminado por gente de pluma dice lo que me dijo uno de

---

(18) Efectivamente, por esta época Unamuno publicó dos artículos sobre *El bizkaitarrismo y el vascuence* en *Los Lunes del Imparcial,* de Madrid, números del 30-IX y 7-X-1901, que fueron recogidos en el tomo VI de las *O. C.,* págs. 312 y ss. Sobre la lengua y la literatura vascas se pueden consultar otros ensayos en los tomos V y VI de estas *O. C.,* editorial Afrodisio Aguado, S. A.

ellos: "con vascuense no se hase dinero." Ni cultura, agrego yo.

En medio de la batalla, que seguirá, me han animado voces de lo más granado y culto no ya sólo del resto de España sino de mi mismo querido país vasco.

Y sobre todo la verdad, la verdad desnuda, "*opportune et importune*" como decía San Pablo, más oportuna cuanto menos la creen los prudentes según el mundo viejo, la verdad siempre. Sólo así se acabará con nuestro pecado cardinal: la cobardía moral.

Mil gracias de nuevo. Espero nos veamos este invierno en Madrid. Ahora, a trabajar.

Un abrazo de su amigo, que le admira y quiere

MIGUEL DE UNAMUNO

IV

EL RECTOR
DE LA
UNIVERSIDAD DE SALAMANCA
Particular

16 nov. 1902

Sr. D. Benito Pérez Galdós.

Mi querido amigo: El joven argentino D. Manuel Ugarte (19), corresponsal de *El Tiempo* y *El País,* de Buenos Aires, escritor cultísimo y buen amigo mío desea

---

(19) Este político, sociólogo, crítico e historiador argentino vivió entre 1878 y 1951. Sus campañas a favor de los pueblos hispanos conmovieron la opinión de América y Europa, admirando al mismo Unamuno. Entre sus ensayos críticos más conocidos está *La joven literatura hispanoamericana* (1906). Escribió *Paisajes parisienses* con prólogo de don Miguel. Vid. *O. C.* de Unamuno, tomo VII.

verle. Le doy esta carta de presentación que lo demás, el recomendarse, queda de su cuenta, pues con poco que hablen quedarán amigos.

Como él mismo se recomienda—según la frase consagrada—yo nada añado.

Ya sabe cuán de veras es su amigo y admirador,

MIGUEL DE UNAMUNO

V

EL RECTOR
DE LA
UNIVERSIDAD DE SALAMANCA
Particular

11-VI-1905

Sr. D. Benito Pérez Galdós.

Es un poeta peruano, mi querido don Benito, es un poeta y basta quien le presento. José Santos Chocano (20) debe ser recibido en España como en su hogar primero, como en su hogar de antes de que naciera. Cuando llegan los inviernos a los pueblos de los poetas, como los pájaros, se refugian en alguna selva a invernar. ¡Dios quiera que hagamos de España invernadero de poesía!

Le encomiendo y recomiendo a Santos Chocano.

Le quiere y admira,

MIGUEL DE UNAMUNO

---

(20) Este gran poeta modernista peruano vivió entre 1875 y 1934. Su retórica resonante y victoruguesca—tan contraria a la estética de Unamuno—, como se puede comprobar en sus *Cantos del Pacífico* o en *Alma América,* es lo más característico de su obra.

EL RECTOR
DE LA
UNIVERSIDAD DE SALAMANCA
Particular

14-VII-1905

Sr. D. Benito Pérez Galdós.

Mi querido amigo: A fines de este mes salgo para Bilbao, mi pueblo, donde permaneceré—al menos como centro de carreras—todo el mes de agosto, y espero combinemos o el ir yo a ésa, o el visitar usted Bilbao o el encontrarnos en algún punto. Porque también yo quiero hablar con usted—y mejor a solas—muy detenidamente de ese plan de acción colectiva sobre el que tengo ideas bastante claras y precisas. Creo posible una acción para apoyar en cada caso las soluciones más liberales, un radicalismo posibilista, en que se unan todos los que miran hacia adelante sea cualquiera la estación a que vayan. Dejaré a unos ex-republicanos en la 1.ª, socialistas en la 2.ª, a anarquistas en la 3.ª y continuaré mi viaje que no tiene fin. Y esto fuera de partidos. En la realidad presente creo más fácil conquistar al Rey y obligarle a una política radical, que hacer una revolución. En Italia no hay republicanos (los que había se agruparon en torno al Rey, frente al Papa) y aquí debe pasar lo mismo. Y lo leal es definir esta actitud bien. Nunca he comprendido eso de que parezca bien una medida de gobierno y por *política* se vote contra ella. Si los republicanos creían que los presupuestos de Villaverde (21) eran mejores que los

_____

(21) Se refiere a Raimundo Fernández Villaverde (1848-1905), que fue varias veces ministro durante el reinado de Alfonso XIII. y que desde el Ministerio de Hacienda logró sanear el erario des-

de Osma (22), debieron votarlos, que de eso se trataba, sin preocuparse de tomar aquello de pretexto para dificultar la vida del Gobierno. No entiendo esas cosas.

Apoyar todo lo beneficioso y progresivo, sea quien fuera, quien lo propone, y sin ligarse a nadie, y como la monarquía es un hecho admitirla como tal sin meterse a más y sin declararse por eso monárquico ni comprometerse a sostenerla. Si se lograra que el Rey aceptara un ministro que se negase a jurar el cargo por no creer en el juramento ¿no habríamos dado un gran paso? No lo creo imposible.

La política es necesaria, pero espurgándola de lo que llaman ser político. Y si las gentes vieran que hay un grupo de gentes que discrepando en muchas cosas, apoyan siempre las soluciones más progresivas (cuanto acerque a la libertad de cultos, al mejor reparto de la riqueza, a la enseñanza laica, etc., etc.), *vengan de quien vinieren,* y considerando las medidas de gobierno como tales medidas y sin tener en cuenta si favorecen a tal o cual partido, ese grupo de gentes se impondría al cabo. Sinceridad siempre, y ningún partido la tiene.

En fin, hablaremos.

Me gustaría saber su impresión de mi *Vida de Don Quijote y Sancho* (23), que tan mal ha caído en el cotarro literario madrileño. Pero me aquieto porque me doy cuenta de que cuanto más se evita hablar de mi obra toda, más influye ésta y que son los que más protestan contra "mis cosas" los que más sufren la presión sugestiva de ellas.

pués del desastre colonial del 98. Fue también presidente del Gobierno en 1903 y en 1905.

(22) Se refiere, según García Blanco, a J. de Osma, político de la Restauración española de final de siglo.

(23) Desde 1905—que coincidió con el tercer centenario de la publicación de la primera parte del *Quijote*—hasta 1928, la editorial Renacimiento, de Madrid, hizo cuatro ediciones, y se tradujo al alemán, italiano e inglés.

Y usted verá que no peco de hipócrita, quiero decir de modesto. He sabido interpretar el silencio en unos, y el semisilencio en otros de los diarios de circulación.

Pero soy vicaíno, es decir ferco y tengo mi dilema que es: o me vuelven loco o les vuelvo locos.

Y ahora mi próxima obra. Estoy a prueba de fracasos, y el fracaso, que en España lo ha sido, de mi último libro, me anima a lanzar uno más (24).

Con que a ver si nos vemos. Le escribiré desde Bilbao. Sabe que admira su labor y le quiere su amigo

Miguel de Unamuno

VII

EL RECTOR
DE LA
Universidad de Salamanca
Particular

25-XII-1905

Sr. D. Benito Pérez Galdós.

Mi querido amigo: Mil gracias por las expresiones que le ha dictado mi artículo sobre Boada (25) y por el obsequio del ejemplar de *Casandra* (26). Es ésta de sus últi-

---

(24) Acaso Unamuno, quejoso de la crítica, decidió ahora publicar su primer tomo de *Poesías* (1907), que hacía tiempo venía preparando.

(25) Se refiere al caso de aquel pueblo de Salamanca, que pensó emigrar en masa, denunciado por Maeztu en *La Correspondencia,* número del 8-XII-1905, saliendo Unamuno en su defensa en el mismo periódico número del 14-XII-1905.

(26) Novela publicada en 1905 y que el mismo autor adaptó al teatro, estrenándose en el Español, de Madrid, el 28 de febrero de 1910.

mas obras que conozco aquella en que encuentro más consideraciones que pienso exponer, aprovechando para ello los artículos con que he de contestar a los que ha empezado a publicar en *La Correspondencia* mi buen Maeztu (27) en respuesta al mío sobre lo de Boada. Quiero hablar del patriotismo, de su crisis y de otras cosas. Entre ellas de cómo la moral católica—sobre la mesa tengo el *"Compendium theologiae moralis"* de Grury, texto de nuestros seminarios—autoriza el fraude al Estado.

Hay que decir la verdad, la verdad siempre, frente a los que dicen: ¡palo! ¡palo! ¡palo!

Y tenemos que formar el sagrado batallón de los cruzados que vaya a rescatar el sepulcro de D. Quijote del poder de los bachilleres, curas, barberos, canónigos y duques que hoy le tienen ocupado. Y lo grande es que no sabemos ni hacia dónde cae el tal sepulcro (28).

Decía Zola: "Ah! vivre indigné? Voilà quelle a été une passion! J'en suis tout ensanglanté, mais je l'aime, et si je vaux quelque chose, c'est par elle, par elle seule!" Me empieza a pasar lo mismo. Se me va acumulando un asiento de indignación que pide salida.

¿Predicar en desierto? ¡No importa! Al cabo se le abren al desierto oídos.

He visto con tristeza y asco que nadie ha protestado del motín oficialesco de Barcelona, y yo lo he hecho. Hace días que tiene Canal (29) en su poder, para *Nuestro*

---

(27) Ramiro de Maeztu (1876-1936), que pasó por ser el Nietzsche español y que luego volvió a replicar a Unamuno en *La Correspondencia,* número del 24-XII-1905.

(28) Copia aquí, casi al pie de la letra, uno de los párrafos del comienzo de *Vida de Don Quijote y Sancho* (editorial Renacimiento, 1905), donde dice: "Creo que se puede intentar la santa cruzada de ir a rescatar el sepulcro, etc..."

(29) Se refiere a Salvador Canals y Vilaró, que nace en 1867 en Puerto Rico y es colaborador en España de importantes diarios como *El Heraldo de Madrid, El Español,* etc., y fundador de la

Tiempo—los periódicos me están cerrados para decir ciertas verdades—, corregido ya, mi estallido.

Y todo ello me anima y me arranca de congojas íntimas que jamás se me aquietan. Las estaba virtiendo en un trabajo *(Tratado del Amor de Dios)* (30), estaba dando forma a mi más íntima desesperación, estableciendo cómo la fe en Dios se reduce a querer que Dios exista y nos haga inmortales, cuando han venido todas estas cosas. Por un tiempo me arracan de meditaciones dolorosas.

De D.ª Juana (31) y de su resurrección tengo que decir bastante. Su Dios, el Dios burocrático, es horrible, pero frente a El, ¿qué otro Dios se nos predica? Hace falta eso, el pobre Dios sufriente, a quien amar sea compadecer; el pobre Dios preso de la materia, a quien tenemos que libertar. Y créame amigo, don Benito, no es la ciencia sólo, y ante todo no es principalmente la ciencia, la que nos ha de libertar. Haeckel (32) es más horrible que un teólogo católico.

En fin, dejemos esto.

Y sepa que es su amigo leal,

MIGUEL DE UNAMUNO

---

revista *Nuestro Tiempo,* en 1901, donde colaboró asiduamente Unamuno.

(30)   Se refiere a una de sus más famosas obras, que titulará *Del sentimiento trágico de la vida de los hombres y de los pueblos* (1912).

(31)   Es la verdadera protagonista de la novela de Galdós *Casandra,* a la que nos referimos en la nota número 26. Otra referencia de Unamuno a esta obra se encuentra en una carta de éste dirigida a Federico de Onís (19-XII-1905).

(32)   Ernesto Haeckel (1834-1919), naturalista y filósofo alemán, que con su concepción monista y materialista del universo pretendía suprimir la teología y la metafísica.

5

VIII

EL RECTOR
DE LA
UNIVERSIDAD DE SALAMANCA
Particular

8-XII-1906

Sr. D. B. Pérez Galdós.

Mi querido amigo: Acepto, agradecido, su felicitación por mi contribución al *Diario Universal* (33) a cuenta de la cuestión religiosa y le felicito a mi vez por su *Prim* (34), sea éste o no el histórico. Porque el histórico—no el simbólico—no acaba de convencerme; como buen catalán, creo que tenía mucho de teatral y tartarinesco.

Las cosas se van poniendo de modo que habrá que soltar a cada paso puñados de verdades. Ahora quiero decir —aguardo coyuntura—que la ley de Asociaciones debe votarse no en nombre de la libertad sino de la cultura, pues la cultura exige barrer las órdenes religiosas y con ellas la farsa católica; que no es sino farsa.

La Correspondencia de España que recibo hoy dice que en toda Europa anti-clerical significa antirreligioso y ateo. ¡No, no, no y no! Yo soy anti-católico por cristiano, y porque creo que la Iglesia Romana nos está descristianando.

Verá usted esos liberales cuando se trate de votar. Lo harán no por sentimiento católico, sino por miedo al enojo

---

(33) Periódico madrileño que se publicó entre 1903 y 1914. Véanse en el número de fecha 19-XI--1906 las cartas abiertas de Unamuno al director, don Baldomero Argente, contestando al tema *La libertad religiosa*.

(34) Es uno de los últimos *Episodios Nacionales* de la 4.ª serie, publicado en este año de 1906.

de la mujer o de la querida—hay queridas que oyen misa diaria y tienen director espiritual.

Hay que acabar con la farsa y ser hombres, hombres enteros y verdaderos, lo cual es más que ser semidioses. Por eso no es hombre un católico liberal, porque es semi-católico y semiliberal, baciyelmista (35).

¡Qué pecado más rico es el liberalismo!

Y me vuelvo a hacer versos. Es mi ocupación del año.

De 87 composiciones que conservo—las hay de hace muchos años—, 59 son de este año. Versos de otoño, que me han brotado después de pasar la cuarentena. Y ¡cómo los quiero! En breve les diré: ¡Id con Dios! y añadiré:

Aquí os entrego, a contratiempo acaso,
flores de otoño, cantos de silencio,
¡cuántos murieron sin haber nacido
dejando, como embrión, un solo verso!

¡Cuántos sobre mi mente y so las nubes,
brillando un punto al sol entre mis sueños,
desfilaron como aves peregrinas
de su canto al compás levando el vuelo
y al querer enjaularlas yo en palabras
del olvido a los nombres se me fueron!

Por cada uno de estos pobres cantos,
hijos del alma que con ella os dejo,
¡cuántos en el primer vagido endeble
faltos de aire de ritmo se murieron (36).
Estos que os doy logré sacar a vida

<hr />

(35) Con esta palabra, derivada de la cervantina "baciyelmo" alude a la actitud transigente y componedora de los que, igual que Sancho, no quieren definirse por ningún partido. Unamuno lo explica extensamente en el capítulo XLV de su obra *Vida de don Quijote y Sancho,* publicada en el año anterior a esta carta.

(36) Debajo de la palabra "ritmo" está tachada la palabra "vida", por no repetirla, ya que aparece en el verso siguiente.

y a luchar por la eterna aquí os los dejo;
quieren vivir, cantar en vuestras mentes,
y les confío el logro de su intento.
Les pongo en el camino de la gloria
o del olvido, hice ya por ellos
lo que debía hacer, que por mí hagan
ellos lo que me deban, justicieros.
Y al salir del abrigo de mi casa
con alegría y con pesar los veo,
y más que no por mí, su pobre padre,
por ellos, pobres hijos míos, tiemblo.
Hijos del alma, pobres cantos míos,
que calenté al arrimo de mi pecho,
cuando al nacer mis penas balbucíais
hacíais de ellas mi mejor consuelo!
Idos con Dios, pues que con El vinisteis
en mí a tomar, cual carne viva, verbo,
responderéis por mí ante El que sabe
que no es lo malo que hago, aunque no quiero,
sino vosotros sois de mi alma el fruto,
vosotros reveláis mi sentimiento,
¡hijos de libertad., y no mis obras
en las que soy de extraño sino siervo;
no son mis hechos míos, sois vosotros,
y así no de ellos soy, sino soy vuestro.
Del tiempo en la corriente fugitiva
flotan sueltas las raíces de mis hechos,
mientras las de mis cantos prendas firmes
en la rocosa entraña de lo eterno.
Íos con Dios, corred de Dios el mundo,
desparramad por él vuestro misterio,
y que al morir, en mi postrer jornada,
me formáis, cual calzada, mi sendero,
el de ir y no volver, el que me lleve
a anegarme en el fondo del silencio.
Id con Dios, cantos míos, y Dios quiera

que el calor que sacasteis de mi pecho
si el frío de la noche os lo robara,
lo recobréis en corazón abierto
donde podáis posar al dulce abrigo
para otra vez formar, de día, vuelo.
íos con Dios, heraldos de esperanzas,
vestidas del verdor de mis recuerdos,
íos con Dios, y que su soplo os lleve
a tomar en lo eterno, por fin, puerto (37).

Un abrazo de MIGUEL DE UNAMUNO

IX

EL RECTOR
DE LA
UNIVERSIDAD DE SALAMANCA
Particular

16-X-1912

Sr. D. Benito Pérez Galdós.

Le pongo a usted, mi querido amigo, cuatro letras no
más que para saber si es que recibió o no usted una carta
que, dirigida a Santander, le envié hará unos quince o
veinte días. Si no la ha recibido, para reiterar mi consulta (38).

Sabe que le estima y admira su afectísimo amigo,

MIGUEL DE UNAMUNO

(37) Al margen anota Unamuno: "Este es el Prólogo de mi colección de *Poesías*." Esta obra, su primer libro de versos, fue editada en Madrid en 1907.
(38) La carta a que hace referencia Unamuno debió perderse,
pues en el archivo de Galdós no he encontrado sino esta breve
misiva y la siguiente, fechadas en 1912.

EL RECTOR
DE LA
Universidad de Salamanca
Particular

11-XII-1912

Sr. D. Benito Pérez Galdós.

Hoy mismo le envío a usted, mi querido amigo y maestro, el manuscrito de mi *Fedra* (39). Como yo aunque creo saber algo de la literatura dramática nada sé de técnica teatral ignoro qué deficiencias de elementos puedan ser las que dificulten ahí poner esta mi tragedia. Como usted verá no exige ni trajes ni decoraciones ni aparato alguno. Trajes los de la calle, decoración cualquiera. Ni exige mucho personal. No juegan sino seis personajes y de ellos sólo tres principales. Como que me he propuesto hacer una tragedia de la mayor sencillez y desnudez. Por eso mismo, por su simplicidad, por no defenderse en ella el actor con accesorios, creo que debe tentar a los buenos actores. Siento en este caso no ser mujer, que si lo fuese era capaz de ofrecerme a hacer de Fedra. Y en cuanto al público... ¿quién lo conoce? Yo no sé si una tragedia así, desnuda, escueta, con la menor retórica posible, sin discursos, sin episodios, sin distracciones, con la pasión en carne viva, podrá producir o no efecto. Sólo sé decirle que a mí eso que llaman teatro poético (!!!) en colaboración con sastres, peluqueros, tapiceros, escenógrafos y hasta músicos y danzarines, me hastía. He querido hacer

_____

(39) Unamuno la subtituló *Tragedia desnuda;* fue compuesta en 1910, se representó por primera vez en 1918 en el Ateneo de Madrid, y se publicó en la revista *La Pluma* en 1921. (Vid. *Teatro completo,* op. cit., prólogo y texto, págs. 82 y ss., y 339 y ss.)

en moderno una cosa clásica, severa y patética a la vez. Usted verá si lo he logrado.

En cuanto a *La Venda* (40) es una cosilla simbólica en un acto y tres cuadros que deseo repasar y corregir y así que esté repasada y corregida se la enviaré. Al amigo Said Armesto (41) le gustó en efecto, mucho, pero yo... Ya trataremos de esto.

Tengo otros dos dramas, uno representado ya en Tenerife, Las Palmas, Málaga, Cádiz y aquí, y que Villagómez (42) me lo va a poner de nuevo en Barcelona (43) y otro que entregué hace dos años a Oliver (44).

Este cortejamiento del teatro es, amigo don Benito, algo que siempre se me ha resistido. He sospechado alguna vez que muchas de las dificultades con que he tropezado habríanse allanado con un viaje mío a esa Corte, pero a esto no me decidiré por razones que alguna vez le expondré de silla a silla. Pronto hará tres años de la última vez que

---

(40) Esta obra fue escrita en 1899, en una época de crisis espiritual, pero sólo se representó, privadamente, por primera vez, en la casa de los hermanos Millares, en Las Palmas, en 1911. Se publicó en "El libro popular" en 1913 y se estrenó en el teatro Español, de Madrid, en 1921. (Vid. *op cit.* de García Blanco, páginas 61 y ss., y mi libro sobre *Unamuno en Canarias,* Universidad de La Laguna, 1964, pp. 104-106.)

(41) Profesor de lengua y literatura galaico-portuguesa en la Universidad Central e investigador literario malogrado, vivió entre 1874 y 1914. Dejó, entre otros, un interesante trabajo sobre la leyenda de don Juan y Tristán.

(42) Francisco Alonso de Villagómez, nacido en 1874, actor español que perteneció a la Compañía de Thuillier, y luego, a partir de 1903, a la de Oliver y Carmen Cobeña.

(43) Se refiere a *La Esfinge,* que, al parecer, no llegó a estrenarse ni en Barcelona ni en Madrid, según nos dice García Blanco en su estudio-prólogo al *Teatro completo* de Unamuno.

(44) Véase nota número 16. Probablemente se trata del drama *El pasado que vuelve* (1910), que no fue representado en esta época.

estuve en ésa. Pero esto de lo que parece mi antimadrile-
ñismo sin serlo es historia de largo contar. Me resisto a
ir a ésa a perder tiempo en tertulias, salones, saloncillos,
etc., ejerciendo de pedigüeño. Y basta.

Sabe como le quiere, respeta y admira su amigo,

MIGUEL DE UNAMUNO

CARTAS DE PEREZ DE AYALA

Es verdaderamente escasa la correspondencia publicada, ya sea de Galdós a sus contemporáneos o de ellos a él (1). Esta laguna en materias claves para el investigador de la literatura y de la historia ha sido subrayada, entre otros,

---

(1) A don Ramón Pérez de Ayala, nuestro sincero agradecimiento por su amabilidad y por el permiso de publicar este epistolario. Estando este trabajo ya en proceso de impresión recibimos la triste noticia de su muerte en Madrid el 5 de agosto de 1962. Por esos días aparecieron muchos tributos a él tanto en la Prensa local como en la extranjera. Citamos algunos a continuación por contener, a veces, datos de interés para el investigador, comenzando por uno de José García Mercadal, quien tan útil labor ha venido realizando en los últimos años recopilando ensayos perdidos de *Azorín,* el propio Ayala y otros. Queremos tomar esta ocasión para agredecerle sus horas de rica charla y su desinteresada bondad para con los jóvenes que van en busca de sus conocimientos sobre una época ya pasada y por él tan querida. "*Clarín,* Pérez de Ayala, Ortega y Munilla y *Los Lunes del Imparcial*", en *Panorama de Arte y Letras,* 7 de julio de 1962. Las páginas 23-29 del *A B C* están dedicadas a Pérez de Ayala; véase, sobre todo, el ensayo de Melchor Fernández Almagro. En el mismo periódico hay varios artículos el 8 de agosto; entre ellos, Francisco García Pavón, "Semblanzas españolas. Ramón Pérez de Ayala", donde recoge unas palabras de éste sobre Galdós en una de las ocasiones en que juntos visitamos a don Ramón. Véanse también Rafael de Penagos, "Ironía y humanidad de Ramón Pérez

por el célebre galdosiano H. Chonón Berkowitz (2), y hace poco por José F. Montesinos (3). Recientemente hemos anunciando la publicación de un primer tomo de cartas dirigidas a Galdós (4). Ahora damos a conocer estas 26 cartas de Pérez de Ayala a Galdós escritas en el primoroso estilo que caracteriza a aquél y revelando la gran amistad que hubo entre ambos escritores, el uno ya casi al fin de su brillante carrera, el otro apenas comenzado la suya .

Hemos tenido tres largas y sabrosas entrevistas con don Ramón Pérez de Ayala en el afán de que estos apuntes preliminares sean lo más iluminativo posible (5). Comprobamos al entrar en la sala en que nos recibió que en la pared cuelgan dos fotos dedicadas de Galdós. Cuando don Ramón habla de Galdós muestra su devoción y entusiasmo por éste. Comentamos varias obras de Galdós. Los juicios de don Ramón nos hacen recordar vivamente sus certeros y luminosos ensayos críticos (6). Más abajo citaremos algunos aparecidos en periódicos que desgraciadamente no

de Ayala", *A B C,* 18 de agosto de 1962, y las páginas dedicadas a Ayala en el suplemento dominical de *El Nacional* (México), 26 de agosto de 1962.

(2) Véanse sus artículos basados en cartas. "Galdós and Mesonero Romanos", *The Romanic Review,* XXIII, núm. 3 (julioseptiembre 1932), págs. 201-205; "Gleanings from Galdós Correspondence", *Hispania,* XVI, núm. 3 (octubre 1933), págs. 249-290; "Galdós and Giner: A Literary Friendship", *The Spanish Review,* I, núm. 2 (noviembre 1934), págs. 64-68.

(3) *Pereda o la novela idilio* (México, El Colegio de México, 1961), pág. 293.

(4) Véanse nuestros artículos "Cartas de Tolosa Latour a Galdós", *Insula,* XVI, núm. 179 (octubre 1961), y "Cartas inéditas de Galdós", *Symposium,* XVI, núm. 2 (Summer, 1962), págs. 115-121.

(5) Entrevistas celebradas el 15 de junio de 1961, el 2 de septiembre de 1961 y el 21 de junio de 1962.

(6) Véanse los escritos de Pérez de Ayala sobre Galdós en *Las Máscaras,* 2.ª edición (Buenos Aires, Austral, 1944), págs. 21-63; *Divagaciones literarias* (Madrid, Biblioteca Nueva, 1958), páginas 125-165; *Amistades y recuerdos* (Barcelona, Aedos, 1961), páginas 35-54; *Más divagaciones literarias* (Madrid, Biblioteca Nueva, 1960).

se han recogido todavía en las colecciones de ensayos que va ordenando con gran tesón don José García Mercadal.

Las cartas que publicamos van desde 1905 hasta 1917, más o menos. La primera se refiere al estreno de *Amor y Ciencia,* el 7 de noviembre de 1905, meses antes de que Pérez de Ayala conociera a Galdós, según nos lo ha dicho él mismo, en la comida que se hizo en "La Bombilla" con motivo de la fundación del periódico *La República de las letras.* Galdós publica en el primer número (6 de mayo de 1905) un artículo de fondo explicando su propósito:

> Esta humilde *República* de los que no gobiernan, ni legislan, imponen su mano desinteresada en el mecanismo político y económico de la nación, no viene a poner guerra entre los espíritus, sino paces; no es movida de la rabia de la destrucción, sino del generoso anhelo de que algo se construya; no pretende cerrar horizontes, sino ensancharlos, para que todas las hechuras del pensamiento y de la fantasía puedan llegar a los términos bastante distantes de la publicidad. Quiere este periódico agrandar el territorio de la literatura receptiva de la mansa República de lectores. Ya que no nos será posible disminuir la cifra desconsoladora de analfabetos, aumentemos la de los que, poseyendo el don de lectura, no leen, la de los que leyendo no entienden y la de los entendedores ociosos que no han adquirido la curiosidad y el gusto de las sensaciones inefables encerradas en el negro arcano de las letras de molde.

El Galdós que escribe esto está muy imbuido ya del espíritu regeneracionista que predomina alrededor suyo. No olvidemos el escándalo que suscitó el estreno de *Electra.* Galdós, que de joven no sintió particular interés por la política activa, se hace republicano en 1907 y empieza a pronunciar y escribir discursos apasionados sobre cuestiones importantes de aquella época—la guerra de Marruecos, la política de Maura—. Respecto a esto, véanse más abajo las cartas XIX y XX que se refieren a la lucha emprendida por los intelectuales liberales contra don Torcuato Luca de Tena. El lazo ideológico que hace de Galdós en ciertos aspectos noventayochista se ve claramente en el vivo desconsuelo con que mira la circunstancia española. Poca duda cabe que el Galdós de estos años encaja perfectamente dentro del esquema finisecular que hace Enrique Tierno Galván en su libro *Costa y el regeneracionismo* (7):

> Pero el pesimismo era lo más general y sólido a fines del siglo. A medida que nos acercamos al final del siglo los lamentos, que a veces rozan con la desesperación, aumentan. Es cierto que se buscan menos consuelos teológicos o metafísicos y se recurre menos a la providencia divina o bien a exaltaciones retóricas de nuestras virtudes antiguas, pero encontrar un español optimista en España desde mediados de siglo hasta 1900 es dificilísimo. A medida que el siglo XIX avanza, la amargura y quejas son mayores.

No faltan en estas cartas pruebas del respeto que le tenía Pérez de Ayala a don Benito como "maestro". Debemos recordar que la amistad entre ellos fue grande. Pérez de Ayala es quien ayuda a planear la campaña con el fin de que se otorgue el Premio Nobel de 1912 en literatura a Galdós. Mas sin el apoyo de la Real Academia, presidida por Maura, y dadas las polémicas religiosas y políticas que había alrededor de Galdós, es poco sorprendente que el premio no se le concediera. Más tarde, el entonces joven autor de *A. M. D. G.,* novela dedicada a Galdós, se comprometerá con otros, entre ellos Gregorio Marañón, a hacer un censo galdosiano que, efectivamente, se comenzó, pero nunca se terminó. Lo que tampoco acaba es su afición por el "maestro" (8).

J. S.

---

(7) Barcelona, Ediciones Barna, 1961, pág. 20.

(8) Las referencias más completas sobre Galdós y Pérez de Ayala se encuentran en Francisco Agustín, *Ramón Pérez de Ayala*: *Su vida y obras* (Madrid, G. Hernández, 1927), págs. 22, 27, 96, 106, 221, 275-80, 297, 330-31, 347. Véanse, asimismo, H. Chonón Berkowitz, *Pérez Galdós*: *Spanish Liberal Crusader* (Madison, The

I

Al señor don Benito Pérez Galdós.

Venerado don Benito:

En la pluviosa y levítica Vetusta (9), desde el lecho, donde hace días me detiene encamado una fiebre gripal, leí los periódicos con la noticia de su triunfo de usted en el teatro de la Comedia, y no puedo resistir a la tentación, más bien prurito o recoveco mío, que me entra de escribirle, dándole mi humilde enhorabuena.

Para mí es algo que cae dentro del orden preestablecido de la universal armonía, como el orto del sol y el perdurable encabalgamiento de las estaciones, el que cualquiera idea que anide en su cerebro de usted y a la cual sus notables manos den encarnadura visible y orla aparente, ha de resultar acendrada obra de arte. Por eso duéleme en gran medida, sabiendo como sé, que esta última criatura de vuestra mente es, a semejanza de sus mellizas, un pulcro himno a su criador (como decía Lactancio (10) del mundo, olvidándose de que había en su época, como en todas, Premios Reales), digo que me duele ignorar

---

University of Wisconsin Press, 1948), págs. 179, 273, 418, 431, 435; también las tesis doctorales que se han hecho en estos años en los Estados Unidos: D. L. Fabian, *A Critical Analysis of the Novels of Ayala* (U. of Chicago, 1950); Robert L. Bancroft, *Ramón Pérez de Ayala: A Critical Study of his Works* (Columbia University, 1957); Ruth F. Campbell, *Ayala's vision of Spain* (Duke University, 1958); Walter Dobrian, *The Novelistic Art of Pérez de Ayala* (U. of Wisconsin, 1960); y, por último K. W. Reinink, *Algunos aspectos literarios y lingüísticos de la obra de don Ramón Pérez de Ayala* (El Haya, Publicaciones del Instituto de Estudios Hispánicos, Portugueses e Iberoamericanos, 1959) y Norma Urrutia, *De Troteras a Tigre Juan* (Madrid, Insula, 1960), págs. 17, 24, 61.

(9)   Nombre que le da *Clarín* a Oviedo en *La Regenta*.
(10)   Escritor latino-cristiano del siglo IV, autor de los siete tomos titulados *Institutiones Divinae*.

cuáles sean las trazas corpóreas del Benjamín Galdosiano (11). Y no quiero decir con esto, que la culpa sea toda ella de nuestros geniales críticos de teatro, sino más bien de mi limitación imaginativa que no logra darse cuenta de la obra a pesar de que Laserna (12) quiere darnos a entender que Guillermo Bruno es el dominico de Mola redividido, y de otro señor que asegura que este mismo doctor ama a su esposa con la luz fría, aunque luminosa, que vierte la luna sobre los vegetales (porque sobre los minerales y animales vierte una luz negra, pero caliente), y es tan maligno y orgulloso mi entendimiento, que no logrando adentrar en lo que quizás le esté vedado lo juzga estupenda sandez, como acontece con .esto de la luna y de Guillermo Bruno (13).

A mí bástame saber que tenemos una obra admirable más, para sentir un noble y alto aleluya en el alma, y manifestarlo a usted humildemente.

Y ahora la parte de gollería que me corresponde en mi calidad de español. Yo no tengo retrato de usted, don Benito. No digo más, pero paréceme suficiente mostrar el huevo como demanda de sal. Perdone mi atrevimiento.

Dentro de poco vendrá la fiebre a hacerme su vesperal visita. ¿Quién sabe si el doctor Bruno vivirá hoy en mis quimeras? Desde luego he de pensar en que a la creación de nuestro Dios le falta su Moisés.

La naturaleza daría su primera prueba de necedad si no le conservase su preciosa vida infinitos años. Así sea para nuestro bien.

RAMÓN PÉREZ DE AYALA

---

(11) Juego conceptista de Pérez de Ayala haciendo alusión al último hijo de Jacob y Raquel. Se refiere a la última obra de Galdós, *Amor y ciencia*, estrenada en el teatro de la Comedia, de Madrid, el 7 de noviembre de 1905.

(12) José de Laserna (1855-1927), novelista, poeta y periodista español. Fue redactor de *El Día, El Progreso, El Resumen,* y, desde 1915, de *El Imparcial,* donde fue crítico literario y teatral.

(13) Uno de los personajes en *Amor y ciencia.*

II

Al señor don Benito Pérez Galdós.

Maestro:

Recibí *Prim* (14) a su debido tiempo y luego de leerlo y cavilar acerca de su contenido, apliquéme a plumear todas aquellas cosas que me hubiera sugerido, pues juzgaba que la más adecuda manera de agradecer la dádiva era manifestar de esta suerte mi admiración y rendiros al mismo tiempo mi magro homenaje. Envié el artículo en cuestión, cuyo rótulo es: "El iberismo; diálogo hermenéutico", al *Imparcial;* de esto hace cosa de cuatro o cinco semanas. Y cosa rara, en este periódico donde hasta ahora han tenido conmigo atentas consideraciones que no merezco, donde así que recibían mis lucubraciones las publicaban por frívolas que ellas fueran, ahora, que se trata de un trabajo urdido concienzudamente—tan concienzudamente como me es dado conseguir—, documentado con solicitud y escrito con los más representativos vocablos de mi léxico y los más limpios giros de mi sintaxis, encuentro que se me olvida y se me desaira; se nos desaira. Puedo decir que han sido siempre injustos. Cierto que el artículo sólo para V. era, y en este respecto, acaso al *demos* de los lectores no interese; pero... —corto el sentido por no caer en expresiones que pudieran tener trazas de adulación. Ello es que yo se lo pediré al Sr. Bello (15) y se lo enviaré a V. cuyo juicio es únicamente lo que me importa.

Con el culto de mi admiración,

Oviedo, 24-XII-1906.   RAMÓN PÉREZ DE AYALA

---

(14) Noveno episodio de la cuarta serie, publicado en 1906.

(15) Luis Bello (1872-1935), literato y periodista. Fundó la revista *Crítica* en 1903, y en 1906 asumió la dirección de la hoja literaria de *Los Lunes del Imparcial.* Luego fue cronista y redactor de *El Sol,* de Madrid.

III

Al Sr. Don Benito Pérez Galdós.

Venerado Maestro: el favor que de usted fervientemente solicito es de linaje tal, que no vacilo en asegurar que no tiene precedentes en el tiempo; a usted le dejará confuso, y a mí me tiene con la pluma vacilante y trémula sin atinar a zurcir las palabras. Dentro de pocos días saldrá a la luz pública una novela que yo solamente urdí y plumeé peormente (16). Sale depósita, desvalida y sin padre o tutor que la ampare. ¿Por qué le he hurtado mi nombre? No es que me avergüence de ella, que al fin y al cabo hija de mi espíritu es, y en ella he puesto todo el calor de mis entrañas y muchas cavilaciones de mi pobre mente. La razón de este ocultamiento, que al fin y a la postre no lo es tal, y ya me lo temía yo al ponerla en manos del editor, es simplicísima. Yo no tengo otros cariños en la tierra que el de mi padre, anciano ya, a quien adoro. La novela, de un modo fatal y necesario, ha de levantar escandalonas, tolvaneras, conminaciones, excomuniones y anatemas en el pueblo que me vio nacer, en mi amada Vetusta. Yo sé que la tribu de Leví, considerándose invulnerable y a cubierto de sus dardos han de poner la mira en la blanca cabeza de mi padre. Y sé, asimismo, que él, cuya vida entera se ha pasado en infatigable labor física, acaso no tenga suficiente fuerza espiritual para recibir las ponzoñosas flechas. Por eso, pensé en un principio, harto aturdidamente, que era suficiente

(16) Se trata de *Tinieblas en las cumbres* (1907), publicada con el seudónimo de *Plotino Cuevas*. El siguiente comentario de Galdós se publicó como prólogo a la tercera edición (Madrid, 1928): "Diría poco si dijese que me ha gustado. Me ha encantado. Me ha embelesado. Lo tengo por una obra maestra de la literatura picaresca. Verdad, gracia, sentimiento, realidad, idealidad: todo hay en él. Y en riqueza de léxico no creo que nadie pueda igualarle."

ocultar mi nombre. Hoy comprendo que es inútil. Mi amargura, Maestro, no me permite descansar un punto. Tengo el corazón colmado de hieles y la cabeza poblada de sombras. En tan recio trance, cavilando, cavilando vine a dar en que una carta de usted fuera cumplido lenitivo de todas las injurias que caigan sobre el pobre viejo. Usted podrá escribirle, simulando que era cosa espontánea, en esta forma, sobre poco más o menos: "No dudo que a la publicación de la novela de su hijo ha de acompañarla insultos y denuestos. Se dirá que es inmoral, que es escandalosa, que es inmunda. Yo puedo decirle a usted que el pensamiento en ella infundido es noble, es elevado, es, quizás, profundamente religioso, etcétera, etc." Yo no sé si esto que le pido es absurdo. Sólo sé que es humano y que es misericordioso.

Si usted tuviera tiempo para escribirme cuatro letras dándome su opinión acerca del libro mi reconocimiento y satisfacción no tendrían límites. Su humilde discípulo,

PÉREZ DE AYALA

IV

16-9-1907

Sr. Don Benito Pérez Galdós.

Venerado maestro:

Hoy le escribo a mi editor a fin de que le envíe a usted un ejemplar de mi novela, antes de su publicación, quiero decir, antes de que se ponga a la venta, según tengo entendido en Octubre.

Es penoso para mí someterle a usted a la tortura de una novela; pero, usted no ignora las circunstancias especiales del caso. Así le suplico, según le expliqué por lo

81

6

menudo en mi carta anterior, que escriba a mi padre, vacunándole contra la peste de insultos que fatalmente ha de sobrevenir, y firmando todo lo claro que usted pueda, no vaya a ser que se quede a oscuras acerca del autor de la carta.

Si usted quisiera darme su opinión mi dicha sería completa.

Perdóneme tanto engorro como le causo.

Su admirado y humilde amigo,

RAMÓN PÉREZ DE AYALA

V

Venerado maestro:

Los elogios que usted tiene a bien prodigarme, me llenan de confusión en términos que no sé cómo agradecérselos. ¡Dios le bendiga por la munificencia de poner un rocío de miel en mi corazón, que al pobre buena falta le hace en muchas ocasiones!

Las señas de mi padre son: Campomanes 26, y su nombre Cirilo. El editor me escribe que muy pronto le enviará mi novela. No deje de escribirme. Yo le escribiré también, por largo, si bien temo robarle tiempo.

Su devoto, agradecido discípulo,

AYALA

VI

Al Sr. D. Benito Pérez Galdós.

Venerado Maestro:

Esperé durante varios días vuestro retrato y la instantánea que en Santander nos hicieron. Me permito recordaros que sigo aguardando con gran impaciencia.

Hoy os voy a molestar con una nueva comisión. Os habéis informado de que en Liverpool se presenta a concurso una cátedra de Lengua y Literatura españolas. Pienso solicitarla. Según se me dice son muchos los pretendientes. Exigen por lo pronto tres nombres de otras tantas personas que puedan informar al Comité acerca de los méritos del solicitante. Yo he pensado en Don Benito, no sé si prematura o aturdidamente. Cejador (17), Hume (18) y Cunninghame Graham (19), me han escrito ya, poniéndose con todo entusiasmo a mi disposición y servicio. Pero la información a mi entender, resultaría deficiente si no formarais parte del cuerpo informador. Así, para ello es preciso que me enviéis una carta o documento en el cual manifestéis la opinión que yo os haya merecido, y si podré llenar cumplidamente el cargo de profesor de Lengua y Literatura españolas. Esta carta,

---

(17) Julio Cejador y Frauca (1864-1926), famoso literato y filólogo español. Fue maestro de Pérez de Ayala en el colegio de jesuitas de San Zoil, en Carrión de los Condes. Véase "Julio Cejador. In Memoriam", prólogo de Pérez de Ayala al libro de Cejador *Recuerdos de mi vida* (Madrid, Editorial Páez, 1927).

(18) Martín Andrew Hume (1847-1910), historiador e hispanista inglés. Profesor de Literatura en las universidades de Cambridge, Londres y Birmingham.

(19) Robert Cunninghame Graham (1852-1936), autor y político escocés. Pasó largo tiempo en la Argentina. Véase el artículo de Pérez de Ayala "Valle-Inclán, Grandmontagne y Cunninghame Graham", *A B C*, 31 de marzo de 1959.

junto con la de Cejador, Rufino Cuervo (20) y otras que tengo, la enviaré con mi solicitud. El pretendiente que lo desee, puede enviar también doce testimoniales. Si pudierais recabarme de alguna persona de prestigio, o académica, alguno de estos testimoniales, mi dicha sería sin tono.

Con todo el respeto y admiración de vuestro

PÉREZ DE AYALA

Oviedo, 15-XII-1908.

Contestado en 24 de diciembre de 1908

VII

Al Sr. D. Benito Pérez Galdós.

Venerado Maestro:

Ante todo, mil plácemes por el éxito de *Pedro Minio* (21), el cual, según mis informes, es galdosiano, y con este adjetivo creo que huelga todo otro encomio o loor.

He recibido su carta, en donde me responde al ruego que le hice con ocasión de la cátedra que se presenta a concurso en Liverpool.

Aun a riesgo de ser importuno he de insistir. Lo que yo le pedía es perfectamente compatible con el compromiso que usted tiene para con el Sr. Arteaga. No es

----

(20) José Rufino Cuervo (1844-1911), filólogo colombiano. Prologó y anotó la *Gramática de la lengua castellana,* de Andrés Bello.

(21) Estrenado en el teatro Lara, de Madrid, el 15 de diciembre de 1908.

que yo pretenda que usted me apoye como su único candidato. Eso sería absurdo. Quiero solamente que, ya que en mi solicitud he puesto su nombre de usted como una de las personas que con más autoridad y acierto pueden informar acerca del asunto, cuando el Comité que haya de decidir se dirija a usted, responda usted con absoluta sinceridad: "Creo que vale" o "creo que no vale". "Conoce el castellano bien, y su literatura"; viceversa, según su juicio. ¿Impide esto que usted, al propio tiempo, les asegure que el señor Arteaga es más apto, en su opinión? Creo que no. Ahora, si usted quisiera enviarme un sencillo plieguecito, en que se diga que usted me tiene por apto, y por qué así lo cree usted, a fin de que yo a mi vez lo envíe con otros pliegos y documentos entonces... miel sobre hojuelas.

Temía yo que el año 1908 fuese enteramente fatídico en mi vida. Como así sucedió. El negocio que a la muerte de mi padre quedó en tan apurado trance, vino dando tumbos hasta el último día del año, en que nos vimos precisados a protestar varias letras. ¿Las consecuencias? Dentro de algún tiempo, no sé cuándo, me veré en la calle, con las manos en los bolsillos. De estar desligado de amarras sentimentales, acaso me consideraría un hombre feliz. Comprenderá usted que se me prepara un comienzo de año muy a propóstito para leer todos los días a Epicteto (22).

Con todo el respeto y veneración de su humilde discípulo.

Pérez de Ayala

En Oviedo, 2 Enero 1909.

Le suplico pronta respuesta.

---

(22) Referencia al estoicismo que profesó este filósofo griego del siglo I.

Hoy, lunes, no sé que día del mes.

Al Señor Don Benito Pérez Galdós.

Mi querido don Benito:

Estoy en El Paular (23) desde hace una semana. Pensaba ir a despedirme de usted, pero los acontecimientos de mi vida vinieron volando de manera que no me lo consintieron en absoluto. Primero, huyendo del Congreso pornográfico-eucarístico me fui a Segovia, en donde vi torear al "Chiquito de Begoña" (24), muy amigo mío, no menos bruto que cualquier Aguirre (25), pero mucho mejor organizado seminalmente. De vuelta a Madrid, por culpa de unas minucias de la burocracia, en las cuales andaba enredado hube de verme necesitado de cédula. ¡Malísimo y arduo negocio! Me iba a la calle de San Dimas, bien abastecido de periódicos diarios y periódicos taurinos, y algún librejo de metafísica, a guardar cola y esperar mi turno. El primer día llegó mi hora a las diez de la noche; un empleado nesciente y soez me despidió de mala manera, diciéndome que mi distrito era el del Centro, Plaza Mayor, número 9. Segunda cola de siete mortales horas en espera, para adquirir la certidumbre de lo que yo ya sabía, vagamente, esto es, que no estaba empadronado y porción de noticias más, muy complica-

(23)   Monasterio de cartujos cerca de Rascafría, en la provincia de Madrid.
(24)   Rufino San Vicente Navarro nació en 1880. Toreó mucho en Hispanoamérica y no pasó de ser un torero mediano. Pérez de Ayala fue gran amigo del célebre Juan Belmonte. Hasta su muerte perduró su afición por los toros. No se perdía las corridas que durante los domingos se podían ver por la televisión madrileña.
(25)   Francisco Aguirre ("Gallito"), banderillero nacido en Madrid. Toreó en México. Fue casi desconocido en Madrid.

das, que se me habían olvidado al poner pie en la calle. Otros tres días anduve en peregrinación hasta obtener la apetecida cédula. Luego se me presentó en casa Enrique de Mesa (26), en cuya casa ahora me hospedo, el cual me emplazó perentoriamente, si bien he de confesar que me retrasé el día de la cita y hubo de venirse el solo, aun cuando yo lo tenía todo dispuesto para que viniéramos los dos. Avergonzado, busqué deprisa y corriendo a un amigo plutócrata, que me trajese en su automóvil, como así lo hizo.

Esto es muy hermoso. Habito la celda de un cartujo, el archivero, y mi alcoba tiene en uno de los frentes un gran armario, con crestería churrigueresca e innumerables plúteos rotulados en latín, señalando la distribución de los breves, bulas, ordenaciones, etc., etc., de los monjes.

Estoy entregado de lleno a la empresa de escribir tonterías, a sabiendas de hacerme inferior a mí mismo. Un compromiso con Renacimiento. Y a propósito de esta casa: he preguntado acerca del negocio de América. Están muy esperanzados, pero en punto a los pedidos fabulosos que por carta han recibido aguardan noticias más puntuales y de más exacta responsabilidad por correo. No deje de escribirme usted a Pablito dos letras. Que sepa Pablito lo mucho que le considero y quiero, y en cuanto a usted ¿qué voy a decir? En cuanto al afecto téngame por su hijo, que en cuanto al espíritu, ¡ojalá fuera su sexta generación degenerada!

AYALA

---

(26) Enrique de Mesa (1878-1929), poeta y crítico literario español. Tiene preciosos poemas al paisaje de la Sierra. Era íntimo amigo de Pérez de Ayala, quien le dedicó un artículo en *El Imparcial* (febrero de 1917).

Sr. Don Benito Pérez Galdós.

Querido Maestro:

Su manifiesto (27) ha producido en Vetusta una espontánea exaltación de entusiasmo cuyas más claras pruebas son los telegramas que usted habrá recibido. Como le digo la cosa fue absolutamente espontánea, admirable. Como estos jóvenes están llenos de amor no sería inoportuno que usted les escriba unas breves líneas en respuesta. Enviémelas para que yo se las lea, y si acaso las publique en algún periódico vetustense.

Mil abrazos.

PÉREZ DE AYALA

Oviedo, 8-X-1909.

P. S. Naturalmente, si escribe no diga que yo se lo he pedido.

X

Al Señor Don Benito Pérez Galdós.

Venerable y amado maestro:

Necesito que usted escriba a Don Miguel Moya (28) algunas líneas en favor mío: quiero comenzar, para Octubre, a hacer impresiones críticas sobre las obras litera-

---

(27) Se refiere a un artículo de Galdós, "Al pueblo español", *España Nueva,* octubre, 6, 1909, donde éste hace una fuerte protesta contra la política de Maura.

(28) Miguel Moya (1856-1920), periodista y literato español. Fue redactor, fundador y director de *El Liberal,* de Madrid, y más tarde, presidente de la Sociedad Editorial Española, formada por *El Liberal, El Imparcial* y *El Heraldo de Madrid.*

rias que se publiquen. Por intermedio de Pepe Ortega (29) lo solicité, a comienzos del verano. Moya respondió que para Octubre. Mañana escribiré yo al propio Moya. Pero, por si don Miguel no estuviera muy al tanto de lo que somos y pensamos los nuevos, no estaría de más que usted opinase acerca de mí, un poco benevolamente por supuesto, en carta particular a Moya. Se lo suplico a usted con particular instancia porque mi situación económica es muy apurada. Como le digo restan muy pocos días.

Este verano lo aproveché en urdir una novela, *A. M. D. G.*, que ando a punto de concluir, y que me he de permitir dedicársela a usted, si al revisarla no me displace.

Su leal,

R. Pérez de Ayala

Pontevedra, Caldas de Reyes, 23 Septre. 1910.

XI

Al Sr. Don Benito Pérez Galdós.

Querido maestro:

Hace como cosa de 12 días le envié un libro: *A. M. D. G.* Desde entonces espero ardientemente, día por día, minuto por minuto, una palabra de usted que me indique si logré agradarle, o por el contrario fui impertinente poniendo bajo los auspicios de su nombre mi pobre

---

(29) José Ortega Munilla (1856-1922), novelista y periodista español, cuyas novelas muestran gran influencia de Galdós. Entre otros periódicos, fue redactor de *Los Debates* y de *El Imparcial*. Véanse sus cartas a Galdós, recogidas en este volumen.

obra. ¿Es que no la ha recibido? ¿Quizás no le ha parecido bien? Dígame algo, se lo ruego.

Lo más hondo y durable de mi amor y de mi admiración son para usted, Maestro.

RAMÓN PÉREZ DE AYALA

Hoy, 26-Lunes-XII-1910.

XII

Querido Don Benito: he recibido su carta esta mañana. No he pasado por su casa porque he tenido que acompañar a mi mujer a un concierto. Todo está arreglado satisfactoriamente y marcha como sobre ruedas. Mañana será la junta del Ateneo, en donde se presentará la solicitud al efecto, encabezada por la sección de literatura y suscrita por todos los socios del Ateneo. Inmediatamente irá una Comisión del Ateneo a verse con el presidente de la Academia y otros académicos, pues es condición que el premio lo solicite la Academia, según tuve ocasión de ver en el reglamento Nobel (30) que me mostró el Sr. Dahlander (31), con quien ya he estado hablando,

---

(30) Para seguir detalladamente el intento de conseguir el Premio Nobel para Galdós, consúltese H. Chonón Berkowitz, *Pérez Galdós: Spanish Liberal Crusader* (Madison, The University of Wisconsin Press), 1948, págs. 412-18, 430-31.

(31) Rebuscando en el archivo epistolar de Galdós hemos hallado tres cartas del señor H. J. Dahlander, fechadas el 17, 23 y 28 de octubre de 1917. Esta carta de Ayala debe pertenecer, pues, a esta fecha, aproximadamente, en que circulaba una petición para volver a presentar la candidatura de Galdós al Premio Nobel Cf. Berkowitz, *op. cit.*, pág. 431.

y el cual tiene las mejores impresiones y más que esperanza casi certidumbre para esta vez.

Le abraza su devotísimo,

AYALA

Hoy, viernes.

XIII

Sr. Don Benito Pérez Galdós.

Mi querido Don Benito: Hace dos meses que no me
envían ningún periódico de España y nada sé de lo que
por ahí acontece como no sea a través de los telegramas
italianos, franceses e ingleses. Con todo, un español a
quien encontré en Milan me informó de la algarabía que
se había armado con lo del Premio Nobel. No puedo
explicarme que haya un solo español que en este caso
vacile, y menos, proteste. ¡Qué vergüenza!

Hoy leo en el *New York Herald* un telegrama de España, en el cual se habla de usted como del primer español contemporáneo, y de la necesidad de escribir indi-
vidualmente solicitando el premio y sin pérdida de un
minuto. Hace media hora que lo leí; mi solicitud va camino de Suecia, y todo mi amor y mi veneración camino
de España, con la esperanza de que usted se digne aco-
gerlo.

Espero un retrato de usted y su último libro.

AYALA

Lungarno Serristori-11-Florencia.

Venerado Maestro: No he recibido su último libro ni contestación a una postal que le escribí hace tiempo.

Yo le suplico, don Benito, que no se olvide de mí. Hace cuatro años que le vengo pidiendo de continuo su retrato. No sabe usted lo que significa para mí poseer y tener a la vista la imagen de un hombre por quien siento tanta veneración, y el orgullo de saber lo que representa en esta mezquina historia de la humanidad, la cual no tiene otra disculpa para existir que la de haber acertado, muy de tarde en tarde, a producir alguno que otro Don Benito. Reciba todo el amor de su fiel

RAMÓN PÉREZ DE AYALA

XV

Florencia, 3-IV-1912.
11-Lungarno Serristori.

Al Señor Don Benito Pérez Galdós.

Venerado Maestro:

He leído con inefable júbilo las cuatro líneas que vuestro corazón generoso me ha enviado. Mi reconocimiento es tan grande como vuestra bondad.

Espero que usted me envíe su último episodio, que leeré con el religioso entusiasmo con que leo siempre cuanto nace de vuestra docta pluma.

PÉREZ DE AYALA

25-XII-1913

Sr. Don Benito Pérez Galdós.

Querido Don Benito: Recibo en este momento su carta, justamente en el instante de disponerme a salir con mi mujer para ir a una casa en donde nos han invitado a pasar la tarde. Temo que no me quede tiempo para ir al Español y tener el gusto de verle. Cíteme para un lugar determinado otro día. No faltaré. De todas suertes, si me es posible hoy, iré. No sabe cuánto me disgusta haber estado ya de antemano comprometido.

Sabe cuán sinceramente le quiere, le admira y le venera

RAMÓN PÉREZ DE AYALA

S/c. Goya, 75

XVII

30-I-1914   ,

Sr. Don Benito Pérez Galdós.

Venerado Maestro: unos amigos míos me empujan a que solicite de usted unas cuartillas, o una cuartilla nada más, para leer en una velada que celebrarán el domingo, esto es, pasado mañana, en honor de Presseuvé, el factótum de "La liga para la defensa de los derechos del hombre". Yo cumplo el encargo y dejo a su arbitrio de usted la respuesta. Sabe cuán sinceramente le quiere v venera.

RAMÓN PÉREZ DE AYALA

Hoy, 29-XII-1914

Señor Don Benito Pérez Galdós.

Querido don Benito: así que le cuente mi vida en estos últimos tiempos, sé que usted no vacilará en perdonar esto que de mi parte parece abominable descuido o ingratitud monstruosa. Considero inútil reiterarle la expresión de mi fervorosa admiración y amor. No pasa día sin que me asalte un sentimiento doloroso al ver cómo, contra mi voluntad y anhelo, pasan los días sin que haya podido ir a visitarle personalmente. Si con ocasión de la desgracia reciente que usted ha sufrido no me apresuré a escribirle fue porque quería acudir a su lado. Mi mujer desde que ha dado a luz ha contraído una flebitis muy enojosa que le impide valerse y me obliga a no separarme de su lado. Va recobrándose, pero muy lentamente. De otra parte, el niño nos da malas noches y en consecuencia me hace perder las mañanas, que es la hora acostumbrada por usted para recibir sus visitas. Añado que ando azacaneado con muchos otros quehaceres.

Sirvan estas líneas, tanto como de petición de perdón, de anuncio de una visita que inmediatamente le haré.

Téngame, querido don Benito, por su más rendido devoto y amigo, a pesar de todo.

RAMÓN PÉREZ DE AYALA

Hoy, viernes.

Señor don Benito Pérez Galdós.

Querido don Benito: Si le leen a usted, *España* se habrá enterado que andamos en dimes y diretes con *A B C* (32). Hemos abierto una encuesta de opiniones sobre aquel periódico cerca de aquellas personas (los únicos hombres de peso) que no se han prestado al atraco de Luca de Tena respondiéndole por cortesía, compromiso o conveniencia, que *A B C* es el Pentateuco de estos tiempos. Su nombre de usted no puede faltar. Por evitarle a usted trabajo me he permitido aderezar su respuesta con trozos de su episodio *Cánovas,* y unas líneas liminares de moderada ironía. Espero que apruebe usted estas respuestas. Como quiera que se trata de una empresa noble y desinteresada de saneamiento nacional, no podemos quedar desamparados de usted, el nombre más alto y puro. De todas suertes esperamos sus respuestas, la que le incluyo u otra que usted dicte. Por las represalias de esa gente no tema usted. Están intimidados. Además sabe usted que todos nosotros estamos siempre prestos a romper lanzas por usted. Tenemos ya varias respuestas, y

---

(32) Por esta época, el *A B C* había introducido el huecograbado y había iniciado una encuesta para saber qué se opinaba de la labor informativa que venía realizando ese periódico. A raíz de dicha encuesta, el periódico liberal *España* publicó una serie de artículos encabezando el primero "España opina..." (4 de junio de 1915), donde se atacaba la postura ideológica de don Torcuato Luca de Tena. Véanse los números del 11 de junio, del 18 de junio y, sobre todo, del 25 de junio, donde aparecen juicios de Valle-Inclán, Rodrigo Soriano, Antonio Machado, Enrique de Mesa, Unamuno, Dicenta y Maeztu. La carta redactada por Pérez de Ayala para que la firmara Galdós no llegó a publicarse.

entre ellas, algunas—de Unamuno, Valle-Inclán, etc.—
verdaderamente terribles.

Envíe la respuesta al Director, Prado, 11.

Su más leal devoto

R. Pérez de Ayala

XX

¿Qué opina usted de *A B C?*

Señor Director de *España.*

Muy señor mío: no acierto a darle la opinión que me
pide si no es por bandas. Con la vista he perdido el goce
de *A B C* en aquello que constituye su más indispensable
aliciente: las estampas. Parece ser que últimamente este
periódico, deseoso de colocar sus méritos gráficos al nivel
de los literarios, ha introducido una nueva mejora: la del
grabado en hueco. ¡Qué tristeza para mí no poder admirar
esta innovación! En mi larga vida he visto sinnúmero de
bellezas, acciones, nombradías del mismo linaje, y ya sólo
me quedaba por ver el procedimiento aplicado al grabado.

Tengo entendido que *A B C* se envanece de representar cabalmente el estado político y social de la España
contemporánea. Me figuro que si *A B C* ha dicho esto ha
sido por una mera expresión retórica de modestia y no
por alarde como ustedes piensan. *A B C,* en donde hay
plumas muy avispadas, no puede llevar sinceramente su
modestia hasta tal punto. Les diré por qué.

A nadie se le oculta que el presente estado social y político de España es lo que pudiéramos denominar la Restauración en sus últimas consecuencias.

El juicio que me merece la Restauración lo he formulado en diversos pasajes de mi último episodio *Cánovas*. Ni siquiera lo considero período histórico: antes bien, lapso de sopor e "imagen espantosa de la muerte", como dijo el poeta. Ahí van algunas líneas del citado episodio.

La crónica en donde perpetúe este período "no lleva el alto y ceremonioso coturno, señal de la grandeza histórica, sino unos holgados borceguíes de burdo paño, decorados con papeles de rojo y gualda, talco y purpurina".

"Sigo creyendo que la llamada gente cursi es el verdadero estado llano de los tiempos modernos."

"Perdonadme, lectores de mi alma, que pase como gato fugitivo por este período de una normalidad desaborida y tediosa, días de sensatez flatulenta, de palabras anodinas y retumbantes con que se disimula el largo bostezar de la Historia."

"Todo intento progresivo o renovador queda hecho polvo bajo el peso de esta oligarquía de tres cabezas: la femenina aristocracia, la militar masculina y la papista epicena."

"Nada podemos esperar del estado social y político que nos ha traído la dichosa Restauración, que no comprende cosa, deja todo como se halla y llevará a España a un estado de consunción que de fijo ha de acabar en muerte. No se acomete el problema religioso, ni el económico, ni el educativo."

Por eso, repito, que no creo que la aparente modestia de *A B C* sea sincera.

Muy suyo

Querido Don Benito: por fin, ahí va lo prometido. ¡Perdóneme la tardanza! Crea que si no le escribí más pronto es porque carecí en absoluto de tiempo. Y ahora temo que después de haberle hecho esperar tanto mi obra no

97

valga la pena ni le satisfaga. Ya me dirá usted. En *Nuevo Mundo* de hoy se publica el artículo de que le he hablado. Tengo interés en que usted lo conozca. No deje de hacer que se lo lean.

Sabe cuanto le quiere,

RAMÓN PÉREZ DE AYALA

Por no dilatarlo más no mandé mis cuartillas a copiarlas a la máquina. ¿Las entenderán?

XXI

Espalter, 11.

Hoy, 15.

Sr. Don Benito Pérez Galdós.

Querido don Benito: No deseo otra cosa que escribir algo sobre *La Razón de la Sinrazón,* que me ha parecido admirable. Pero tropezamos con dos dificultades: primera, que en los periódicos son muy escrupulosos con eso de las especialidades, y ya sabe usted que la especialidad crítica en aquella casa le corresponde al Señor Baquero (33) (muy justamente, por cierto). Temo que el director no apruebe esta intromisión mía en el coto ajeno, y que el Señor Baquero se sorprenda igualmente. La segunda dificultad está en que, caso de salvarse la primera, los *Lunes* se publican ahora muy intermitentemente, y de se-

---

(33) Eduardo Gómez de Baquero (seud. *Andrenio,* 1866-1929), famoso crítico literario español. Colaboró en muchos diarios y revistas; entre ellos, *El Imparcial, El Sol, La Vanguardia,* etc. Entre sus libros sobre la novela figuran *Novelas y novelistas* (1918) y *El renacimiento de la novela en el siglo XIX* (1924). Véanse sus cartas a Galdós incluídas en este volumen.

guro mi artículo tardará bastante en publicarse. Además yo quería escribir no uno, sino varios artículos.

Creo lo mejor que yo me entienda con el señor Baquero, para prevenir susceptibilidades. Espero que todo se arreglará bien. Haré mi artículo para *El Imparcial,* y veré de publicar otros en periódicos de circulación, como *Nuevo Mundo,* por ejemplo. Ahora bien, yo quiero un retrato de usted para poner en mi cuarto. Si usted me estima en algo (no tanto literariamente cuanto cordialmente) deseo que conste en la dedicatoria. El mayor orgullo de toda mi vida y la joya más noble que deje a mi hijo —allá a la vuelta de los años—serán el haberle inspirado a usted alguno y su retrato en donde este sentimiento se perpetúa. Y como le he pedido tantas veces el retrato, inútilmente, me atrevo a amenazarle con no escribir estos artículos hasta que tenga el retrato en mi poder.

Su más devoto y admirador.

AYALA

XXII

Hoy, lunes.

Querido Don Benito: mil gracias por su retrato y su dedicatoria. Para mí no podía haber regalo más precioso.

Al mismo tiempo que le escribí mi última carta le escribía otra a Baquero. Cuando la recibió ya enviado a *El Imparcial* el artículo sobre *La Razón de la Sinrazón,* que hoy se publica (34). Esto es lo mejor que pudo haber ocurrido, pues yo ahora escribiré otro con toda libertad, y espero que Ballesteros no ofrecerá inconveniente a que se publique. Baquero me ha contestado con mucho afec-

---

(34) El artículo de Gómez de Baquero se publicó el 17 de enero de 1916.

to, diciéndome que de haber sabido a tiempo que yo tenía interés en escribir ese artículo hubiera enviado el suyo a algún periódico de América. La carta está llena de admiración y amor hacia usted. Y a propósito de lo de América, me parece buena idea que, sin perjuicio de lo de *El Imparcial,* escriba yo algún ensayo sobre el mismo asunto para una notable revista bonaerense de donde me piden constantemente colaboración.

Ya sabe don Benito que soy su más fervoroso admirador y cariñoso amigo.

AYALA

XXIII

Hoy, 26-I-1916.

Querido Don Benito: mi artículo sobre *La Razón de la Sinrazón* se ha publicado en los últimos *Lunes* (35). No estoy satisfecho de él. Habría tanto y tanto que decir sobre su obra. Por ahora me basta con que ese artículo no le haya parecido del todo mal, al menos, su intención. Y luego ya vendrán más artículos sobre el mismo tema.

Su más devoto y ferviente amigo y admirador,

AYALA

––––––––––

(35) El artículo de Pérez de Ayala se publicó el 24 de enero de 1916. Es un precioso y fino ensayo donde toma en cuenta el artículo anterior de Gómez de Baquero, donde éste hace la comparación entre la obra de Galdós y el *Fausto,* de Goethe. Pérez de Ayala opina de la siguiente manera sobre esta novela de Galdós, poco estudiada hoy día y merecedora de mejor fortuna: "Creo que *La razón de la sinrazón* viene a ser como la clave o cifra con que la obra completa galdosiana se hace fácilmente comprensible y adquiere un sentido transparente, llano, próvido, tierno, alegre, exaltador, grave y fecundo; como si dijéramos, evangélico."

XXIV

21-2-1917.

Sr. Don Benito Pérez Galdós.

Querido don Benito: ayer, 20, publiqué en *El Imparcial* un articulejo en donde hablo de usted, de Giner de los Ríos y de Costa (36). Se lo advierto por si le interesa a usted conocerlo.

Estoy deseando siempre ir a visitarle a usted y darle un abrazo, pero no tengo un minuto libre. ¡Figúrese, para poder sostener, no una, sino varias familias, y solamente a fuerza de escribir artículos...! Estoy desesperado.

Le abraza su más leal amigo y ferviente admirador

RAMÓN PÉREZ DE AYALA

S/c. Espalter, 11.

XXV

Hoy, domingo.

Sr. Don Benito Pérez Galdós.

Querido Don Benito: mil gracias por su cariñosa carta. A pesar de su modestia, el primero de los tres colosos parangonados en mi artículo, es usted, con mucho. Yo iré a visitarle un día de esta semana. Se lo advertiré el día anterior.

Le abraza su más devoto admirador,

RAMÓN PÉREZ DE AYALA

---

(36) Este muy comprimido ensayo, titulado "Aniversario de Giner", es un excelente resumen de la ideología de estos tres hombres enfocada desde un tenor regeneracionista.

Hoy, 26.

Sr. Don Benito Pérez Galdós.

Muy amado don Benito: no sé cómo agradecerle el suculento agasajo que de usted he recibido y más aún que el obsequio—con ser tan rico—el que usted se haya acordado de mí. A mi emoción de agradecimiento se mezcla un poco de amargura, por el aparente abandono en que acaso usted piensa que le tengo. Y es, querido don Benito, que la dura necesidad de que puedan vivir los míos me mantiene adscrito al trabajo, sin consentirme un minuto de libertad ni reposo. Añada usted que en cuanto vecinos de Madrid, usted y yo somos antípodas. Y de añadidura, desde que volví de Asturias—muy tarde, ya en noviembre—, no me han faltado enojosidades e impedimentos que me estorbaron pasar a visitarle, y lo último, mi chiquitín, que estuvo bastante mal a causa de la gripe durante diez días. Pero, pensamos de continuo en usted yo y asimismo mi mujer, que le ama tanto como yo. Si hay dioses familiares es usted uno de ellos y el primero en esta casa. Mis hijos se educarán en la devoción del más grande español, de quien recibí la honra inapreciable de ser considerado como amigo.

Venturosas Pascuas y advenimiento de un nuevo año próspero. Hasta muy pronto. Le abraza su fiel

AYALA

CARTAS DE ARMANDO PALACIO VALDES

En este grupo de cartas puede recorrer el lector los años decisivos de Palacio Valdés: desde sus comienzos como crítico de periódicos y revistas, hasta su consagración como académico de la Lengua, justamente en el año 1906, fecha de la última carta dirigida a Galdós.

Pero, además, esta correspondencia tan interesante es para conocer los primeros pasos del escritor en las redacciones de los periódicos, la elaboración de sus primeras novelas y su vida de hidalgo campesino en el Valle de Laviana, como para darnos noticias de las amistades asturianas de don Benito, de sus viajes por el norte de España, de sus preocupaciones editoriales y, sobre todo, de su trabajar incesante en plena producción novelística.

Es curioso señalar, por ejemplo, aquella curiosa confesión del novelista asturiano, que dice preferir su vida familiar, en Oviedo, que ir a la capital, adonde le invita don Benito, pues, "en diez años que llevo en Madrid no he conseguido formarme sinceras afecciones, y por eso, aparte de lo que me gusta la vida de ese pueblo, no le tengo el cariño que a otros" (Carta núm. VI). Aparte del natural retraimiento de su carácter, le quedaba a don Armando el recuerdo de sus agitados días juveniles cuando tuvo que actuar como padrino en un duelo que tuvo su amigo y paisano "Clarín" y el crítico "Fray Candil".

Nos enteramos también de que la famosa novela *Marta*

103

y María (1883) lleva los simbólicos nombres sugeridos por Galdós. Se nota cómo Palacio Valdés reconoce, en todo momento, ser un aprendiz de novelista al lado de don Benito, y al mismo tiempo la poderosa fuerza de su genio. Prueba de ello es que, cuando está en trance de escribir aquella obra, no quiere leer *La desheredada* (1881), que acaba de recibir, pues, como dice: "temo que se me pegue algo; como los críticos españoles le entran encima a uno en seguida el sambenito de plagiario y el vulgo es muy propenso a creerlo, lo mejor es decir tonterías por cuenta propia, aunque la cosa saliera mejor de otro modo" (Carta núm. xi).

Emana de este puñado de cartas la serenidad bonachona que retrata bien al escritor, amante de su rincón asturiano y de sus costumbres familiares, que toma con calma y sin apasionamientos su menester literario. Nos muestra un Palacio Valdés retraído y hogareño, en Oviedo, y en su aldea natal de Entralgo (que tan magistralmente pintará más tarde en su *Aldea perdida* (1903), entre su familia y sus amigos, que recuerdan cariñosamente la visita de Galdós, haciendo excursiones, cazando y admirando siempre a la naturaleza y a la vida con ojos cariñosos y serenos. Hasta cuando tiene más motivos para odiarla, en el momento de la muerte de su esposa, se nos muestra como un niño rebelde que quiere destrozar el juguete del mundo, con el que se ha entretenido largo tiempo, y ya no le sirve para nada (Véase carta núm. xiii).

Pérez Galdós, por lo que se trasluce de estas cartas, debió tener fe en el talento literario del joven asturiano que se iniciaba en las letras cuando él terminaba la segunda serie de los "Episodios Nacionales", y comenzaba su primera novela de la Serie Contemporánea, dedicada a retratar la vida madrileña de su tiempo. Buena prueba de esto es su generosa actitud con el escritor novel, prometiéndole ayuda en la edición de su novela *El señorito Octavio,* por medio de su editor Cámara (Carta núm. iv). Después de estos primeros contactos, esta confianza en el joven escritor se convirtió en sincera admiración por sus obras y en una fuerte amistad, hasta el punto de que aceptó la invitación de la familia Palacio para pasar una temporada en Oviedo. De esta visita, volvería don Benito a Madrid reconfortado y, acaso, hasta un poco envidioso de la paz y la tranquilidad provinciana, que el gran novelista echaba de menos de vez en cuando.

Aunque ya conocía Palacio Valdés la obra de Galdós, cuando publicaba sus "Semblanzas Literarias" en la *Revista Europea,* que recogería primero en varios tomos y luego en un solo, en sus *Obras Completas* (T. IX, año 1908), no figura en ellas ningún estudio de la personalidad o de la obra de Don Benito, como tampoco figuran las de sus amigos Alas y Pereda. Acaso esté la razón en que aquellas semblanzas estaban hechas con un poco de malévolo sentido crítico. Sin embargo, encontramos en ellas algunas alusiones a la obra de Galdós, siempre con un elevado concepto. Así, cuando dice, en el proemio a los novelistas, que supo sacar temas de las entrañas de la España eterna; o bien, en la semblanza dedicada a Valera, cuando dice metafóricamente que Galdós "ha hecho de la novela una mujer discreta y hermosa. Valera la ha convertido en profesor de la Institución Libre de Enseñanza" (p. 154).

S. N.

I

Pola de Laviana, 6 de Agosto de 1878.

Sr. Don Benito Pérez Galdós.

Mi querido amigo y de mi más alta consideración: Aún a riesgo de interrumpirle en el comercio deleitable que no dudo habrá establecido ya con la mar y las riberas de Ficóbriga (1), allá va esta epístola que le tornará de un golpe, siendo de un criticastro, a todas las miserias y penurias de la vida literaria.

Tiene por objeto, además de hacer constar la vida de que goza en mi corazón su buena amistad, el pedirle la venia para dedicarle un cuentecillo cuya primera parte pienso remitir dentro de pocos días a la *Revista Europea* (2). La cosa no merece que al frente de ella vaya su nombre pero siendo mi primer ensayo en el género romancero, tendría una satisfacción en que fuera dedicado al que con más brillo lo cultiva en nuestra patria.

Hace ya dos meses que estoy disfrutando en esta aldea del *Beatus Ille*... y nada que le interese puedo noticiarle. Unas veces tendido, "sul temine fago", con Tirso de Molina en las manos; otras refrescando en brava compañía las fauces con el zumo de la manzana; otras corriendo por estos montes con la carabina al hombro en persecución de algún venado, animal tan mitológico para mí como el centauro, pues no he logrado echarle la vista en-

---

(1) Nombre que Galdós da a la ciudad cantábrica donde sitúa la acción de *Gloria,* recién editada en estas fechas.

(2) Revista literaria de poca vida, que cesó de publicarse en 1880, donde publicó Palacio Valdés su colección de *Semblanzas Literarias.*

cima; de este modo pasa la vida un hombre *poniendo en olvido el oro y el cetro* (3).

Yo no sé si usted hará algo parecido en su retiro, aunque presumo que teniendo entre manos una obra de empeño no dejará descansar el espíritu con detrimento de la materia.

Mucho me holgaría (estilo académico) de que abandonase por algún tiempo esa mar y, dando bordos, arrivase a nuestra playas y caminando tierra adentro llegase a nuestras montañas, que como se dice de los vinos españoles, no admiten competencia con ningunas otras. Si, por acaso, le viniese tal pensamiento, es bueno que sepa que en un valle estrecho y frondoso, arrullado por un río donde se pescan muy buenas truchas, hay una casa destartalada y vieja que se honraría mucho en tenerle entre sus paredes. Considérelo un poco y vea si puede darnos este verano ese *gustazo*.

Sin otra cosa y anticipándole las gracias, se repite de usted, siempre verdadero amigo,

ARMANDO PALACIO VALDÉS

S/c. Pola de Laviana, en Asturias (4).

II

Oviedo, 21 Junio 1879.

Mi muy querido amigo:

Aunque tardía, allá va esta carta a darle noticias de una cabeza débil. Me he detenido hasta ahora aquí porque

_____

(3) Se refiere al verso 60 de la *Vida retirada,* de Fray Luis, que dice: "que del oro y del cetro pone olvido".
(4) Pueblo situado en el Valle de Laviana, centro minero y cabeza de partido judicial, surcado por el río Nalón.

lo paso bastante bien, que si no lo pasara, no me detuviera. La población es fea y ha estado envuelta en bruma durante todo el invierno según me han dicho, pero ahora no sabe lo que le pasa con la venida del sol. Se pasea, se ríe, va al teatro y celebra francachelas. Sin embargo me voy dentro de pocos días al campo.

¿Y usted cuando viene a codearse con mi provincia? Comprendo que le costará a usted bastante trabajo el separarse de Cañete (5), Asmodeo (6), Sánchez Moguel (7) y algunos otros varones, pero haga usted un esfuerzo y pronto el cambio de lugar hará que los olvide. El primer día y aun el segundo después que se llega algo se acuerda uno de ellos, pero poco a poco se van perdiendo en un lejano y fantástico horizonte hasta que se ocultan por entero.

Le he escrito a Ortega (8) pero aún no me ha contestado. Leo sus artículos semanales que me parecen muy bonitos y muy literarios, y esto me basta para saber que piensa "luego que es". Después de todo, y desde luego (como decía un orador del Ateneo para hacer tiempo) nuestros escritos son, al decir de Heine, largas cartas que escribimos a nuestros amigos por donde pueden averiguar el estado de nuestra alma. Mas esto sólo pasa con los escritores que tienen alma.

Habrá usted visto el palo que me da Revilla (9) a cam-

---

(5) Manuel Cañete (1822-1891), crítico y literato que publicó un volumen de *Poesías* y estudió el teatro español del siglo XVI.

(6) Seudónimo del famoso cronista de salones Ramón de Navarrete y Fernández-Landa (1818-1897), colaborador de *La Epoca*, autor también de dramas y novelas.

(7) Antonio Sánchez Moguel (1838-1913), catedrático y académico, publicó varios trabajos sobre investigación literaria e histórica, entre los que se encuentra un estudio sobre Calderón y otro sobre poesía religiosa en España.

(8) Se refiere a don José Ortega y Munilla (1856-1922), ya citado, cuyas cartas a Galdós también incluimos en esta selección.

(9) Don Manuel de la Revilla y Moreno (1846-1881), poeta,

bio de los muchos que yo pienso darle si Dios me da a mí salud. Ustedes me habían casi convencido de que mi cuento no era una cosa detestable. ¡Ah, pérfidos! ¡Burlarse así de un amigo! Me las pagarán ustedes y Revilla.

Si usted se va pronto de Madrid no deje de decirme algo y sobre todo, avisarme cuándo piensa venir a esta provincia.

Muchos recuerdos a todos los amigos y a usted ya sabe que le quiere de veras,

ARMANDO PALACIO VALDÉS

S/c. Pola de Laviana, Asturias. Entralgo (10).

III

Oviedo, 28 septiembre 1879.

Mi querido amigo: "Nunca es tarde si la dicha es buena" como dice el refrán. He tenido una gran satisfacción en recibir su carta y la tengo aún mayor sabiendo que intenta usted hacer un viaje a ésta. Me apresuro a contestarle (no he recibido la carta hasta hoy por haber ido a Laviana) para enterarle a usted lo que conviene hacer para realizarlo en buenas condiciones. Por lo pronto debe usted ponerse en camino cuanto más antes porque está haciendo un tiempo magnífico y si cambia no vería usted absolutamente nada de estos paisajes otoñales que son

_____

crítico y catedrático de Literatura de la Universidad Central, de tendencias krausistas. Escribió unas interesantes semblanzas de literatos eminentes de esta época y colaboró en *El Imparcial* con gacetillas de teatros. Don Armando le dedicó unas páginas en sus *Semblanzas Literarias,* edición 1908, págs. 65 y ss.

(10)   Aldea del Valle de Laviana, de unas cincuenta casas, donde nació Palacio Valdés en 1853.

muy bellos. Como creo haberle oído que se marea mucho no me atrevo a aconsejarle que venga en vapor aunque le facilitaría extremadamente el viaje. Por tierra hay un servicio bastante bueno de carruajes pero es un viaje muy pesado. De todos modos espero que me avise el día de su llegada a Gijón, si es por mar, o a ésta, si por tierra.

Alas y yo todavía permaneceremos aquí bastantes días. Excuso encarecer a usted el gusto que ambos tendríamos en verle por nuestro país porque demasiado lo comprende. Animo pues y emprenda usted inmediatamente su Odisea. Encontrará usted aquí grutas tan bellas como la de Calipso y Calipsos frescas y coloradas que hagan resonar sus cantos dentro de ellas.

No creo, sin embargo, que le retengan aquí con ningún encanto o maleficio, como la ninfa griega, y usted podrá irse cuando bien le parezca sin temor de que les pese el ser inmortales.

Escríbame o póngame parte.

Suyo afmo. que le quiere

Armando Palacio Valdés.

S/c. Ecce Homo, 2. Oviedo.

IV

Oviedo, 14 de Noviembre 1880.

Mi querido amigo: En vísperas quizá de irme a ésa, le escribo esta epístola que versará toda ella sobre asuntos editoriales. Le aconsejo pues que se arme de paciencia.

La novela cuyas primeras cuartillas le he leído está para terminarse y me encuentro sin editor que me la publique, pues el contrato que tenía hecho con Fe se basaba en darle los ejemplares a un precio determinado, cosa que entonces podía hacer por salirme la tirada muy barata publicándola antes en la *Revista Europea,* y que hoy no puedo por haber cesado la Revista en su publicación. Intenté hacer el mismo negocio con *El Día* (11), pero el señor marqués de Riscal (12), por el intermedio de Cámara (13), me contestó unas tonterías sobre la verosimilitud y la moral y no sé qué otras cosas de las cuales no me acuerdo, que hacen imposible todo contrato con él. Decidí entonces imprimirla por mi cuenta pero me acordé de que usted animándome a escribirla, me dijo que no tendría inconveniente en publicarla reteniendo los productos de la venta hasta que cubriera los gastos de impresión y entregándome después los beneficios (14).

Este contrato es demasiado provechoso para mí y muy leonino para usted, o por mejor decir para Cámara (pues supongo que éste sería el que la imprimiera) por lo cual me atrevo a proponerle este otro: que ustedes me la impriman y que una vez los gastos cubiertos los beneficios se reparten entre ambas partes. Le hablo a usted como un negociante que habla a otro; por consiguiente no se acuerde usted de que es mi amigo y si el asunto le conviene lo acepta y si no lo rechaza sin compromiso de ningún género. Le escribo también a Cámara haciéndole la proposición. Si no se la hago de palabra en Ma-

---

(11)   Diario político y literario de tendencias liberales, que se publicó entre 1880 y 1919, donde colaboró Palacio Valdés en sus primeros tiempos.

(12)   Se refiere a don Camilo Hurtado de Amézaga (1827-1888) que, además de administrar sus famosas bodegas, fue diplomático y periodista, fundador de *El Día,* y publicó algunas obras de tema político en varios idiomas.

(13)   Se refiere a don Miguel H. Cámara, director de *La Guirnalda,* publicista y editor asociado a Galdós entre 1873 y 1896, del que se separó después de un largo pleito.

(14)   Seguramente se refiere a una de las primeras obras de Palacio Valdés, titulada *El señorito Octavio,* publicada en 1881.

drid es porque tal vez en el caso de no imprimírmela él me convendría hacerlo aquí donde no trabajan del todo mal.

Ahora otra pregunta: ¿Tendría usted la bondad de escribirme un prólogo? También sin compromiso de ninguna clase. Sé que está V. muy atareado y no tendría nada de particular que le causase con ello alguna molestia. Si usted, buenamente, pues, quiere y puede decir algo sobre la novela en la actualidad dando su opinión sobre el camino que a su parecer debe seguir en España, tiene ocasión para hacerlo.

Esta carta va demasiado prosaica. En cuanto se pisan los bastidores, se huele la prosa.

Muchos recuerdos de todos y un abrazo de su amigo

ARMANDO

A Cámara, que haga el favor de contestarme pronto.

V

Oviedo, 16 de julio de 1880.

Mi querido amigo y compañero de fatigas: Con ésta recibirá usted dos retratos o grupos artísticos en posición horizontal. Como usted verá están bien hechos y merece la pena que digamos al fotógrafo con calor: ¡apuyado, apuyado!

¿Y qué tal lo ha pasado usted por esos mundos? ¿Hasta qué país le dolió a usted la cabeza? Cuéntenos sus impresiones al través de Llanes y la jaqueca. Nosotros llegamos a las nueve en punto de la noche, esto es, a una hora muy cómoda y con la cual, a la verdad, no contábamos. Inmediatamente que arrivamos a esta población, hubiéramos dado cualquier cosa por gustar de los lácteos virgíneos candores a semejanza de Bernardo pero no tuvimos medio y nos resignamos a irnos a la cama.

Dejo la pluma a Aramburu (15) y le doy un abrazo muy apretado,

ARMANDO

Apuyando, a mi vez, todo lo dicho por Armando, celebraré infinito que usted haya llegado bien, sin raspadura y con enmienda del dolor de cabeza, a esa bonita población número 1.º del programa del año próximo. Entretanto que un programa se cumple, y aunque no se cumpliera, no olvide usted a su *convecino* de Laviana, que ya era antes muy *devoto* de usted y es hoy a más su amigo de corazón.

SEÑOR DE ARAMBURU

VI

Oviedo, 27.

Mi muy querido amigo: He recibido su cariñosa epístola y bien puede creerme que ella es la que me ha animado a marcharme a ésa. Mi pereza de viajar, lo bien que me encuentro con mi familia y alguna otra circunstancia de orden distinto, me hubieran retenido tal vez todo el año si no recibiera alientos que me empujasen. Tengo verdaderos deseos de charlar con usted y de que paseemos a solas por esas áridas cercanías de la corte. En diez años que llevo en Madrid no he conseguido formarme sinceras afecciones, y por eso aparte de lo que me gusta

_____

(15) Seguramente se refiere a don Félix Aramburu y Zuloaga, que fue catedrático de Derecho Penal de la Universidad de Oviedo y colaborador y director de la *Revista de Asturias.*

la vida de ese pueblo, no le tengo el cariño que otros. No sé si consistirá en mí o en los demás. Presumo que en mí porque en ésta, fuera del círculo de mi familia y de dos amigos íntimos me pasa algo parecido.

Observo que estoy algo romántico hoy y debe ser porque estoy con el pie en el estribo (del tren). Las circunstancias más pequeñas de la vida causan profundas alteraciones en nuestro modo de pensar.

Me ha escrito Cámara y estoy conforme con su proposición. Quisiera que nuestro negocio prosperase porque a la verdad el escribir de balde ya me va pareciendo una broma muy pesada. Allá voy pues, no a adquirir nuevos laureles como usted dice burlándose, sino a pagar un tributo, tal vez el último, a la desdichada vocación que Dios me dio. Tiene usted razón en la proclama que me echa con motivo del prólogo. Se lo pedí para darle a usted motivo de explayar sus ideas y sus quejas, pero bien conozco que, aunque yo necesite como cualquiera del padronazgo literario, se han hecho muy cursis los prólogos.

Nada más. El jueves tengo pensado marcharme. Con que hasta la vista. Suyo afectísimo,

ARMANDO

Recuerdos de Aramburu, papá y Atanasio.

VII

ATENEO DE MADRID

Sr. Don Benito Pérez Galdós.

Mi querido amigo: Mañana lunes vendrá al Ateneo de cinco a seis el pintor Balaca (16) con el objeto de ver

(16) Vivieron en esta época dos pintores hermanos, hijos a su

a usted y ponerse de acuerdo para hacerle el retrato. Le suplico que asista a esta cita.

Suyo affmo.,

Armando Palacio Valdés

VIII

Oviedo, 23 de octubre 1880.

Mi querido amigo don Vasco di Gama: No me había figurado que usted se fuera tan *de súbito* a Madrid pues el mes de Octubre y aun el de Noviembre se pasan bastante bien en toda la zona cantábrica. Aquí hace un tiempo delicioso y esto unido a la pereza que siento por separarme de mi familia tal vez prolongue mi permanencia en esta tierra durante todo el mes que viene. Además, tuve una fiebrecilla gástrica que me dejó un poco resentido el estómago y no me cuidarían tan bien en la fonda como en mi casa. Además tengo muy poco adelantada mi novela y quisiera terminarla aquí. Si me pusiera a ello con decisión podría hacerlo en un mes pero yo no tengo decisión más que para salir a paseo. Además me he puesto al habla con aquella Greschen (no sé cómo se escribe) que usted vio de refilón una noche y paso un poco mejor el tiempo que antes. Sin embargo de todo pienso irme, Dios mediante, a últimos de Noviembre, época en que le hallaré a usted floreciendo en medio de sus suscriptores como un cedro del Líbano (digo, no) como un lirio gen-

---

vez del estimable retratista don José Balaca, que murió en 1869, que fueron Eduardo y Ricardo Balaca y Canseco, nacidos, respectivamente, en 1840 y 1844, muriendo Ricardo, precisamente, en 1880. Eduardo decoraba, por esta época, con una Filosofía el Ateneo y fue autor de varios retratos. Probablemente es éste al que se refiere Palacio Valdés en esta breve carta.

til en medio de la pradera esmaltada de flores. Si usted no consigue reunir veinte mil suscriptores, declaro que los españoles no tienen vergüenza. Porque si usted, que es un gigante, no consigue sacar producto de sus obras, ¿qué podemos esperar los pigmeos de las nuestras? Hay pues en mí cierto egoísmo al desear que usted se haga rico.

¿Y qué novela es ésa que usted ha empezado? ¿Es la social de costumbres madrileñas de que me ha hablado u otra que pensaba titular *El faro?* Trabaje con calma, pues usted tiene que dar mucho de sí todavía y es necesario cuidarse a lo canónigo para no tener contratiempos (17).

Sabrá usted cómo el pobre pastor Curiambro se murió siendo yo de las pocas personas que le vieron expirar. Lo sentimos mucho porque era un buen sujeto a pesar de su modo fantástico de manejar el hisopo.

Toda esta gente se acuerda mucho de usted. Papá nos dice a menudo: "¡Qué bien me encontraba yo con Pérez Galdós!". Ya lo creo solemos contestar nosotros, como es tan callado y te dejaba hablar a tus anchas, estabas en grande con él. Como todos los habladores, sin embargo, se empeña en sostener que es un fenómeno de silencio.

Leopoldo Alas me encarga decirle que no ha estado en Santander ni ha salido de Asturias en todo el verano y le manda muchos recuerdos. También se los mandan muy efusivos papá, Aramburu, Sánchez Calvo (18) y Atanasio (19).

En cuanto a mí, ya sabe que le quiero muy de veras y deseo verle pronto en Madrid, donde anudaremos nuestras interrumpidas conversaciones.

Armando Palacio

---

(17) Trabajaba Galdós, por esta época, en la primera novela de la "Serie Contemporánea", siguiendo las tendencias naturalistas.

(18) Sánchez Calvo, literato y periodista, redactor de *El Imparcial,* del que existen cuatro cartas en el archivo de Galdós.

(19) Don Armando tenía dos hermanos: Atanasio y Leopoldo.

ATENEO CIENTÍFICO
LITERARIO Y ARTÍSTICO
DE
MADRID

Mi querido amigo: No he ido a su casa a despedirme porque seguramente no le encontraría en ella. Me despido, pues, para Asturias epistolarmente y le doy las gracias por su *Desheredada* (20), que constituirá mi sabroso entretenimiento por aquellas tierras también desheredadas. Si hace algún viaje a Galicia este verano y pasa por Asturias, no deje de venir a verme. Si la expedición pasada no le ha sido desagradable y quiere iniciar otra parecida a las Hoces de Río-Aller pongo por caso, ya sabe todo el gusto que nos dará con ello.

Trabaje usted y gane con la nueva edición de los *Episodios* (21) 190.000 duros, como lo desea su amigo afmo.

ARMANDO PALACIO

X

Sr. D. Benito Pérez Galdós.

Mi querido amigo: No hay posible disculpa para falta tan grande como ha sido mi tardanza en contestar a us-

---

(20) Primera novela de la "Serie Contemporánea", publicada en 1881.

(21) Segunda edición de las dos primeras series de los *Episodios Nacionales,* que fueron ilustrados con dibujos de Galdós, los hermanos Mélida y otros dibujantes. Se publicó en diez volúmenes, a partir de 1882.

ted. Excuso, pues, el decirle que he estado enfermo algún tiempo, que los exámenes me trajeron y me traen atareadísimo y que Cupido se ha empeñado en hacerme remolón y perezoso. Todo esto no basta, repito, a aminorar el exceso de descortesía y mutua correspondencia que se debe a todo amigo, y mucho más si éste es tan entrañable y cariñoso como usted. Sin embargo, cumplí en parte la comisión con que usted me honró; y digo en parte, porque tan sólo logré hacer cinco suscripciones al hermosísimo monumento español erigido por usted para gloria nuestra y regocijo de cuantos tienen la fortuna de hojear sus páginas bellísimas. Yo, amigo Galdós, de sobra sabe usted cuantísimo desearía añadir dos grandes y redondos ceros al guarismo mezquino que dejo apuntado; tengo confianza en que algún más beneficio haré a mis amigos consiguiendo de ellos que se suscriban a obra que (permítame usted que lo diga) se recomienda por su grandeza literaria más que por todas las demás *grandezas* de edición que usted con su excesiva modestia juzga superiores a aquélla.

Atanasio ha pasado por aquí hace unos días en dirección a Avilés, a donde le lleva su padecimiento intestinal y en cuyas playas espera hallar algún alivio a tan pesada enfermedad. Papá (22) y el pequeño en la aldea siguen aún.

¿Tendremos el placer de abrazar a usted este año en estas agrestes tierras? Muchísimo se alegrará de ello su verdadero amigo que espera con anhelo otra ocasión de honrarse con el recuerdo de usted,

ARMANDO PALACIO VALDÉS

Agosto, 11-81.

---

(22) El padre de don Armando se llamaba don Silverio Palacio y Carcaba, y era abogado.

Oviedo, 2 de octubre de 1881.

Sr. D. Benito Pérez Galdós.

Mi querido amigo: No ha sido culpa de usted, sino mía nuestra nefanda incomunicación durante este verano y de ello estoy sinceramente arrepentido; pero no respondo de enmendarme, por más que he de procurarlo, pues es mi odio al género epistolar aún mayor que el suyo. ¡Cuánto mejor es hablar que escribir! Estoy convencido de que, mientras la escritura no sea un reflejo fiel y exacto de la palabra hablada, siempre tendría algo de artificiosa que nos repugnará un poco, porque no podría reproducir el pensamiento con la expontaneidad con que surge en el espíritu. Pero aún peor que escribir es hablar como su paisano León y Castillo y otros retóricos de la misma clase.

Me han dicho que los *Episodios* marchaban bien cuya noticia me ha llenado de satisfacción como usted podrá figurarse; así es que me ha sorprendido lo que usted me dice de la escasa suscripción en este pueblo. Es necesario que usted mande un viajante idóneo que se meta por el ojo de una aguja, pues esta clase de suscripciones hay que arrancarlas a fuerza de tiempo y saliva.

No es enteramente exacto que haya escrito una novela como le han dicho pues si bien la he comenzado ando muy lejos de concluirla porque he trabajado muy poco. Lo que tengo hecho es sumamente pesado, género descriptivo puro con ribetes de trascendental. El pensamiento ya se lo comuniqué y por indicación de usted puse a los dos tipos que figuran en ella los nombres de *Marta* y *María* (23) (título que llevará la novela cuando aparezca).

(23) Esta novela, una de las mejores de Palacio Valdés, se publicará en 1883.

Tiene o tendrá aún menos argumento que *El señorito Octavio* y ya ve usted que aquél era bien pequeñito.

Tengo *La Desheredada* en candidatura para leer inmediatamente que termine o esté terminando mi obra. Si no la leo ahora es porque temo que se me pegue algo; como los críticos españoles le entran encima a uno en seguida el sambenito de plagiario y el vulgo es muy propenso a creerlo lo mejor es decir tonterías por cuenta propia aunque la cosa saliera mejor de otro modo.

Muchos recuerdos y muy afectuosos de papá, Atanasio, Aramburu, Alas, etc. Este último no me parece que tardará en ir. Ha estado bastante malucho pero ya se repuso.

Suyo, siempre afmo.

ARMANDO PALACIO

XII

Entralgo, 28 julio 1887.

Mi querido amigo y grande argonauta: Le estoy oyendo apellidarme de falso amigo, réprobo, escritor afectado y hasta de ignorante. Hace usted bien: eso y mucho más merece mi conducta incorrecta, como diría Alvarado. En mi alma no puedo presentar más que una serie innumerable de resoluciones tomadas desde hace dos meses, de escribirle largo y tendido; las cuales, por desgracia, no *deveñaron* realidad hasta el presente momento histórico. Pensaba dar una vuelta por esas tierras como el año pasado y charlar con usted y el ilustre don Pepe hasta secarme el gaznate, pero he ido perezando, sobre todo desde que me he venido a este rincón agreste donde me recopilo.

Ante todo mi cordial enhorabuena por su linda y briosa novela cuyo cuarto tomo aún no he leído ni sé que haya aparecido aún (24).

Ya le he dicho en Madrid mi pensamiento. La leo con muchísimo gusto y esto basta para que la considere buena. Si fuese crítico le diría quizá que ha atendido usted poco a la composición en ella fijándose más que en nada en la verdad y energía del colorido; pero como yo, aunque admiro mucho a los clásicos griegos no estoy seguro de que sea necesario imitarlos para escribir cosas bellas, dejo esto de la composición a un lado y me fijo en lo admirablemente trazado que están algunos caracteres, la verdad y relieve que tienen todos ellos, la gracia y naturalidad del estilo y, sobre todo la profunda observación y conocimiento de la vida que resplandece en toda ella. Debe usted estar satisfecho. ¿No han hablado los periódicos? Mejor. Los artículos bibliográficos van siendo ya como las cruces de Isabel la Católica: no las quieren más que los tontos.

Ahora le supongo yo a usted descansando sobre sus laureles, unas veces paseando por el muelle de Maliaño, otras encajonándose en el tranvía del Sardinero, otras en fin dando gloriosas arremetidas al arte de Apeles y Velázquez. Si usted tiene algún momento qué echar a los perros, escríbame usted y vénguese así noblemente de mi conducta fea (esto creo que es de Camparrone) confundiéndome bajo el peso de su generosidad. Estoy hecho un filósofo, inspirándome en las obras portentosas de la naturaleza para dormir siestas de tres horas y comerme fuentes inverosímiles de frijoles y guisantes. Lo peor es que me ha salido un enjambre de diviesos críticos que me tienen martirizado. Los estoy combatiendo con los baños de río y la zarzaparrilla.

Mucho celebraré que la dolencia de su hermana política

---

(24) Se refiere a la célebre novela de Galdós *Fortunata y Jacinta,* editada y compuesta, en cuatro tomos, entre 1886 y 1887.

se haya curado enteramente y que no haya un mal dolor de cabeza en esa casa. Déles recuerdos; a Pereda un abrazo cariñoso y que le escribiré, y a usted otro fraternal de su amigo,

ARMANDO

XIII

Sr. Don Benito Pérez Galdós.

Mi querídisimo amigo: Acabo de ver del modo más cruel lo que es la dicha en este mundo. Si pudiera deshacerlo en las manos crea usted que ya estaría reducido a polvo. Deseo que mi pobre Luisa vaya acompañada a la estación del Norte por mis amigos. ¿Quiere usted formar parte del duelo?

Dígamelo en seguida. No sabe cuánto se lo agradecerá su desgraciado amigo

ARMANDO

Escribo a Pereda y Castelar.

A las 4,30.

XIV

Querido don Benito: Hoy le he escrito preguntándole si quiere formar parte del duelo que ha de acompañar a mi pobre Luisa a la estación. Como ha llevado la carta un empleado de la Funeraria y no tengo contestación de usted sospecho que acaso no la haya recibido. Le ruego me conteste.

Suyo afmo.

ARMANDO

A las 4,30.

122

XV

Inclito y querido amigo: Me voy algo precipitadamente porque me dicen que mi hijo tiene tosferina. Por eso no puedo, como contaba, ir a verle. De todos modos sabe que le abraza con el pensamiento su mejor amigo,

ARMANDO

XVI

Madrid, 5 abril 1906.

Mi querido amigo:

Ya sabrá usted por *El Imparcial* que ayer fue presentada mi candidatura en la Academia. No es cosa de dejarle a usted una tarjeta como estoy haciendo con los demás señores académicos. Es usted quien primero me habló de la Academia y después lo han hecho otros varios. Me he resistido hasta ahora porque no he nacido para cargos ni para honores, pero habiéndome pedido autorización Menéndez Pelayo y Marín (25) para presentarme en la vacante de Pereda me pareció más que ridículo quijotismo una ofensa a la memoria de nuestro gran amigo el negarme (26).

---

(25) Se refiere a Francisco Rodríguez Marín (1855-1943), poeta, crítico y editor de célebres ediciones anotadas del *Quijote,* fecundo y erudito investigador de nuestras letras clásicas y recolector de refranes españoles.

(26) Efectivamente, fue elegido este año de 1906 para el sillón de la Academia de la Lengua, que había dejado vacante su amigo José María de Pereda.

Le escribo desde el café porque estoy de mudanza. Hoy me traslado a la calle de Lista-5, donde tiene usted su casa. Quisiera verle pero no se la hora en que puedo hacerlo sin interrumpirle. De todos modos necesito charlar con usted una buena hora porque vivimos demasiado alejados y tengo muchas impresiones que cambiar con usted.

Ya sabe que siempre le quiere y le admira de corazón su antiguo amigo,

A. PALACIO VALDÉS

CARTAS DE BLASCO IBAÑEZ

Este puñado de cartas nos muestra al escritor valenciano tal como era, con toda su apasionada y exultante vitalidad, siempre atareado con sus intereses políticos y editoriales. En el primer caso le vemos chocar con el maestro por intentar utilizar el éxito de *Electra* para su campaña electoral. Su actitud, combativa y sin escrúpulos, se oponía al concepto que Galdós tenía del arte literario, como algo al margen o por encima de las luchas políticas. Se le ve a Blasco ir y venir de Valencia a Madrid, atendiendo empresas literarias, recomendando a amigos y, luego, ampliar su círculo de influencias, escalando el mundo literario de París, y, por último, en Cap-Ferrat encantado con su fama, cuando sus obras han sido traducidas a los idiomas conocidos y su nombre se cotiza en las empresas editoriales y cinematográficas de los Estados Unidos de Norteamérica.

Toda esta vida fulgurante, fecunda y avasalladora, debió contemplarla Galdós—temperamento opuesto—un tanto receloso y asombrado, pues es evidente que don Benito era enemigo de la autopropaganda y de los colores chillones del paisaje levantino que llenaban la vida y la obra de su colega valenciano. Sabemos, por estas cartas, que su última proposición, la de editar *Tristana,* obra erótica y sentimental de influencia naturalista, al estilo de Maupassant, cayó en el vacío, pues ya el autor de los *Episodios*

Nacionales había escrito, por esas fechas, su última obra, *Santa Juana de Castilla,* y su vista había empeorado tanto que nunca volvería a salir de las tinieblas. Aquella carta no sería contestada y la colección de la "Novela Literaria" no publicaría ningún título de autor español, ya que no iba en ella una novela del maestro de los escritores contemporáneos.

S. N.

Madrid 20 de Diciembre 1907

Sr. Don
B. Pérez Galdós

Querido maestro y amigo: Hace cuatro
o cinco días, al llegar de París, escribí á
Vd. pidiéndole una entrevista, pero como
vié la carta por la estafeta del
ngreso temo que no haya llegado
á su poder.

Necesito hablar á Vd. de un
importante proyecto editorial para
America, que tal vez será de su
agrado.

¿Donde y cuando podemos vernos?
Puede Vd. avisarme á estas oficinas.
estoy en ellas todas las tardes desde
5 en adelante

Su afmo. amigo y admirador

Vicente Blasco
Ibáñez

127

I

Querido D. Benito: El amigo Rodrigo (1) no explicaría bien en su carta el motivo de nuestra intervención en esto del estreno de *Electra* (2).

No es que en ese estreno consista el triunfo de nuestra candidatura (3). Como usted dice muy bien, resulta incomprensible tal afirmación.

Lo que Rodrigo y yo hemos hecho es mezclarnos en el asunto por el cariño a usted, acrecentado aún más en vista de los ataques que le dirije la canalla jesuítica (4).

La situación era la siguiente. Valencia rabia de impaciencia hace meses por ver *Electra*. La han puesto en toda la provincia y hasta en los pueblecitos inmediatos... y la

---

(1)   Rodrigo Soriano, nacido en Valencia en 1868 y muerto no hace muchos años fue un activo político radical y escritor polémico. Publicó, entre otras cosas, un libro sobre Lenin y otro sobre la Revolución española. A pesar de ser republicano, luchó durante mucho tiempo contra Blasco Ibáñez por la hegemonía del partido en Valencia. Se hizo popular cuando fue desterrado, junto con Unamuno, a Fuerteventura en 1924.

(2)   La famosa obra dramática de Galdós, que se estrenó, por la compañía de Matilde Moreno, en Madrid el día 30 de enero de 1901, cuyo éxito se convirtió en la bandera de combate de las facciones políticas radicales.

(3)   Blasco Ibáñez fue elegido diputado a Cortes por primera vez en 1898, y luego sería reelegido hasta por sexta vez en 1907. Esta campaña seguramente se refiere a las elecciones de 1902.

(4)   Berkowitz, en su *op. cit.*, pág. 371, hace notar que, en este momento, los jesuitas: *the term came to be applied indiscriminately to all who worked against the drama* (*Electra*).

gente, esperando. Esto a *(sic)* sido el cerco de Valencia...
por *Electra*.

El público había leído que el 15 comenzaba a funcionar
la compañía Fuentes (5), y al ver que no se cumplía lo
prometido comenzó a murmurar de un modo espantoso.

Se dijo que todo era obra de la gente reaccionaria; que
había dinero por medio y los cómicos de la legua que
son aquí legión, atizaban el fuego contra la empresa de un
modo que hacía presagiar algo malo para la obra.

El retraso se lo atribuyeron a las clases reaccionarias
que se han coaligado para sostener la candidatura *católica*
de Polo Peyrolón, e indirectamente al colgarle el milagro
a la empresa, *Electra* no ganaba nada. En fin nerviosida-
des de una ciudad que el domingo va reñir (a tiros si es
preciso) la última batalla con todos los carlistas, conservadores, jesuitas, beatas ricas y liberales sinvergüenzas, que
se han coaligado para reventar a ese anarquista de Blasco
Ibáñez.

El sábado no pasará nada en el estreno de *Electra*. Mucho entusiasmo, mucha *Marvellera* (6), gran apoteósis del
maestro Galdós... y nada más. Conviene que la gente se
acueste pronto para la lucha del día siguiente; y el domingo por la noche después del triunfo, tras la segunda de
Electra no queda un jesuita con el testuz entero.

Gracias por todo querido maestro. Un abrazo de su entusiasta amigo

BLASCO IBÁÑEZ

---

(5) La formada por Matilde Moreno y Francisco Fuentes, que
estuvo representando en Madrid *Electra* hasta el 21 de abril de
1901, según unas notas de Galdós consultadas por nosotros.

(6) Nombre regional de una planta que da muchas flores, empleado en el sentido metafórico de "elogios".

EL DIPUTADO A CORTES
POR
VALENCIA

Querido maestro: No contesté antes sus dos últimas, por hallarme fuera de Valencia.

Navacerrada (7), se fue, pero dejando otro (palabras borrosas) de precio o más bien dicho los precios ¡anormales! Esta medida, como era de esperar, a surtido *(sic)* magnífico efecto. Los palcos siguen vacíos, pero el resto del teatro se llena y surje el entusiasmo de siempre a pesar de que la obra era ya conocidísima por haberla leído todo el partido, y haber ido como en peregrinación a verla en los teatrillos de los pueblos cercanos.

Además... (esto como comunicación amistosa) esta gente exceptuando a la Moreno (8) *vera* (9) la obra; no *subraya* nada, condición necesaria en un drama popular; declama con la misma voz que en el Español sin fijarse en que el Principal (10) es doble grande y muchas cosas hermosas no llegan al público.

Yo he visto *Electra* en Burjasot (11) a unos pobres diablos y me parecieron mejor los intérpretes que estos del Principal. Yo mismo me entusiasmé más.

La única que gusta es la Moreno que cada vez resulta

---

(7) Gobernador o jefe administrativo de Valencia en esos momentos.

(8) Se refiere a Matilde Moreno (n. 1874), primera actriz del teatro Español, de la compañía de Fuentes, que estrenó e interpretó durante muchos años el papel de Electra en esta obra.

(9) Regionalismo expresivo, que aquí significa "dejando a un lado" o "aparte" la obra.

(10) Uno de los mejores teatros de Valencia, inaugurado en 1832 y terminado en 1854, dedicado a la ópera y al drama.

(11) Pueblecito de la provincia de Valencia, cercano a la capital y, en aquella época, de unos 10.000 habitantes.

mejor. Máximo (12) resulta un mentecato que cree de mal tono apasionarse y gritar y habla siempre para su camisa, imaginándose que esto es la última palabra de la naturalidad y el modernismo en el teatro. Total; que con su frialdad le quita mucho a la obra.

A otra cosa.

Ahora que ha terminado el período de apasionamiento y lucha ¿no podrá usted venir unos días a recibir el homenaje del pueblo valenciano?

No le molestaríamos mucho y además pasada la primera ovación recobraría usted el incógnito y haríamos vida bohemia en plena naturaleza, más veces en la huerta entre flores (siguen unas palabras borrosas) (13).

Decídase y avísenos cuando viene.

Muchas gracias por sus felicitaciones y reciba un abrazo de su entusiasta amigo,

BLASCO IBÁÑEZ

---

(12) Este personaje, uno de los principales de *Electra,* lo representaba Francisco Fuentes, el primer actor de la compañía.

(13) No sabemos si llegó a realizar este viaje, pero sí que estuvo don Benito en Valencia varias veces, donde contaba con excelentes amigos.

III

EL DIPUTADO A CORTES
POR
VALENCIA

Salas, 4-hotel (14)

Querido D. Benito: Acepto con muchísimo gusto las dos butacas para el estreno de *Bárbara* (15). Puede usted enviarlas: iremos mi mujer y yo.

Muchas gracias.

A ver si nos reunimos pronto para que hablemos de todas esas cosas interesantes. Un abrazo,

BLASCO IBÁÑEZ

IV

EL DIPUTADO A CORTES
POR
VALENCIA

Sr. Don Benito Pérez Galdós

Querido amigo y maestro: Como ignoro el domicilio del amigo Betancourt (Angel Guerra) (16), ruego a usted se sirva entregarle la adjunta carta.

Muchas gracias. Le abraza su afmo. amigo y admirador,

VICENTE BLASCO IBÁÑEZ

---

(14) E. Gascó, en *Genio y figura de Vicente Blasco Ibáñez* M. 1957, nos dice que hacia 1903, después de su etapa de agitador y político, nuestro escritor se instaló en Madrid, en un hotelito de la calle de Salas, próxima al paseo de la Castellana.

(15) Esta obra fue estrenada en el teatro Español, el 28 de marzo de 1905, por la compañía de Guerrero-Díaz de Mendoza.

(16) José Betancort Cabrera, natural de Teguise (Lanzarote) (1874-1935). Activo periodista, ensayista y autor de novelas regio-

V

Querido maestro: Ahí va el libro. El retrato se lo enviaré otro día pues no tengo ejemplares en este momento. Espero el suyo (17). Un abrazo de su afmo.

BLASCO IBÁÑEZ

VI

EL DIPUTADO A CORTES
POR
VALENCIA

Querido don Benito: Canalejas (18) me dice que en vista del mal tiempo reinante, conviene que aplacemos el banquete hasta el próximo domingo.

Como él siente gran entusiasmo por nuestra idea y desea que resulte lo mejor posible, insiste en esta petición que yo creo aceptable.

Si usted no dispone otra cosa aplazaremos pues el banquete (19).

Espero su respuesta.

Un abrazo,

VICENTE

---

nales. Acaso la carta se refiera a algo relacionado con un pequeño ensayo sobre Blasco Ibáñez, publicado en *Efemérides,* de Las Palmas, 2-X-1903.

(17) Acaso la obra de Blasco Ibáñez se refiera a *La Bodega* (1905), única obra del escritor valenciano hallada por Berkowitz en *La biblioteca de Galdós,* vid. Ed. Museo Canario, Las Palmas, 1951.

(18) Don José Canalejas, asesinado por un anarquista en 1912. Fue un gran político demócrata, presidente del Consejo y gran amigo de Galdós.

(19) Acaso se refiera al banquete dado para celebrar el éxito de la candidatura republicana o liberal en las elecciones de 1907.

LA NOVELA ILUSTRADA
Oficinas: Olmo, 4 MADRID

DIRECTOR LITERARIO: V. BLASCO IBÁÑEZ

Querido D. Benito: Adjunto le envío un retrato de usted comprado por una señora chilena, muy guapa y muy cachonda, que creo vio usted en el estudio de Sorolla (20). Póngale usted una dedicatoria detonante, como la bomba de Morral (21), pues esta gachí está por los novelistas.

Como se va a París mañana domingo, por unos días, le ruego encarecidamente que esta noche o mañana envíe usted el retrato al hotel Santa Cruz, calle de Alcalá frente a la Equitativa.

Me lo dieron para que se lo enviase a usted hace semanas, y yo por olvido no cumplí la comisión. Sáqueme usted pues del compromiso para que yo no quede en mal lugar.

¿Cuándo almorzamos o comemos juntos?

Un abrazo de su fiel y afmo.,

VICENTE

---

(20) Joaquín Sorolla (1863-1923), que por el colorido y la fuerza de sus obras representa en pintura lo que su amigo y paisano Blasco Ibáñez con sus novelas valencianas.

(21) Mateo Morral, autor del trágico atentado a los reyes el día de sus bodas, en 1906, fecha aproximada de esta carta.

VIII

Martes (22)

Querido amigo Galdós: Llegué ayer de París y deseo hablar con usted extensamente de un importante asunto literario y editorial referente a América.

Dígame cuando y a qué hora podemos vernos. Avíseme a mi casa Salas, 8 o a *La Novela Ilustrada* (23), Mesonero Romanos, 42.

Si quiere avisarme telefónicamente, mi teléfono es 1316.

Un abrazo de su afmo. amigo y admirador

VICENTE BLASCO IBÁÑEZ

---

(22) Por la carta siguiente, que trata del mismo asunto, podemos deducir la fecha de ésta: 15 ó 16 de diciembre de 1907.

(23) Una de las tantas colecciones de novelas, de vida más o menos efímera, que tan de moda estuvieron a principios de siglo.

IX

LA NOVELA ILUSTRADA

Oficinas: Mesonero Romanos, 42 MADRID

DIRECTOR: D. VICENTE BLASCO IBÁÑEZ

Madrid, 20 *de* diciembre 1907.

Sr. Don

B. Pérez Galdós

Querido maestro y amigo: Hace cuatro o cinco días, al llegar de París, escribí a usted pidiéndole una entrevista, pero como envié la carta por la estafeta del Congreso temo que no haya llegado a su poder.

Necesito hablar a usted de un importante proyecto editorial para América, que tal vez será de su agrado.

¿Dónde y cuándo podemos vernos?

Puede usted avisarme a estas oficinas. Yo estoy en ellas todas las tardes desde las 5 en adelante.

Su afmo. amigo y admirador

VICENTE BLASCO IBÁÑEZ

GRAND HOTEL DU CAP-FERRAT
St-Jean-Cap-Ferrat
(Alpes-Maritimes)

St-Jean-Cap-Ferrat, le 26 mayo 1918

Sr. Don

B. Pérez Galdós

Querido amigo y maestro:

La *Editorial Prometeo* (24) de Valencia, va a publicar una Colección de Novelistas Contemporáneos en la que figurarán todos los novelistas célebres del mundo (25).

Tenemos ya obras en manos de los traductores, de Anatolio France, Bourget, Barrés, Margueritte, Elennise Bourges, Huysmans, Rudyard Kipling, Wells, Conan Doyle, D'Anunzio, etc., etc. Todos entran en la colección, franceses, ingleses, norteamericanos, italianos, escandinavos, rusos..., todos ¡menos los alemanes!

Las novelas aparecerán en volúmenes encuadernados y con cubierta (como las novelas inglesas), muy elegantes, con el retrato del autor en la cubierta, y luego en el interior otro retrato con la firma autógrafa. Cada volumen llevará un estudio sobre el autor y su obra literaria que escribiré yo. La *Editorial Prometeo* ha aceptado esta idea mía, con la condición de que sea yo el director literario y que escriba dichos prefacios.

Voy a encargarme de este trabajo algo pesado por tra-

---

(24) Editorial fundada en 1913, en Valencia, al unirse la E. Española-Americana y la F. Sempere y Cía. En ella colaboró Blasco Ibáñez y editó todas sus obras.

(25) Esta colección se llevó a cabo bajo el título de "La Novela Literaria", publicando sólo obras de autores extranjeros.

tarse de tantos autores, "gratuitamente", por el gusto de realizar una obra de cultura literaria y de propagar indirectamente nuestras ideas.

Yo quisiera que figurase usted entre los primeros autores.

Todos los novelistas extranjeros se han dado cuenta de que nuestro público no representa gran cosa financieramente, y han cedido sus libros a precios modestos.

He aquí mi proposición; que es puramente mía y que haré aceptar a *Prometeo* si está usted conforme con ella.

Usted tiene una novela que no creo se haya vendido como las otras, que no conocen muchos de sus lectores, y que, sin embargo, yo he admirado siempre: *Tristana* (26). Le advierto que es una de sus novelas que me han dejado una impresión de ternura más profunda.

¿Podría usted darnos el derecho de publicar esta novela en la Colección por el modesto precio de mil pesetas?

No se trata de comprar la novela y que pase a ser propiedad de la *Editorial Prometeo*. Es simplemente una autorización mediante el pago de 1.000 pesetas, para publicarla en la Colección, y la novela sigue siendo de usted y puede usted publicarla siempre que quiera y hacer de ella lo que guste.

Si usted prefiere que sea otra novela y no *Tristana*, lo acepto igualmente. Si a usted le parece bien esta combinación y quisiera que además de *Tristana* aparecieran otras novelas suyas, en las mismas condiciones, tanto mejor.

Le repito que esto es una idea mía, y que he preferido dirigirme a usted particularmente, antes de decir una palabra a la casa editorial.

Si está usted conforme haré que le envíen el dinero inmediatamente.

---

(26) Novela de la "Serie Contemporánea", publicada en enero de 1892.

Igualmente, en caso de conformidad, quisiera que usted me indicase qué *documentos* puedo encontrar para escribir un estudio titulado *Pérez Galdós;* algo hermoso y completo digno de usted.

Voy a permanecer hasta julio en esta *Côte d'Azur,* así es que puede contestarme a esta dirección:

Grand Hotel du Cap Ferrat.
Saint Jean Cap Ferrat.
Alpes Maritimes.
(Francia).

Le deseo que siga gozando muchos años de excelente salud, para bien de las letras españolas, y reciba un abrazo de su amigo y admirador,

VICENTE BLASCO IBÁÑEZ

CARTAS DE RICARDO LEON

Estas ocho cartas de Ricardo León dirigidas a Galdós sin descubrirnos datos de gran trascendencia para la producción de ambos escritores, no dejan de tener interés para los biógrafos de León y para los estudiosos de la vida literaria de los primeros años de nuestro siglo.

Se desprende de la lectura de las primeras cartas que la vocación literaria del escritor malagueño, que vivía en Santander, se formó bajo la admiración de la figura y de la obra de don Benito, a quien conoce y asiste a sus tertulias en su casa de la Magdalena. Después, cuando, a causa de su delicada salud, León tiene que pedir traslado, en 1906, a una sucursal del Banco de España, donde estaba empleado, le escribe lleno de nostalgia al maestro: "gozaba yo de la amable compañía de usted en ese delicioso retiro..." En la carta siguiente le da a Galdós nuevos datos sobre el ambiente cultural de Málaga, que nosotros ampliamos en las notas, con otros que debemos a la amabilidad del erudito malagueño don Angel Caffarena. Este nos confirma la existencia—a principios de siglo— de la librería fundada por el periodista don Enrique Rivas en la calle de Larios, y de una tertulia que se celebraba primero en el café "El Senado", en la calle de Moratín, donde asistían Rafael Mitjana, Rivas, Salvador González Anaya y el propio Ricardo León, que debió ser el núcleo de la que éste llama "tertulia galdosiana", por reconocer

—fueran de cualquier tendencia—el valor indiscutible del autor de los *Episodios Nacionales.*

Las cartas siguientes están escritas en el período más intenso y mejor de la producción novelística de Ricardo León, entre 1907 y 1912. Entre estas fechas escribe *Casta de hidalgos, La Comedia sentimental, El amor de los amores, Alcalá de los Zegríes* y *Los Centauros,* aparte de la colección de ensayos *La escuela de los sofistas.* En la carta tercera de esta serie le habla ya de su novela, concebida en Santillana del Mar (visitada por Galdós en compañía de Pereda en 1879), *Casta de hidalgos,* publicada en 1908. Aunque esta obra primeriza es una de las mejores, el escritor no está satisfecho y así se lo dice a su gran amigo: "Después de mucho trabajar acabé la novela que estaba escribiendo y aunque no salió a mi gusto, la imprimiré." Pero ya está trabajando en otras cosas. Esta fecundidad y este tesón le llevarán, rápidamente, a la fama. Esta, como dice Eugenio de Nora, "le permitió codearse, en los libros críticos—incluso en el más famoso…, del ponderado Julio Casares, o en los del no menos ecuánime Andrenio—con los grandes del 98". (Véase *La novela española contemporánea,* t. I., pág. 310.)

A pesar de la devoción incondicional y el deseo que tiene de recibir de labios de don Benito el beneplácito de su labor, son Alarcón y Pereda sus verdaderos modelos, y a los que quisiera seguir en el fondo y en la forma: unir Andalucía y Castilla en lo tradicional, en lo castizo y en lo historico-novelesco. Así lo confiesa en su ensayos y en sus obras siguiendo sus gustos y estilos, como cuando dice en *La escuela de los sofistas:* "¿Quién no ama en verdad, este incomparable idioma español, cuando lo esculpe y lo repuja un Menéndez Pelayo, un Valera, un Amós de Escalante?" Aunque alguna vez cita a Galdós junto a los grandes escritores de su época, nunca dice nada de sus ideas o de sus obras. Es singular la admiración y la amistad entre figuras tan dispares, sobre todo por parte de León, pues es conocida la tolerancia y la comprensión bondadosa de don Benito para los escritores noveles o consagrados, aunque no opinaran lo mismo que él, si defendían sus ideas noble y sensatamente, como don Marcelino o Pereda. Sólo le vemos hablar con entusiasmo de la obra en general o, especialmente, de los *Episodios Nacionales,* sobre los que pensaba hacer—como dice en estas cartas varias veces—un estudio detenido, pero que nunca llegó a realizar. Está claro, pues, que aunque León no estuviera de acuerdo con las tendencias ideológicas liberales de Galdós, sí se adhería, de todo corazón, a la gran obra patriótica y nacional de los *Episodios,* que tanto habían contribuido a formar la conciencia española de su generación y de su tiempo.

Mas, ¿cómo explicar la entusiasta manifestación del escritor malagueño, tan apegado a las instituciones tradicionales, con las declaraciones de republicanismo de Galdós en 1906? Así lo declara en la carta número cuatro de esta serie: "Produjome gran emoción su profesión de fe republicana; leí con avidez cuanto usted dijo y escribió en aquellos días y dábame gran tristeza no estar a su lado y sentir de cerca aquellos aires de lucha y de triunfo." Acaso la clave de esta actitud contradictoria esté justificada por la veneración que sentía por el gran maestro de las letras, o bien por el mismo carácter del escritor, que se pone de relieve en esos diálogos de *La escuela de los sofistas,* que—a mi juicio—representan la propia personalidad de León con sus afirmaciones y negaciones en torno a los problemas más trascendentes de la vida, el amor, el arte, la religión y la literatura.

Por otra parte, no es difícil de adivinar la actitud de Galdós frente a su joven amigo, que hacía poco tiempo le visitaba devotamente en su refugio de "San Quintín", y después de establecerse en Málaga se crea una fama de gran novelista. No cabe duda que le llenaría un poco de asombro el éxito alcanzado por sus obras, que representaban un retroceso al siglo anterior, a Fernán Caballero o a Alarcón, ya superadas por él mismo y el propio Pereda dentro de la misma línea tradicionalista. Pero la brillante facilidad, la riqueza de su castizo léxico, lo bien construido de la frase, debieron admirar a Galdós ya que él mismo trataba de depurar y enriquecer su estilo. También debió apreciar la actitud humilde del escritor que no está satisfecho con su obra, y que, a pesar de sus triunfos, no se envanece y busca siempre la enseñanza de los clásicos y de sus maestros. No en vano también don Benito fue un gran lector de nuestros clásicos, de los que hubiera querido tener más profundo conocimiento, cosa que pretendió siempre León, aunque por otros caminos.

S. N.

EL CANTABRICO
Diario Independiente
Redacción

Perdóneme usted, maestro queridísimo, que no haya cumplido antes su encargo y que no le lleve ahora en persona; pero tengo que ir esta tarde a Selaya (1), en el valle de Carriedo, con mi familia, y no dispongo de tiempo material para ir a la Magdalena (2).

Por si le urge a usted le envío ese "ramillete de flores místicas" que una joven y linda beatita me ha dado, muy ajena del destino que han de tener. El librajo tiene mucha *miga* y creo que servirá para el caso (3).

Hasta mi regreso que será dentro de seis u ocho días, le envío un cariñoso abrazo.

Muy suyo devotísimo

Ricardo León

Santander, 12 de agosto de 1901.

---

(1)   Villa, con ayuntamiento, de la provincia de Santander, cerca de Villacarriedo.

(2)   La residencia veraniega de los reyes en Santander, cerca de la cual estaba, desde 1893, el chalet de Galdós.

(3)   Acaso fuera algún material que necesitaba Galdós para componer cierta figura femenina de *Las tormentas del 48* (1902).

II

Málaga, 31 julio 1906

Sr. D. Benito Pérez Galdós.

Venerado Maestro:

El año pasado, por este tiempo, gozaba yo de la amable compañía de usted en ese delicioso retiro de la Magdalena, donde encontré desde el primer día tan hermosa hospitalidad; de aquellas tardes felicísimas guardo un recuerdo muy dulce y melancólico y aun en medio de las alegrías de esta tierra siento hondas nostalgias. Hoy que éstas me acosan, más que nunca, quiero dedicarle a usted estas letras para que vaya algo mío a ese rincón tan amado.

Ya sabe usted que mis dolencias me obligaron a salir de la Montaña (4), cuando más a gusto me hallaba ahí; y hasta que me vi lejos de la tierruca no comprendí bien cuán profundas raíces había echado mi alma en ese suelo. No pierdo la esperanza de volver más adelante a pasar algunas temporadas y a gozar de aquellas deliciosas tardes de la Magdalena.

Salí de Madrid con la pena de no haberle visto a usted; estuve en su casa y en la librería de Fe (5) con ese intento, pero el mal estado de mi salud me impidió correr a mis anchas en Madrid y tuve que venir camino de Málaga, antes de lo que pensaba, a ver si estos aires me quitaban

_____

(4) Nombre que tan famoso hizo Pereda con sus novelas de la región santanderina.

(5) Se refiere a la de Fernando Fe, en la Carrera de San Jerónimo junto a la Puerta del Sol.

fiebres y dolores. El clima ha hecho el milagro y me encuentro muy bien. Aguardo el invierno para poder cantar victoria.

Si, como espero, curo mis achaques, iré a establecerme en Madrid definitivamente, dentro de un par de años. Entretanto prepararé algunas cosas que tengo en el magín para no ir allá con los bolsillos vacíos. Aquí la labor oficinesca es muy pesada por el grande movimiento mercantil de esta plaza; pero como no estoy agregado a ningún periódico sino suelto y libre y muy pegado a mi concha, aprovecho algunas horas y creo que haré algo más serio y positivo que artículos y crónicas.

Aquí, desde el punto de vista literario, hay pocas señales de vida si bien no faltan jóvenes inteligentes e ingeniosos que leen mucho y hacen vida intelectual. Pero, en suma, hay más *dilettantismo* que arte serio. Dentro de pocos días viene Unamuno a dar unas conferencias y esto ha despertado a muchos durmientes y creo que animará a la juventud (6). El ambiente es propicio porque ésta como usted sabe es una ciudad profundamente liberal.

A ver si en uno de sus viajes, Maestro, echa usted el ancla de nuevo en Málaga. ¡Qué alegría, si le viéramos aquí donde tanto se le quiere!

Arturo Reyes (7), Jurado de la Parra (8), Díaz de Es-

---

(6) Efectivamente, Unamuno hizo este viaje a Málaga, pronunciando sendos discursos en el teatro Cervantes, en el Círculo Mercantil y en la Sociedad de Ciencias, en los días 21, 22 y 23 de agosto de 1906, publicándose dichas conferencias en un artículo en Malaga, 1906, recogidas luego en la O. C.

(7) Escritor malagueño (1864-1913), autor de unos *Romances andaluces* y de novelas y cuentos de ambiente regional, como *Cartucherita* (1897) y *Sangre torera* (1912).

(8) Aunque no era natural de Málaga, vivió siempre en ella, donde publicó algunas obras dramáticas, como *Ramón Godoy,* estrenada en Madrid en 1910.

147

cobar (9), Anaya (10) y muchos más le saludan a usted
cariñosamente y así me encargan que se lo diga. Y yo queridísimo maestro le envío un abrazo con todo el cariño y
la efusión de mi alma.

RICARDO LEÓN

III

CIRCULO MERCANTIL
     MALAGA

Málaga, 12 Nbre. 1907

Sr. D. Benito Pérez Galdós.
Madrid.

Venerado amigo y Maestro: Habrá usted recibido una
carta de Enrique Rivas (11) contándole algo de nuestros
proyectos en Málaga, —viejos proyectos acariciados largo
tiempo y que van encaminados más que al provecho propio a despertar algo la afición a cosas de *libros* y *periódicos* en este perezoso país. Rivas deja el *Heraldo* (12) y es-

---

(9) Cronista oficial de Málaga, periodista, poeta, autor dramático e historiador del teatro nacional. Entre sus obras se destacan: *Málaga ilustrada*, 1905, y una *Historia del teatro español*.

(10) Conocido escritor malagueño, Salvador González Anaya
(1879-1955), autor de novelas costumbristas del campo andaluz
(*Rebelión, Las brujas de la ilusión*), fue académico de la española
y su lenguaje es directo y pintoresco, sin ser arcaizante, como el de
su amigo Ricardo León.

(11) Periodista malagueño que intervino en la redacción de los
diarios locales *Las Noticias, El Fénix* y *El Nuevo Fénix*, de tendencias liberales. Frente a él, su amigo y rival ideológico, León
fue redactor-jefe del periódico *La Unión Conservadora*.

(12) Diario de intereses generales que empezó a publicarse en
1896 con una *Hoja literaria* los lunes, dirigida por don Federico
Moja Bolívar.

tablece una librería—quizá para desmentir la copla aquella de "Málaga, ciudad famosa, entre antiguas y moder-
nas..." y ha decorado preciosamente dos saloncitos en la
calle de Larios donde hemos de reunirnos un puñado de
jóvenes de buena voluntad. De esta tertulia *galdosiana,* y
lo digo, bien lo sabe usted, sin adulación y con profundo
cariño, saldrá con el tiempo un gran periódico regional y
una porción de cosas más que estamos preparando afano-
samente. Como todo esto, al principio, tropieza con grandes obstáculos, necesitamos que se nos ayude y como yo
sé que usted me favorece con su gran afecto, me permito
rogarle, que, mirando nuestra empresa con simpatía, nos dé
su mano cariñosa en esta ocasión. Rivas ha conseguido varios depósitos de importancia para la librería, pero es de
absoluta necesidad contar con unas cuantas colecciones de
la casa Hernando (13), y de la Colección de Escritores Cas-
tellanos (14) que dirige don Mariano Catalina (15). La ad-
quisición al contado de esos libros supone un desembolso
que en estos momentos nos sería difícil; y como nuestra
empresa aunque tiene hoy por base poco dinero ofrece buenas referencias comerciales y garantías de *honorabilidad,*
nos *lanzamos* a pedir el depósito contando con la decisiva
influencia de usted para ello.

Me cuesta mucho escribir esta carta molestándole a usted con estas andanzas de libros, pero además de la parte
personal que en ellas tengo me interesan muchísimo por
Enrique Rivas, amigo a quien quiero como a un hermano.

Después de mucho trabajar acabé la novela que estaba
escribiendo y aunque no salió a mi gusto, la imprimiré, por

---

(13) Librería y editorial, fundada en 1828, estuvo en Madrid,
calle del Arenal, donde aún existe la librería. Editó una Biblioteca
Universal de clásicos españoles y extranjeros.

(14) Publicada en Madrid entre 1880 y 1929, con textos de
autores clásicos y contemporáneos con interesantes estudios críticos.

(15) Escritor malagueño (1842-1913), poeta lírico y autor dramático de tendencia posromántica.

quitarme de encima ese quebradero de cabeza. Es la novela de Santillana (16) de que ya creo haberle hablado a usted. Tengo algunas otras cosas en el telar; *Los Claros varones de Castilla* (17), unos estudios literarios (18) y otra novela, ya de Málaga (19). Lo que lamento de todo corazón es no estar al lado de usted para que esos ensayos pasaran por sus manos antes de ir a la imprenta.

Me dolió mucho que no me avisaran en la República de las Letras (20) cuando hicieron a usted el Homenaje de la cuartilla. Faltó allí la mía pero me desquitaré pródigamente en uno de mis libros, con el estudio de los Episodios donde pondré todo mi entendimiento y mi corazón (21).

¿Tendremos el placer de verle a usted este invierno en Málaga?

Le agradezco íntimamente sus cartas y sus cariñosos recuerdos.

Suyo siempre humilde amigo y admirador devotísimo,

RICARDO LEÓN

---

(16) Se refiere a Santillana del Mar en Santander, escenario de su primera novela, *Casta de hidalgos* (1908).

(17) Puede referirse a su novela *Alcalá de los Zegríes*, que primero pensó situar en Castilla.

(18) León escribió diversos ensayos, reunidos luego en *La escuela de los sofistas* y en *Los caballeros de la Cruz.*

(19) Acaso se refiera a *Comedia sentimental,* novela semiautobiográfica, donde relata su vuelta a la Málaga de su infancia.

(20) Revista literaria de corta vida, que se inició en mayo de 1905 con un artículo de Galdós, recogido en *O. C.* Ed. Aguilar, tomo VI, p. 1.488.

(21) Este trabajo, siempre prometido por León, no llegó a realizarse, según se desprende de la edición de las *O. C.* de Ed. Nueva.

IV

Málaga, 17 junio 1907

Sr. D. Benito Pérez Galdós.

Venerado maestro y amigo: Al regresar de Granada, donde pasé una temporada con mi familia, me dieron el último Episodio, *La de los tristes destinos* (22), con que usted se ha dignado obsequiarme. Ocioso sería pintarle la alegría y la gratitud que sentí al abrir este peregrino libro, al cual, un amigo mío, artista y como tal grande admirador de usted, quiere vestir con preciosa y original encuadernación. Me conmueven profundamente las pruebas que recibo del afecto y la bondad de usted; le soy deudor, a la vez, de purísimas emociones de arte y de noble cariño personal, cosas ambas que tienen en mi corazón hondas resonancias.

Hace algún tiempo pensé ir a Madrid; ya tenía preparado el viaje y concedida la licencia, pero asuntos de familia me obligaron a cambiar de rumbo y en vez de ir a Madrid fui, como dije antes, a Granada. Proponíame al marchar a la corte ir a darle a usted un abrazo y mi felicitación entusiasta por sus nobles actitudes y triunfos de patriota. Prodújome gran emoción su profesión de fe republicana (23); leí con avidez cuanto usted dijo y escribió en aquellos días y dábame gran tristeza no estar a su lado y sentir más de cerca aquellos aires de lucha y de triunfo. No le escribí entonces porque esperaba ir pronto a Madrid; hoy, que veo

---

(22) Ultimo *Episodio* de la 4.ª serie, publicado en 1907.

(23) Se refiere especialmente a la carta abierta de Galdós dirigida a Alfredo Vicenti, director de *El Liberal* y publicada en este periódico el día 6 de abril de 1907. (Vid. Ch. Berkowitz, *Pérez Galdós, spanish liberal crusader*, 1948, pág. 389.)

151

más lejano ese instante, le envío, aunque llegue tardíamente, el testimonio de mi adhesión y de mi entusiasta aplauso.

Le esperamos en Málaga durante el pasado invierno, pero las circunstancias nos han quitado la alegría de verle a usted con nosotros; tengo aún mis esperanzas de que se cumpla su promesa y aguardo al invierno próximo para ello. Aquí tiene usted admiraciones e idolatrías verdaderamente conmovedoras, nacidas y cultivadas con este noble espíritu andaluz tan efusivo y cariñoso; estos aspectos simpáticos de la gloria literaria, estas intimidades de la devoción a los grandes artistas, pocas veces llegan a la altura de quien los inspira y discurren mansamente, a ras de tierra, fuera de la órbita de la celebridad. Yo que le quiero y le admiro a usted tanto, siento la emoción y la ternura de estos sentimientos, nacidos en la lectura de sus obras, en el trato espiritual con los hijos de su inagotable fantasía y puedo sondear diariamente, merced a mi posición humilde, estos grandes y eternos cimientos de su gloria.

En cuanto termine algunos trabajos que tengo entre manos, quiero dedicar a ese monumento nacional de sus Episodios un pequeño estudio que publicaré si saliera un poquillo entonado (24).

Estoy terminando un ensayo de novela y un libro de *Diálogos* (25), uno de los cuales publiqué como muestra en "La República de las Letras" (26). Lamento con toda mi

---

(24) Véase nota número 21.

(25) Alude a *La escuela de los sofistas* (1910), que, según J. Casares, es "una serie de diálogos, donde, a propósito del alma, del amor, del arte, de la felicidad y de muchos temas..., expone R. León, con singular amenidad, muy discretas y atinadas observaciones". (Vid. *Crítica Profana*, C. Austral, núm. 469. Ed. 1946, página 166.)

(26) Revista fundada en 1905, de no muy larga vida, donde colaboraron los principales escritores de la época.

alma no estar al lado de usted y no tener más directamente su apoyo y su consejo.

Le reitero mi gratitud y le envío un abrazo cariñosísimo como prueba de lo mucho que le quiere su amigo y admirador,

RICARDO LEÓN

V

Sr. D. Benito Pérez Galdós.

Madrid.

Admirado maestro: Al fin he logrado ver impresa mi primera novela (27), ya tantas veces anunciada y diferida, y he puesto en el correo un ejemplar para usted. Excuso decirle mi temor en esta primera salida por esos mundos, sin más armas que mi torpeza ni más escudo que la benevolencia que suele usarse con los noveles.

Temo, sobre todo, que no sea del agrado de usted y si no fuese por el gran cariño que le tengo, quizá no me hubiese atrevido a poner en sus manos tan triste y mezquino obsequio.

Fío, con toda mi alma, en el efecto que usted me demostró siempre, ahora que doy la primera señal de vida literaria. Su protección será decisiva para mi libro y para mis futuros destinos de escritor; a ella acudo con la esperanza de que no ha de faltarme.

No puede imaginar usted lo que he sufrido desde un año para acá; enfermo y amargado por crueles calamidades, no sé como tengo fuerzas para escribir y para pensar. No quiero insistir en este punto ni molestar a usted con lásti-

---

(27) *Casta de hidalgos* (1908).

153

mas y tristezas. Pero quiero que usted sepa que no fue ni ingratitud ni olvido mi silencio de tantos meses.

Esperando sus amables noticias y deseándole mucha salud y pródiga felicidad, le abraza su apasionado admirador y leal amigo,

RICARDO LEÓN

Málaga, Octb. 14 (28)-Sucursal del Banco de España.

VI

CIRCULO MERCANTIL
MALAGA

Málaga, 23 Nbre. 1908

Señor don Benito Pérez Galdós.

Maestro y amigo muy amado: Sentía yo profunda tristeza al no recibir noticia alguna de usted; —sospechando que aquel gran afecto con que tanto me halagó usted en otro tiempo se hubiera apagado en su corazón, tal vez por alguna falta o torpeza mía—, cuando tuve la alegría inmensa de escuchar su nombre al pie de un mensaje que oí ha poco en ocasión solemne y memorable para mí.

El cariñoso recuerdo de usted disipó todas mis dudas y me llenó el alma de júbilo y gratitud. Ha querido usted sin duda reservar ese recuerdo para el momento en que fuese más halagüeño y valioso y diera más elocuente testimonio de la nobleza y sentimiento de su corazón.

Dios le pague, maestro y amigo inolvidable, la merced

---

(28) De la nota anterior se deduce que esta carta fue escrita el 14 de octubre de 1908.

que me ha hecho descendiendo hasta mi humildad y consagrando con su glorioso nombre mi pobrísima labor literaria. Esto vale mucho más que cuanto, de otra manera, hubiese hecho por mí.

Yo le suplico, que, si algún día tiene unos instantes que poderme dedicar, me escriba unas letras diciendo si leyó mi novela—que le envié con toda diligencia— y si no le desagradó su lectura. Le confieso a usted que me queda el recelo de que no haya sido de su agrado.

Espero resolver pronto algunos asuntos que me retienen en Málaga y establecerme en Madrid, libre ya de esta esclavitud burocrática a la que nunca logro acostumbrarme. Creo que dentro de un par de años a lo sumo podré ir a esa corte y consagrarme más en serio a mis aficiones literarias. Entre tanto pienso publicar estos libros que tengo entre manos desde hace tiempo y ponerme así más en sazón.

Rogándole nuevamente que me favorezca con sus gratas noticias, le reitero mi gratitud y mi imborrable afecto, enviándole un cordialísimo abrazo.

Suyo siempre su entusiasta admirador y amigo muy adicto,

RICARDO LEÓN

VII

BANCO DE ESPAÑA
MALAGA
(El Secretario)
Particular

8 Eno. 1909

Venerado maestro: Me permito presentarle a usted a un querido amigo mío de Málaga D. Alejandro Móner, portador de esta carta.

El **Sr.** Móner es un joven abogado, muy culto, inteligente y discreto, y va a Madrid a unas oposiciones de su facultad.

Yo suplico al gran corazón de usted que haga por mi amigo cuanto esté en su mano. Va a dar un paso decisivo para su porvenir y le guía, además de una noble y legítima aspiración, el delicado deseo de no ser gravoso a su familia, a pesar de sus pocos años.

La amistad fraternal que me une a Alejandro Móner y el gran afecto que usted siempre me ha demostrado, han vencido los escrúpulos que yo tenía de escribirle esta carta. Perdóneme por ella y sepa cuanta gratitud habrá de inspirarme el favor que preste a mi amigo.

Jurado de la Parra me ha traído gratísimas noticias de usted y me ha dicho que es probable que nos honrase usted con su visita. ¡Qué deseo tengo de abrazarle en Málaga!

Suyo siempre con la admiración y el cariño más profundo,

RICARDO LEÓN

VIII

Excmo. Sr.
D. Benito Pérez Galdós.

Queridísimo maestro: Mi poca salud me retiene en casa hace meses y me impide ir en persona a visitar a usted, como en otras muy gratas ocasiones, si bien ahora habría de serme harto difícil llegar a su presencia sin grande confusión, a pedirle una merced que aún excede a la benevolencia con que siempre me ha favorecido.

No iría yo con embajada tan ambiciosa a molestarle, y más sabiendo cuán retraído le tiene su dolencia de la vista (29), si yo, en cierto modo no creyese obligación por

_____
(29) Desde 1910 ya Galdós había empezado a padecer de cataratas en ambos ojos.

mi parte procurar el consejo de usted—no me atrevo a decir su apoyo—en el caso en que tan generosamente me ponen algunos cariñosos amigos, al presentar mi humilde candidatura para una de las sillas vacantes en la Academia (30).

Bien conozco la enorme distancia que hay entre tan alta merced y mi pobre persona; por mucho amor propio que yo tuviese habría de parecerme, a lo menos, prematuro el señaladísimo honor de sentarme al lado de mis Maestros; mas al amparo de ellos y temeroso de pecar por cierta escrupulosa presunción, me determinó a encomendarme a usted con todo el cariño y reverencia que le debo.

Usted sabe, queridísimo don Benito, gran parte de mi vida y de mi historia; usted me tendió su mano bondadosa cuando ya era un principiante oscuro: recíbame hoy con agrado aunque todavía no pasé de esos prolegómenos del Arte, de ese arte puesto por usted en la más alta cumbre de la perfección y de la gloria.

Perdóneme, al mismo tiempo, y sepa que de todas suertes yo siempre soy y he de ser el admirador fervorosísimo; el discípulo entusiasta que no ha muchos años recibía usted con tanta indulgencia en su hermoso retiro de Santander.

Hago votos con toda el alma por la salud y felicidad de usted enviándole una vez más el testimonio de gratitud y afectuosa devoción que le profesa su admirador y amigo que le besa las manos,

RICARDO LEÓN

Madrid, 6 Abril 1912

S/c. Fernando VI, 1.

_____

(30) La candidatura tuvo éxito y Ricardo León fue elegido académico a los treinta y cinco años, en plena producción literaria.

CARTAS DE JACINTO OCTAVIO PICON

Jacinto Octavio Picón, escritor que en su época despertó vivas admiraciones y odios profundos, ya algunos años antes de su muerte, acaecida en 1923, estaba olvidado. En sus comienzos se dio a conocer como ágil y pulcro cronista, y *El Imparcial* le envió a París (1878), en la época en que se celebraba una Exposición Universal, sobre la que describió unas cartas memorables para su periódico. Poco más tarde causó gran escándalo, por su anticlericalismo, con la publicación de su primera novela, titulada *Lázaro* (1882).

Pero sus dotes de verdadero novelista no se revelaron sino con *La honrada* (1890) y con *Dulce y sabrosa* (1891), acaso sus mejores obras, donde, a pesar de su clara imitación de la novela sentimental y erótica francesa, a lo Dumas o a lo Hugo, se muestra buen observador de la realidad y excelente y castizo estilista español.

Su carácter abierto y sus ideas encontraron eco y simpatía en el sector liberal de la época, y apoyo entre escritores de la talla de Galdós y de Valera, quien le contestó a su discurso de ingreso en la Academia de la Lengua, a la que pudo entrar Picón tras larga oposición, como se refleja en varias de las cartas aquí reunidas. La toma de posesión del sillón académico la hizo en 1900 con un ensayo sobre Castelar, su predecesor.

Aunque estas cartas abarcan un extenso período de la

159

vida de ambos corresponsales, desde 1886 a 1915, quizás no tengan el interés de otras que incluimos en este volumen, porque la mayoría son recomendaciones o peticiones; donde se destacan, por ejemplo, las dedicadas a conseguir su título de académico de la Lengua, frente a la tenaz oposición del grupo tradicionalista y conservador. Más tarde será también bibliotecario perpetuo de la "docta casa".

En otras cartas vemos su preocupación por conseguir votos para la entrada de nuevos opositores de significación liberal a la Academia, como Rodríguez Marín y Ramos Carrión (véanse las señaladas con los números X, XI y XII). Consigue los votos para el primero, que cubrirá la vacante de su antiguo rival, Fernández Villaverde, y el erudito investigador tomará posesión en 1907 con un trabajo sobre Mateo Alemán. En cambio, no prospera su oposición a la entrada del jesuita P. Luis Coloma (carta XV), quien ocupa su sillón, en 1908, con un discurso sobre el Padre Isla. Es curioso observar como en todas estas votaciones académicas aparecía Menéndez Pelayo entre el grupo de los ultramontanos o liberales y aún anticlericales.

Otras cartas son invitaciones o peticiones. Una para asistir a un banquete en honor del ilustre hispanista y erudito crítico, el italiano Farinelli; otra, para que preste su apoyo moral al Comité de Bretaña, en Francia, para levantar una estatua a Renán.

Finalmente es interesante la carta número XIV, donde Jacinto Octavio Picón le da unos datos referentes a elección de rey después de la Revolución de Septiembre de 1868, que necesitaba don Benito para los episodios *España sin rey* y *España trágica,* que a la sazón estaba redactando.

S. N.

I

Señor don Benito Pérez Galdós.

Mi querido amigo:

El tenor cómico señor Orejón (1), a quien aprecio mucho, marcha a Buenos Aires al frente de una compañía de zarzuela.

¿Puede usted darme para él alguna carta de recomendación? Diga usted que Orejón es aquí muy popular. Si conoce usted a alguien en la prensa, tanto mejor.

Yo tengo escrito lo de Lugol (2), pero no he podido terminarlo porque con la creación del círculo estoy *tarumba* hace días.

Agradeceré a usted mucho que me dé la carta para Orejón.

Gracias anticipadas. Ya sabe usted que le admira y le quiere de veras su apasionado amigo,

J. O. PICÓN

S/c. Villalar, 11. principal.

21 marzo 1886.

---

(1) No hemos podido averiguar nada sobre la personalidad de este tenor de segunda o tercera fila.

(2) Se refiere a Julien Lugol, periodista, poeta y traductor francés de final de siglo, que no sólo tradujo a su idioma *Doña Perfecta*, sino también a *El amigo Manso* (1888). Dejó algunos poemas originales como *La délivrance*, *La poète*, etc.

II

París, 17 noviembre 1888

Sr. Don Benito Pérez Galdós.

Mi muy querido e ilustre amigo: Ante todo, gracias por su carta y por haberse acordado de mí.

Cuando me disponía, anteayer a ir a casa de Mr. Lugol se presentó él en la mía. Además ayer almorzamos juntos. Es un hombre amable e instruido y que se interesa por las cosas de nuestra pobre España. Prueba de ello es la prudencia y juicio con que habla de nuestros hombres, circunstancia rara en estos franceses frívolos y ligeros. Inútil creo decir a usted que lo que ha hecho verdaderamente simpático a mis ojos a Mr. Lugol ha sido su feliz idea de traducir la admirable *Doña Perfecta* (3).

Dicha traducción está ya impresa; pero no se pondrá a la venta, ni habrá ejemplares, sino hacia fines del próximo enero.

El editor siguiendo una costumbre aquí tradicional dedica todo este mes y el de diciembre a preparar los libros de Navidad o aguinaldos; las obras ilustradas que por esta época constituyen un gran negocio. ¡Lo mismo sucede en Madrid!

No he intentado ver a Leo Guesnél (4) porque sé que está ausente de París. Y, a propósito, me han asegurado que no es *monsieur* sino *madame,* es decir, que bajo aquel seudónimo se oculta una señora. Procuraré averiguarlo.

Pronto regresaré a la villa del Cánovas (5), el madro-

---

(3) Novela de la primera época, publicada en 1876.

(4) Ni en los repertorios bibliográficos ni diccionarios de autores franceses figura este seudónimo.

(5) **Don** Antonio Cánovas del Castillo (1828-1897), conocido político conservador, que desde la restauración borbónica (1874) hasta los últimos años de la regencia, en turno con el partido liberal, dirigió los destinos del país.

ño y podremos hablar largamente. Creo que saldré de aquí hacia el 2. Aviso por si quiere usted algo.

Entretanto, ya sabe usted que le quiere y considera mucho y muy de veras su apasionado amigo,

Jacinto Octavio Picón

12 Rue Saint Roch.

Olvidaba decir a usted que antes de salir de aquí escribiré a *El Correo* (6) hablando de cómo estos franceses empiezan a hacernos justicia, y al mismo tiempo, como prueba de ello, daré cuenta de la próxima publicación de *Doña Perfecta*.

III

Sr. Don Benito Pérez Galdós.

Mi muy querido amigo: Hace unos cuantos días que estoy en Madrid, pero imposibilitado de salir a la calle por una gran irritación de garganta.

Apenas recobre mi libertad de movimientos iré a ver a usted y le hablaré de Mr. Lugol y escribiré para *El Correo* algo referente a dicho señor y a su traducción de la admirable *Doña Perfecta*.

Ya ve usted maestro, que no me olvido de aquellos a quienes considero y quiero tanto como a usted.

Suyo siempre,

J. O. Picón

18 octubre 1888.

S/c. Villalar, 11, pral.

---

(6) Periódico madrileño que circuló poco, dirigido por José Ferreras, que siempre ayudó los anhelos teatrales de Galdós.

IV

26 octubre 1898.

Sr. Don Benito Pérez Galdós.

Mi querido don Benito: Le va a sorprender a usted el contenido de esta carta, pero, en fin, allá va mi pretensión confiada, como es natural, a su bondad y no a mis cualidades.

Es el caso que aunque yo no había pensado en la. Academia alguien ha habido en ella que ha pensado en mí. En parte por simpatía y amistad personal, en parte por deseo de oponerse a la preponderancia que parecen tener de nuevo en aquella casa los elementos retrógrados. Ello es que a estas horas tengo seguro el voto de Valera, Sellés (7), Balaguer (8), Castelar, Echegaray, Menéndez Pelayo, Manuel del Palacio (9) y aunque no he hablado todavía con ellos tengo por cierto también el apoyo de Benot (10) y Núñez de Arce (11). Claro está que la volun-

---

(7) Eugenio Sellés (1844-1926), marqués de Gerona, periodista, político y dramaturgo, escribió comedias de tendencias sociales y filosóficas, como *El Nudo Gordiano*. Colaboró en *El Imparcial, El Globo*, etc.

(8) Víctor Balaguer (1824-1901), uno de los escritores que más contribuyeron al renacimiento de la literatura catalana. Escribió leyendas, dramas y tragedias de gran sentido histórico, y también una *Historia de Cataluña*.

(9) Manuel del Palacio (1856-1905), poeta andaluz, colorista y plástico, que por sus obras *Cromos y acuarelas* y *La vida inquieta* se le considera como uno de los precursores del modernismo en España.

(10) Eduardo Benot y Rodríguez (1822-1907), político federal y eminente filólogo, que dejó algunas obras sobre métrica española y una *Gramática general*.

(11) Gaspar Núñez de Arce (1834-1903), periodista, político y poeta, más conocido por sus dramas históricos (*El haz de leña*) y sus grandilocuentes poemas (*La última lamentación de lord Byron*, etc.).

tad de usted me es indispensable; no por ser un voto, sino por ser vos quien sois.

Las dos vacantes por muerte de Tamayo (12) y Madrazo (13) están moralmente dadas a Ferrari (14) la primera y a Cotarelo (15) la segunda. La tercera, la de Barrantes (16), es la que solicito. Tengo entendido que también la pretende don Raimundo Fernández Villaverde cuyos méritos soy el primero en confesar pero a quien ciertos elementos de la casa no aceptan por considerarle personaje político, esencialmente político, sin bagaje literario. Esta es la situación; ¿puedo contar con el voto de usted? Como la votación ha de ser en noviembre seguramente ya estará usted en Madrid. Pero yo le ruego que me conteste *lo antes que pueda* para saber a qué atenerme y sobre todo para tener este nuevo favor que agradecerle. Pueda us-

---

(12) Manuel Tamayo y Baus (1829-1898), célebre dramaturgo madrileño que supo darle altura a la tragedia clásica con su *Virginia*, dignidad al drama romántico con *Locura de amor* y originalidad a la comedia con *Un drama nuevo.*

(13) Pedro de Madrazo y Kuntz (1816-1898), abogado, crítico de arte y arqueólogo, hizo un catálogo histórico y descriptivo del Museo del Prado.

(14) Emilio Ferrari (1850-1907), poeta castellano de expresión correcta y academicista, que dejó algunos poemas como *La musa moderna* y *Pedro Abelardo,* que le sitúan dentro de la escuela de Núñez de Arce.

(15) Emilio Cotarelo y Mori (1858-1936), ilustre erudito e investigador, especializado en la historia del teatro español, del que editó obras de Tirso y de Lope de Vega, escribió interesantes estudios sobre los comediantes del siglo XVIII, sobre los Iriarte, Ramón de la Cruz, etc.

(16) Vicente Barrantes (1829-1898), erudito escritor extremeño que publicó un tomo de poesías filosóficas y varios estudios históricos y bibliográficos.

ted o no dispensármelo siempre ha de quererle a usted
tanto como le admira su afectísimo

Jacinto Octavio Picón

Calle del Florín, 2. 3.º

Si ha de venir usted pronto aquí le daré la carta famosa
del infante don Enrique (17). Si tarda usted se la enviaré
sin tardanza.

V

Ateneo de Madrid

9 noviembre 1898.

Querido don Benito:

Un millón de gracias por su cariñosa carta que es para
mí una verdadera honra. En la junta celebrada por la Academia el día 12 ó 13 firmaron la propuesta a mi favor Valera, M. Pelayo y Sellés: se presentó otra a favor de don
Raimundo Fernández Villaverde suscrita por Silvela (18),
el marqués de Pidal (19) y Fernández González (20).

---

(17) Infante don Enrique, hijo de Luisa Carlota y Francisco
de Paula, pretendiente de Isabel II de España, murió en duelo con
el duque de Montpensier en 1870. Galdós le cita en los *Episodios*
de la última serie.

(18) Francisco Silvela (1845-1905), político y escritor, fue ministro del partido de Cánovas y sucesor de éste en la presidencia
del Gobierno; aficionado a las letras, publicó, entre otras, *El mal
gusto literario en el siglo XVIII.*

(19) Luis Pidal y Mon (1842-1913), segundo marqués de Pa-
dal, figuró, al lado de su hermano Alejandro, en el partido conservador, y publicó varias obras sobre arte y sociología.

(20) Manuel Fernández y González (1821-1888), escritor de
fecunda inventiva, muy popular en su época, creador de numerosas novelas históricas, folletinescas y costumbristas. Ninguna se
destaca por su profundidad ni análisis.

Cuento como *seguros* los votos de los tres firmantes además los de Balaguer, Benot, M. del Palacio, Castelar, Echegaray y el de usted. Como casi *seguros* los de don Gaspar (21) y Fernández Flórez (22), que entra el domingo próximo.

Villaverde tiene, según mi cálculo, a los tres que suscriben su propuesta más los señores Catalina (23), Pidal (don Alejandro) (24), el conde la Viñaza (25), el de Casa Valencia (26), Fabié (27), Commelerán (28), Liniers (29) y padre Mir (30). El presidente vota con la

(21) Se refiere a Núñez de Arce. Véase nota número 11.

(22) Isidoro Fernández Flórez (1840-1902), periodista y crítico, conocido con el seudónimo de "Fernanflor", fue director de *Los Lunes del Imparcial* y fundador de *El Liberal;* reunió sus artículos en volúmenes titulados *Cartas a mi tío,* que llevan prólogos de Echegaray y de Galdós.

(23) Mariano Catalina y Cobo (1842-1913), político, literato y arqueólogo, fue secretario perpetuo de la Real Academia de la Lengua desde 1881; publicó obras dramáticas, biografías y leyendas históricas de artistas célebres.

(24) Alejandro Pidal y Mon (1846-1913), político, orador y escritor, fue presidente del Congreso y obtuvo el sillón académico frente a la candidatura de Menéndez Pelayo, en 1883.

(25) Cipriano Muñoz del Manzano (1862-1933), diplomático y escritor, estuvo de embajador en San Petersburgo y en el Vaticano; publicó importantes obras sobre Calderón y sobre Goya.

(26) Emilio Alcalá Galiano, conde de Casa Valencia (1831-1914), diplomático y escritor, fue embajador en Londres y dejó algunos estudios sobre política e historia.

(27) Antonio María Fabié Escudero (1834-1899), doctor en Farmacia y en Ciencias Exactas, fue ministro de Ultramar y se dedicó a la investigación histórica.

(28) Francisco Andrés Commelerán (1848-1919), catedrático de lengua latina y castellana en el Instituto Cisneros, de Madrid. Se destacan entre sus obras, una *Gramática comparada de las lenguas castellana y latina* y un estudio sobre Calderón. Desplazó a Galdós en su primera candidatura a la Academia, en 1889.

(29) Santiago de Liniers y Gallo Alcántara, político y escritor, figuró en el partido de Cánovas, fue gobernador de Madrid, colaboró con Silvela en una obra satírica titulada *Filocalia.*

(30) Miguel Mir y Noguera (1841-1912), jesuita exclaustrado,

mayoría: tal es la costumbre del conde de Cheste (31).
Están dudosos, Saavedra (32) y el duque de Rivas (33).
Tal es la situación. Mañana escribiré a Pereda por respeto
y cortesía, aunque me figuro que no estará en Madrid
para cuando sea la votación. Háblele usted por si yo me
equivoco. Pronto le mandaré a usted la carta de don Enrique. Repito las gracias, de todo corazón.

Suyo siempre,

PICÓN

Florín, 2, 3.º

VI

Madrid, 16 nov. 1898.

Querido don Benito:

Hoy escribo a Pereda pidiéndole que me apoye en lo
de la Academia. Mucho agradeceré a usted que le hable.
Silvela ha desplegado toda su fuerza, pero si ustedes me
apoyan tendré, ya que no el triunfo, una votación más
honrosa que el triunfo mismo.

No le mando la carta de don Enrique porque me ha

---

publicó numerosas obras de carácter religioso o histórico, entre
las que se encuentran una *Vida de Jesús* y un estudio sobre Santa Teresa.

(31) Juan de la Pezuela y Ceballos, conde de Cheste, nació
en Lima, 1809, y murió en 1906. Militar y escritor de tendencia
conservadora, se dedicó a las letras, y desde 1875 hasta su muerte
fue director de la Academia de la Lengua.

(32) Frutos Saavedra Meneses (1868-¿?), militar y escritor, fue
director de Obras Públicas y dejó algunos *Estudios de fortificación
y Geodesia.*

(33) Enrique Ramírez de Saavedra y Cueto, cuarto duque de
Rivas (1828-1914), hijo de don Angel, el gran dramaturgo romántico, fue también político y poeta; compuso algunos poemas, *Him-
nos y cenizas,* unas *Leyendas moriscas* y unas *Historias noveladas.*

dicho Tolosa Latour (34) que viene usted muy pronto.
Si no es así se la enviaré enseguida, porque ya la he
encontrado.

Ya sabe usted que le quiere de veras su verdadero amigo y admirador,

q. b. s. m.,

JACINTO OCTAVIO PICÓN

Florín, 2, 3.º

VII

Madrid, 7 de octubre 1899.

Sr. don Benito Pérez Galdós.

Mi respetado amigo y querido maestro: Sabiendo como
sé lo bien que vive usted ahí y lo mucho que trabaja, me
había propuesto no pedirle que viniese a Madrid sino verdaderamente acosado por la necesidad. Ya comprenderá
usted que me refiero a lo de la Academia. Pero es el caso
que las circunstancias obligan a decirle a usted lo que sucede y rogarle que venga. Usted recordará que en la vacante anterior Menéndez Pelayo, Castelar, Sellés, Valera,
Balaguer, Palacio, Núñez de Arce y Echegaray, todos a
petición de Silvela, votaron a Villaverde que obtuvo la
unanimidad mediante el compromiso moral de que los
amigos del actual Presidente del Consejo de ministros me
votarían en la primera vacante. Muerto Castelar, mantiene
Silvela su compromiso, y contamos además con Fernández Flórez y con el conde de Casa Valencia y tal vez con
el duque de Rivas, a quien tratará de persuadir Valera.
Es decir, tenemos a Silvela, Marcelino, Valera, don Gas-

---

(34)   Manuel Tolosa Latour (1857-1919), médico y escritor. Véase la introducción a sus cartas a Galdós, que incluimos en esta
colección.

par, Balaguer, Palacio, Echegaray, Fernández Flórez y Casa Valencia: aún contando al duque de Rivas son diez. Mariano Catalina, hecho un energúmeno, ha levantado la candidatura de Dacarrete (35), comprometiendo a su favor a Mir, Benot, Saavedra, Alejandro Pidal, marqués de Pidal, Commelerán, Fernández y González, Liniers, Viñaza y Cortázar (36) total, con Catalina once. Queda Fabié que es íntimo de Dacarrete y temo que me le vote. Por otra parte, acaso Silvela consiga que Liniers no vaya a la Academia; pero, en cambio, tal vez Balaguer que está enfermo, no pueda venir de Cataluña. Esto basta para que usted comprenda el favor grandísimo que me haría viniendo y la importancia *decisiva* que tendrá su voto. La votación es el día 26. He oído decir que pensaba usted venir a fin de mes. Me atrevo por tanto a rogarle que adelante el viaje unos cuantos días y que esté aquí para esa fecha; con lo cual decidirá usted la lucha y dará usted un rudo golpe a sus adversarios de siempre. Crea usted amigo don Benito, que a no haberse colocado así las piezas en el tablero no me atreviera yo a molestarle con mi ruego. ¡Qué cosas habían de verse como usted me hiciese tan señalado favor!

Mucho le agradeceré que me escriba cuatro palabras.

Mil gracias anticipadas y mande usted lo que quiera a su verdadero amigo,

J. O. PICÓN

Calle del Florín, 2.

Por temor a extravíos certifico ésta.

---

(35) Angel María Dacarrete nace en Cádiz en 1827; colaboró en el *Semanario pintoresco;* como poeta es un imitador de Heine y de Bécquer. Estrenó también comedias, dramas y zarzuelas.

(36) Daniel Cortázar (1845-1927), matemático, geólogo y lexicógrafo, contribuyó con numerosas enmiendas a la duodécima edición del *Diccionario* de la Academia, y dejó algunos interesantes estudios sobre la geología del suelo español.

Señor Don
Benito Pérez Galdós.

Mi siempre querido Maestro: Esta noche, a las ocho y me dia se celebra en Fornos (37) un banquete en honor de Arturo Farinelli (38).

Menéndez Pelayo, que ha tomado la iniciativa del agasajo, bien merecido por cierto, me encarga que se lo diga a usted rogándole que asista. Uno mi ruego al suyo y quedo deseando verle, y queriéndole tanto como siempre.

Suyo afectísimo,

J. O. Picón

¿Sabe usted que ha muerto el marqués de Valmar? (39).
21 enero 1901.

Después de escrita ésta recibo nuevo aviso de Marcelino encargándome que no deje de suplicar a usted que asista a la comida. Y por supuesto, de levita, nada de frac.

¡Viva *Electra!*

---

(37)   Conocido y elegante restaurante de la época.

(38)   Arturo Farinelli (1867-1948), gran hispanista italiano, que publicó numerosos trabajos, muy valiosos para la literatura comparada, sobre *Grillparcer and Lope de Vega, Petrarca en España, Dante en España,* etc.

(39)   Leopoldo A. de Cueto, marqués de Valmar (1815-1901), diplomático y poeta, autor de un famoso y documentado *Bosquejo histórico-crítico de la poesía castellana en el siglo XVIII.*

Señor don Benito Pérez Galdós.

Mi siempre querido amigo y maestro: En Bretaña se va a levantar una estatua a Renán. La Junta de París, nombrada para realizar el proyecto, me encarga que le pida a usted permiso para que su nombre figure en el *Comité de Patronage* con los de Echegaray, Canalejas (40), Cajal, Salmerón (41), Morote (42) y el mío. Esperanzado en que no habrán ustedes de negarse, y para ganar tiempo evitando a cada uno una contestación personal, he redactado la carta adjunta. ¿Quiere usted hacerme el favor de firmarla? Será una fe de vida de la España liberal. Un millón de gracias en nombre de mis amigos de París y en el mío propio.

Ya sabe usted que le quiere tanto como le admira su apasionado amigo

q. b. s. m.,

JACINTO OCTAVIO PICÓN

---

(40) José Canalejas y Méndez (1854-1912), ilustre político de tendencias liberales y que fue asesinado siendo presidente del Consejo de Ministros; era también publicista e historiador.

(41) Nicolás Salmerón y Alonso (1838-1908), político y catedrático de filosofía, de ideas avanzadas, que contribuyó a la instauración de la primera República española, de la cual fue uno de los presidentes; publicó algunas obras sobre Metafísica.

(42) Luis Morote y Greus (1862-1913), político, periodista y escritor, que hizo, para *El Liberal,* famosas entrevistas con Máximo Gómez, Mac-Kinley y otros; dejó algunos libros de divulgación, como *El pulso de España, La tierra de los guanartemes,* etc.

Mi siempre querido amigo don Benito: Ya sabrá usted que para cubrir la vacante del pobre Villaverde en la Academia se presenta, apoyada principalmente por el gran Marcelino, la candidatura de don Francisco Rodríguez Marín, a quien aquella casa ha premiado tantas veces por sus notabilísimos trabajos. Supongo que Marcelino le habrá pedido a usted el voto a su favor. Yo también se lo pido a usted.

Aparte lo mucho que vale Rodríguez Marín, no es neo (43). Y ya comprenderá usted la importancia que esto tiene. Marcelino da una nueva prueba de generosa imparcialidad patrocinándole.

¿Cuándo vendrá usted? ¿Cuándo sale otro tomo de los *Episodios* (44)?

¿Trabaja usted mucho? ¿Y *nuestro* proyecto de asociación de novelistas?

Nada más, por hoy. Le quiere tanto como le admira su apasionado amigo.

PICÓN

Madrid, 25 septiembre 1905.

---

(43) Neo equivalía a conservador a ultranza o clericaloide, pues éstos habían adoptado la divisa de "neocatólicos".

(44) Efectivamente, por esta época, Galdós acababa de publicar *Carlos VI en la Rápita* y preparaba *La vuelta al mundo en la "Numancia"*, de la cuarta serie de los *Episodios*.

Madrid, 12 octubre 1906.

Señor don Benito Pérez Galdós.

Mi siempre querido maestro y amigo: Usted recordará que en varias ocasiones le he hablado en favor de Miguel Ramos Carrión (45) para cuando hubiese oportunidad de presentar su candidatura en la Academia; y que usted, tanto por los méritos de Ramos como por bondad para conmigo, se ha mostrado propicio; prometiendo ayudarnos. Pues bien; la oportunidad ha llegado. Navarro Reverter (46) presenta de nuevo su candidatura en la vacante de Grilo (47). Somos ya muchos los que, prefiriendo un literato a un político, votaremos a Ramos Carrión. Este le escribirá a usted; pero yo lo hago desde ahora recordándole nuestras conversaciones pasadas y suplicándole encarecidamente que le vote. Calculo que la elección será a principios de diciembre y ya estará usted aquí ayudándonos a que las letras se defiendan de la política. Escribo también a Marcelino.

Nada más, por hoy.

Supongo que estará usted entusiasmado con la actitud de los obispos. Yo pienso ahorrar para contribuir al regalo que se haga al de Tuy. Y confío en que andando el tiempo pronto veremos restablecido el Santo Oficio.

Entretanto, le ruego que me escriba, accediendo a mi ruego en favor de Ramos Carrión. Adiós, querido maestro, y reciba un abrazo de su verdadero amigo y b. s. m.,

JACINTO OCTAVIO PICÓN

---

(45) Fácil y fecundo escritor dramático (1845-1915), autor de comedias como *León y Leona*, y de zarzuelas que tuvieron cierto éxito, como *La bruja*.

(46) Político y escritor valenciano que intervino en la Revolución de 1868 y publicó algunas obras dramáticas.

(47) Antonio Fernández Grilo (1845-1906), poeta academicista y grandilocuente, que dejó algunos poemas estimables, como un

JACINTO OCTAVIO PICÓN

Señor don Benito Pérez Galdós.

Mi siempre querido amigo: Supongo que habrá usted recibido la citación para la junta de mañana, jueves 24, en la Academia. Yo, sin embargo, le aviso según convinimos.

Entre Ramos Carrión y Carracido (48) están las fuerzas equilibradas. Lleva algunos, aunque muy pocos, votos de ventaja, Béthencourt (49). Habrá que proceder a segunda votación; y si no andamos listos, el tercero será el que venza.

En fin, vaya usted temprano y allí le daré más detalles. Ya sabe usted que le quiere de veras su afectísimo,

PICÓN

Miércoles 23, por la noche.

XIII

Madrid 22 agosto 1907.

Señor don Benito Pérez Galdós.

Mi siempre querido amigo: Ni por esa cuartilla de "La República de las Letras", ni por nada tiene usted que

---

himno al progreso titulado *El siglo XX* y otros dedicados al *Invierno* y a *Las ermitas de Córdoba*.

(48) José Rodríguez Carracido (1856-1928), farmacéutico y catedrático de Química orgánica de la Universidad Central, publicó un importante tratado sobre su especialidad, y también estudios histórico-críticos sobre la Ciencia española.

(49) Se refiere a don Francisco Fernández Béthencourt (1850-1916), escritor canario, genealogista e historiador. Fue académico

darme las gracias. Ya sabe usted cuan sincera es la cariñosa admiración que me inspira.

Me piden una recomendación para usted. Haga el favor, pues se trata de persona a quien deseo servir, de mandarme una carta pidiendo a su sobrino, don José María Hurtado de Mendoza (50), que en los próximos exámenes de la Escuela de ingenieros agrónomos dispense toda la benevolencia que pueda, en las asignaturas de dibujo topográfico y lineal, a don Alejandro López Barbero.

Mucho se lo agradeceré a usted, pues, repito, que se trata de persona a quien me alegraría complacer.

En Madrid no pasa nada que merezca contarse.

Ya sabe usted que le quiere muy de veras su siempre afectísimo y b. s. m.,

JACINTO OCTAVIO PICÓN

XIV

Querido don Benito: Según se desprende de las páginas de *Mi misión en Portugal* (51), de Fernández de los Ríos (52), el gobierno español le confió la comisión *secreta* en enero de 1869: la misión diplomática en julio del mismo año. Contiene el libro cartas, notas, telegramas, etc. etc., del autor, del rey don Fernando, de Prim... con fe-

---

de la lengua, y su recepción se celebró el 10 de mayo de 1914. Con semblanza literaria en la obra de S. Padrón Acosta. "Poetas canarios de los siglos XIX y XX", Santa Cruz de Tenerife, 1966.

(50) Hijo de su hermana doña Carmen y don Ambrosio Hurtado de Mendoza, fiel acompañante del gran escritor hasta su muerte.

(51) Libro de memorias que lleva por subtítulo "Anales de ayer para enseñanza de mañana", publicado en París-Lisboa, s. a.

(52) Ángel Fernández de los Ríos (1821-1880), político, diplomático y escritor, que, además de la obra citada en esta carta, escribió otras, entre las que se encuentra una notable *Historia de Madrid*.

chas de 1870. La totalidad de la misión comprende de 1869 a 1874 (53).

Y mande usted otra cosa; pues desea servirle y complacerle su apasionado amigo,

PICÓN

4 de enero de 1908.

XV

Querido don Benito:

Ya sabrá usted, por haber recibido aviso de la Academia, que el jueves próximo es la elección del Reverendo Padre L. Coloma: así dice la papeleta (54).

Recordando lo que hablamos, y casi convinimos, noches pasadas me parece que debemos ponernos de acuerdo. Para ello iré mañana miércoles de 11 a 11 $^1/_2$ a verle a usted si no recibo aviso contrario. Y hablaré también con Ortega Munilla (55) y con Sellés, que piensan como nosotros.

Como usted decía, por lo menos hagamos algo en son de protesta contra la invasión de lo negro.

Ya sabe que le quiere de veras su apasionado amigo

PICÓN

Hoy martes, 28 enero 1908.

------

(53) Se refiere al capítulo que lleva por epígrafe: "Negociación de la candidatura de S. M. el rey don Fernando para el trono de España en 1870, después de la expulsión de Isabel II."

(54) P. Luis Coloma (1851-1914), novelista andaluz de tendencias naturalistas con intenciones moralizantes, como *Pequeñeces*, su mejor obra.

(55) Véase la introducción a las cartas de este escritor dirigidas a don Benito, y que también incluimos en este volumen.

XVI

Madrid, 8 septiembre 1910.

Señor don Benito Pérez Galdós.

Mi siempre querido amigo y maestro: Su sobrino de usted, el Señor Hurtado de Mendoza, tiene que examinar en breve al alumno de la Escuela de Ingenieros Agrónomos don Alejandro López Barbero.

¿Quiere usted hacerme el favor de recomendárselo con tanto interés como yo se lo pido? Aunque es muy estudioso no le vendrá mal la benevolencia del Sr. Hurtado.

Un millón de gracias.

Nos vemos de tarde en tarde; pero ya sabe usted que nadie le profesa tan sincero cariño y admiración tan grande como su afectísimo amigo q. b. s. m.,

JACINTO OCTAVIO PICÓN

XVII

Excmo. señor don Benito Pérez Galdós.

Mi siempre querido y respetado don Benito: Se encuentra en Madrid Alberto Mar (56) redactor del periódico *Excelsior,* de París, al cual me une una antigua y cariñosa amistad. Trae el encargo de celebrar varias entrevistas con personajes españoles y entre ellos con usted.

¿Quiere usted hacerme el favor de decirme qué día y a qué hora le puede recibir?

---

(56) Alberto Mar, escritor y periodista, desde 1900 redactor de las "Crónicas de París" en *El Imparcial,* de Madrid, además de otras colaboraciones.

Mucho se lo agradecerá su siempre afectísimo admirador y amigo que le quiere de veras y b. s. m.,

J. O. Picón

25 octubre 1915.

S/c. Felipe IV, 2.

XVIII

Señor don Benito Pérez Galdós.

Mi siempre querido don Benito: Sin duda no ha recibido usted la carta que le escribí hace pocos días. En ella le pedía que tuviera usted la bondad de acoger con su acostumbrada amabilidad a mi amigo don Alberto Mar. redactor de el *Excelsior* de París que hoy le lleva estas líneas. A él me une el más cariñoso afecto y suplico a usted que le atienda y le hable con entera confianza.

Muchas, muchas gracias y ya sabe usted cuanto le quiere su verdadero amigo

q. b. s. m.,

J. O. Picón

1 noviembre 1915.

CARTAS DE ORTEGA MUNILLA

A José Ortega Munilla (1856-1922), periodista, escritor de novelas y hombre de combate sobre todo, le tocó vivir en la brillante época de los gigantes de la novela realista española y los colosos de la novelística europea del siglo XIX.

Después de cursar estudios humanísticos en el Seminario de Cuenca y licenciarse en leyes en la Universidad Central, se lanzó, todavía sin asimilar bien sus conocimientos, a la palestra fatigosa y agotadora del periodismo combativo. Colaboró en varios diarios a la vez: *La Iberia, La Patria, El Debate, El Conservador,* y, al fin, en el recién creado y famoso periódico madrileño *El Imparcial,* donde en seguida pasa a ser el primer director de los famosos "Lunes", iniciados el 27 de enero de 1874. Ese día memorable en las letras españolas de siglo, colaboraron en *El Imparcial* Castro y Serrano, Eugenio Maffei, Revilla, Fernanflor y otros.

Pronto bajo el estímulo formidable de Galdós, como confiesa en una de estas cartas, y también, sin duda, por la lectura de obras de escritores franceses, como Balzac, Zola, los Goncourt, etc., se lanza a escribir novelas de una manera tumultuosa, avasalladora, influidas de un vago filantropismo y un marcado anticlericalismo. Así vemos cómo van apareciendo esos títulos: *La cigarra, Sor Lucila, Lucio Tréllez, El tren directo, Panza-al-trote,* etc. Por sus cartas sabemos que componía sin descanso, jadeante, sin darse tregua a sí mismo. Quiso construir novelas naturalistas como artículos periodísticos sin observar, sin estudio y sin meditación. Por eso su amigo, el gran crítico y escritor, Leopoldo Alas, le aconsejó: "Estudiar mucho más, imitar mucho menos y no escribir a destajo".

Ortega quiere seguir estos consejos, se detiene un momento en su carrera, se retira al seno de su hogar apacible, en Jadraque (Guadalajara), a la vega cordobesa o al litoral malagueño, pero vuelve pronto a la lucha, y en seguida se ve envuelto en oleadas de papel impreso. Y oliendo a tinta fresca, toma la pluma, como una azada, y sigue cavando en su viña sin mirar a los lados. Así será diputado a Cortes, defensor de ideales ultramontanos y antitradicionales, hará famosas peregrinaciones periodísticas a París y a Roma; se entrevista con León XIII, acompañado de la Pardo Bazán, y con el rey Carlos XIII, en el exilio. Mientras tanto, continúa su labor implacable y heroica en *El Imparcial,* donde llega a la dirección al alborear del siglo xx, cayendo sobre sus hombros de titán la confección íntegra del periódico o los debates parlamentarios. Y no conforme aún con esto, asumirá más tarde la dirección del famoso "trust" editorial y periodístico que abarcaba, además de la publicación de *El Imparcial, El Liberal* y *El Heraldo de Madrid,* que duraría hasta 1916.

Y aún podemos considerar a Ortega Munilla, además de buen periodista y no mal novelista, como iniciador y alentador de un grupo de jóvenes, llamados Baroja, Azorín, Valle-Inclán, cuyo espaldarazo literario lo recibieron en la hoja literaria del *Lunes del Imparcial.* En el seno mismo de su familia—y ello no es poco mérito—se formaría su hijo José Ortega y Gasset, que además de la agilidad mental y potencia intelectual de su padre, tuvo lo que a éste le faltó: una sólida preparación cultural que dio espléndidos frutos.

En este grupo bastante numeroso de cartas dirigidas a Galdós que ahora damos a la estampa, vemos reflejado momentos decisivos en la vida y en la obra de Ortega Munilla. Nos señala el punto de partida de su carrera novelística, cuando le dice que, en su primera obra "le he imitado hasta el plagio y le he seguido hasta la copia servil" (carta I, 1879). Le vemos siempre preocupado por buscar la colaboración galdosiana en las páginas del *Lunes,* que tanto la prestigiaban; pero a las que el gran novelista, absorbido por su obra gigantesca, no podía atender sino de vez en cuando. Mas le vemos, sobre todo, inquieto por su producción novelesca, en pleno forcejeo con el mundo que pugna por plasmarse en *El tren directo, La cigarra, Lucio Tréllez.* En sus cartas vivimos sus desilusiones, sus empeños, sus deseos de ser leído, pidiendo un comentario para no pasar sin ser juzgado o leído, tormento que reputa peor que los inventados por el Dante.

Pero también le vemos descansando en la paz campesina de un pueblecito de la Alcarria, a donde invita ir a don Benito repetidas veces (carta XVII y ss., 1883), o le participa, con infantil humor, su próxima boda, a la que le invita a ser testigo (cartas X y XI, 1882), y le habla con alegría de su refugio cordobés, rodeado de naranjos y olivos, donde dice que "He construido aquí una casita, pequeña como para muñecas, pero alegre, como para pájaros" (carta XXVII, 1891).

También están jalonadas estas cartas de referencias a grandes acontecimientos en la producción de Galdós, desde las primeras obras de la serie de las novelas contemporáneas, como *La desheredada, El amigo Manso, El doctor Centeno, Tormento, Las de Bringas,* con alusiones a *Gloria* y a *Angel Guerra,* hasta las grandes obras teatrales: *Realidad, La loca de la casa, El abuelo.* Por todas ellas, el corresponsal de Galdós, siente un fervoroso entusiasmo que nunca decae ni se amengua con el tiempo. Sólo notamos en las últimas fechas, desde 1897, como las cartas se van haciendo más espaciadas, hasta que después de la elección de Ortega Munilla para el sillón académico en 1902, apenas aparecen algunas breves misivas sobre diversos asuntos particulares. Ortega ha llegado a la cumbre de su prestigio y de su actividad como director del "trust" de periódicos, y Galdós ha iniciado su melancólica etapa de declive y decadencia.

S. N.

I

LOS DEBATES
Dirección
Villanueva, núm. 6

MADRID

Señor don Benito Pérez Galdós.

Muy Sr. mío: tengo el gusto de remitir a usted un libro que acabo de publicar, y que espero acepte como testimonio del acendrado afecto y admiración sin límites que le profesa el que, aun cuando sin títulos bastantes, aspira, lleno de inmodestia, al honor de ser el último de sus discípulos.

En él hallará usted recuerdos de libros suyos, porque apasionado de su estilo le he imitado hasta el plagio y le he seguido hasta la copia servil (1).

Usted me dispensará estos que yo califico de crímenes de lesa belleza, en gracia a la buena intención con que los he cometido.

Aprovecha esta ocasión que anhelaba, para ofrecerse de usted con la más completa sinceridad su apasionado admirador,

q. b. s. m.,

JOSÉ ORTEGA MUNILLA

Lunes, 10 marzo 1879.

----

(1) Seguramente se refiere a su primera novela, titulada *La Cigarra,* publicada en este año.

II

LOS DEBATES
Diario Político
Redacción: Calle de Recoletos, 17, piso 1.º

MADRID

Sr. D. Benito Pérez Galdós.

Mi querido amigo y maestro: tengo verdadero interés en que en el *Lunes* próximo del *Imparcial,* aparezca el fragmento de *Los Apostólicos* (2), que usted con tanta amabilidad me ha ofrecido. Ruego a usted que procure complacer mi deseo, enviándome antes del Sábado el original o galeradas, por lo que adquirirá nuevo motivo de agradecimiento hacia usted su admirador apasionado y humilde amigo

q. b. s. m.,

J. ORTEGA MUNILLA

Lunes, 23 junio 1879.

III

Sr. D. Benito Pérez Galdós.

Mi querido amigo y maestro: ¡tantos días sin tener noticias suyas! Alguna vez me he encontrado en el Ateneo o por las calles y los teatros a Cámara y a Toro (3)

---

(2) Penúltimo de los *Episodios Nacionales* de la segunda serie, terminado en junio de 1879.

(3) Miguel Toro Gómez (1851-1922), periodista, escritor y filólogo, redactor del periódico *Los Debates,* vivió muchos años en París como colaborador de la casa Garnier Frères.

y por ellos he sabido que usted gozaba de buena salud. No me han dicho, pero he supuesto, que entregado al *dolce far niente* en medio de los paisajes sin par de "Aldeacorba de Suso" o "Socartes" (4) sería molestarle escribir desde este pozo negro donde lo más distinguido del país se axfisia, haciéndole recordar que hay un Madrid que aguarda sus novelas con impaciencia y que maldice el descanso necesario al cuerpo del hombre aunque el hombre sea un genio; y le maldicen porque es causa de que usted no escriba aún más de lo que escribe.

Supongo que vería usted las buenas líneas que dediqué a *Los apostólicos* y a *Gloria*. ¡Gloria Lantigua hablando el idioma de su amante imposible, del padre del niño Jesús!... La traducción de esta novela al inglés es una garantía de que sus espíritus se miran en una religión sublime como la que usted deja adivinar con el sueño vago en las páginas de tan bella obra.

Recibí carta de Pereda. En ella se me habla de *Lucio Tréllez* (5), deplorando ya mi probada afición a la *carne de cura*. Yo creo que es alimento mortal de necesidad. Prueba de ello: España que es hoy un cadáver por haber comido a todo pasto esa encomiástica bazofia. He aquí porqué quisiera curarme del mal que Pereda me atribuye. Mucho le agradezco sus consejos y elogios inmerecidos y así encargo a usted que se lo exprese si le ve antes de que yo le escriba.

He dejado *Los Debates* y con lo que dan *Los lunes* y lo poco que *me den* las novelas (¡un presente dudoso y un futuro eventual!), pienso ir saliendo victorioso en ese bache por la existencia cada día más ruda.

---

(4) Pueblecitos de la región asturiano-cantábrica, imaginados por Galdós para situar la acción de *Marianela*.

(5) Título de una de las primeras novelas de Ortega Munilla.

Deseo a usted todo género de dichas y espera con ansia el día de su regreso su amigo y admirador

q. b. s. m.,

J. Ortega Munilla

Madrid, martes septiembre 1879.

S/c. Espíritu Santo, 15 y 17. 3.º

IV

Madrid, 16 octubre 1879.

Sr. D. Benito Pérez Galdós.

Queridísimo amigo: acabo de leer su grata epístola que agradezco tanto más cuanto que es proverbial su odio a servirse del correo. Con Marañón (6) he hablado de usted mucho y me ha contado que usted y Pereda me esperaban ahí este verano. "¡No pudo ser!"—dijo Becker *(sic)*. Es una desgracia la niña que parte las rocas. ¡Tener amor tan grande al campo y sentir en el cuello la cadena que me ata a Madrid! ¡Ahogarme en esta atmósfera hidrogenada del Ateneo y no poder trocarla por el aire puro y respirable de esas montañas donde su musa de usted teje el último tapiz de los, sin par, *Episodios!*

Cámara, a quien voy a ver frecuentemente, me dijo que había usted puesto mano al *Faccioso* (7). Le aguardo con

(6) Manuel Marañón y Gómez Acevedo (1855-1916?), ilustre abogado y político conservador, publicó algunos trabajos y defendió, junto con don Antonio Maura, a Galdós en el ruidoso pleito sobre la propiedad de sus obras.

(7) Se refiere a *Un faccioso más y algunos frailes menos,* terminado en diciembre de 1879, y que pensaba fuera el último de los *Episodios Nacionales.*

ansia y lleno de curiosidad e interés por *Lolita, Monsalud, Genara,* y la ilustre dinastía de los *Corderillos* (8). ¡No mate usted, por Dios! ¡Gracia, gracia para todos... si es tiempo todavía!

Vamos a otra cosa. Como es para mi cuestión de honra literaria que *Los Lunes* de *El Imparcial* sean buenos y para esto es preciso que usted me ayude, con sus artículos, y como me constaba su falta de tiempo, pedí a Cámara algún cuento de usted y he empezado a publicar como habrá usted visto *La pluma en el viento* (9), que la gente cree original. Es una deliciosa alegoría que ha de producir gran emoción a cuantos la lean. ¡Perdón por haberla insertado sin su permiso! Usted es mi maestro—¡mal que le pese!—y está obligado a prestarme su apoyo, a fin de que el pabellón de la novela no se deshonre.

Muchas gracias por sus flores. Cojo el buen oliente ramo que usted me envía y le guardo en la caja de los perfumes de Darío; junto a lo poemas de Homero. La novela que he terminado se llamará *El tren directo* (creo que ya se lo he contado dos o tres veces), y en ella intento plantear un problema jurídico-religioso que es, sin duda, demasiado grande para mí. Después de subir a la cima de esa grandísima eminencia lleno de sudores, ansias y ahogos juro en Dios y en mi ánima no meterme más en libros de caballería, limitarme a pintar sencillos cuadros, con este pincel que más tiene de brocha que de tal pincel. Me hallo rodeado de consejeros que acabarán por volverme loco. Dícenme cada uno su cosa y me están haciendo gran falta sus consejos de usted. Yo sé que el camino es el de

---

(8)   Diversos personajes galdosianos entre los que se encuentran los principales protagonistas de la segunda serie de los *Episodios Nacionales,* y algunos, como la familia de los *Corderillos,* volverán a aparecer en algunos de la tercera serie.

(9)   Titulado también *El viaje de la vida,* es una especie de cuento alegórico, escrito en abril de 1872. Está recogido en las *O. C.* de Aguilar, t. VI, pp. 443 y ss.

Orbajosa y Ficóbriga (10), pero ¿quién puede llegar a él, sino el que como usted hace el viaje ocupando toda la imperial del genio—una diligencia tirada por ángeles—. Pienso publicar por Nochebuena una pequeña relación de unas 150 páginas titulada *La Nochebuena de la Cigarra.*

Haré su encargo de Abelarda a Carlos, distribuiré sus recuerdos, y en cambio le suplico salude en mi nombre a Pereda y me permita usted darle un abrazo en testimonio de admiración y cariño,

J. ORTEGA MUNILLA

V

Sr. D. Benito Pérez Galdós.

Queridísimo y respetable amigo: Tengo el gusto de enviarle adjunto un ejemplar de *El Tren Directo,* con el temor de que, a pesar de la bondadosa crítica que conmigo usa, haya de caerle en desagrado. Ahora es cuando me parece el libro más sandío y vacío de sentido, falto de fondo y desaliñado en la forma. ¡Quieran los Dioses que no signifique una caída de que jamás consiga levantarme!

En fin: ello no es remediable. Al suplicarle que lea *El Tren Directo,* llevo mi osadía a pedirle un favor señalado y decisivo para mí. A saber: que me dedique usted una hora de atención y me escriba unas cuantas cuartillas sobre la novela mía. Usted podrá enviármelas y yo las haría insertar en *La Ilustración Española.* Enfermo Revilla, y alejado de todo trabajo mental por prescripción facultativa; fuera de Madrid *Clarín;* no hay aquí un solo escritor con autoridad bastante para sancionar una obra. Usted, escribiendo media docena de cuartillas, me libraría del peligro

(10)   Nombres supuestos de dos villas españolas donde Galdós sitúa sus obras *Doña Perfecta* y *Gloria,* respectivamente.

de pasar desapercibido, el más espantoso de cuantos creó la naturaleza e ideó el Dante.

Esperándolo todo de la amabilidad del maestro aguardo tranquilo el discípulo y admirador,

J. Ortega Munilla

Si usted pudiese complacerme, le encomiendo—¡oh, atrevimiento!— la presteza.

VI

Señor don Benito Pérez Galdós.

Mi queridísimo amigo y maestro: acabo de leer por segunda vez *Un faccioso más y algunos frailes menos,* admirable remate aunque otra cosa crea la modestia suicida de su autor de la obra literaria más grande de la literatura española contemporánea. Habrá usted leído las cuatro líneas que le dedico en mi último *Lunes.* Con más espacio y calma escribiré para *La Ilustración Española* en breve un artículo sobre *Los Episodios Nacionales.* Leopoldo Alas me avisa desde Oviedo que me remitirá, para *El Imparcial,* un artículo sobre *El faccioso.* Lo espero para contribuir con todas mis fuerzas a que este inservible público, tribute al autor de *Gloria,* algún día, los homenajes que le está debiendo hace mucho tiempo.

¿Ha llegado a sus manos *El Tren directo,* que le envié? ¿Sabe usted si le ha recibido Pereda a quien también se le remití al mismo tiempo que a usted? Hágame usted el obsequio de escribirme cuatro letras sobre su opinión imparcial. Cuatro letras bastan para decir: "¡Malo!" y yo me daré por complacido con ellas.

¿Cuándo viene usted definitivamente? Si usted estuviera aquí le molestaría con consultas, que, en realidad, usted solo puede resolver. Ahora termino una especie de segunda parte de *La Cigarra,* que si Dios no lo remedia, ha de llamarse *Sor Lucila* (11). Después de acabada descansaré hasta septiembre y ese tiempo habré de emplearle en estudiar algo de lo mucho que necesito saber. ¿Qué hace usted? ¿Escribe algo nuevo?

Valete, dilectisime amici—como diría don Rodriguín—*Testinate multum isi ager santanderinum et exaudite laudes meos.*

Suyo, cada día más ferviente admirador,

J. Ortega Munilla

VII

Sr. Don Benito Pérez Galdós.

Mi queridísimo amigo y admirado maestro: como sé que habiéndole pedido a usted licencia de reproducir en mis *Lunes* el precioso fragmento que hoy cubre de honra mi modesta página literaria me hubiese dicho que no, he pensado que lo mejor era abusar de su bondad y pedirle después permiso; hacer lo que hacen los católicos: cometer el pecado contando con la piedad de El Eterno.

Dos veces he ido a verle, y no le he hallado. Tengo mucho deseo de que conversemos y si usted me dijera cuando le es menos molesta mi visita habríamos de celebrar una conferencia, como ahora se dice.

Recibí el libro de Mélida (12) y no he dicho nada de él hoy porque en toda la semana no he tenido espacio de leerle, ocupado con las buenas sonoridades del Parlamen-

---

(11)   Novela de matiz anticlerical publicada en 1880.
(12)   Seguramente se refiere a Enrique Mélida (1838-1892), pintor de cuadros históricos y costumbristas, que, en colaboración con su hermano Arturo, participaron en la edición ilustrada de los *Episodios* de Galdós.

to—como diría quien yo sé—. Mañana publicaré la noticia de haber aparecido el libro y en mi primera *Revista semanal* haré el claro. Veo que se trata de un escritor de mérito y mi humilde ayuda no ha de faltarle.

Deseándole a usted *felices pascuas* reitero a usted mi agradecimiento, mi amistad y mi admiración.

Su apasionado,

ORTEGA MUNILLA

¿Ha renunciado usted a los sueltos de propaganda en *El Imparcial?*

Martes, 26.

VIII

Querido Galdós: mañana sale en *El Imparcial* algo más de lo que usted desea. *El Imparcial* es de usted mientras yo esté allí.

¡La desheredada! ¿Cuándo lloraré con ella?

O. MUNILLA

IX

Alicante, 19 de enero 1881.

Sr. D. Benito Pérez Galdós.

Queridísimo amigo y maestro: mi intercandente salud me tiene confinado a este puerto, donde el sol reina con absoluto imperio. Voy mejorando pero lentamente. En realidad no puede decirse que este confinamiento mío me disguste. El país es divino, algo africano, con sus *bouquets* de palmeras, y sus llanuras secas donde crece el esparto. Probablemente permaneceré aquí hasta principios de Marzo. El mes que viene, si mi salud mejora pienso hacer una expedición a Argel y Orán, que es aquí facilísimo, por haber servicio bisemanal de vapores entre aquellos puertos y Alicante. Es una expedición que me seduce.

¿Cuándo se publica el primer tomo de su novela? Permítame usted que le recuerde su promesa de que yo sería el primero que se ocupare de ella. Ruégole que ocho o diez días antes de ponerse a la venta me envíe las capillas por el correo. Yo haré un artículo para el *Lunes* sobre ese libro que ansío devorar.

Escríbame aunque solo fuera 5 líneas y reciba un abrazo de su admirador y discípulo

q. b. s. m.,

J. ORTEGA MUNILLA

Mis afectos a Cámara y Alas.

X

Señor don Benito Pérez Galdós.

Mi queridísimo amigo: tengo vivísimo deseo de ver a usted. Ayer estuve en su casa y me dijo el portero que sólo iba usted a ella a dormir. Si usted quisiera honrar esta casa con su visita desde las 8 de la mañana hasta la 1 y desde las 2 hasta las 4 estoy casi siempre. Venga usted el día *A* o *B* y *palante,* como dice nuestro amigo Bon.

Por la noche tampoco suelo salir y si usted me avisase iría a verle a su casa.

Suyo entusiasta admirador, discípulo y amigo

q. b. s. m.,

J. O. MUNILLA

21 septiembre 1881.

EL IMPARCIAL
Diario liberal
MADRID

Sr. D. Benito Pérez Galdós.

Mi querido amigo y maestro: estoy profundamente disgustado con usted. Yo he anunciado dos veces en las noticias de *El Imparcial,* la edición ilustrada de *Los Episodios* (13); he hablado tres veces en mis *Lunes* de *La Desheredada;* y en mi última crónica he vuelto a hablar de *Los Episodios.* Usted, en cambio, ni siquiera me ha mandado una entrega de *La Desheredada,* o un prospecto de *Los Episodios.* Lo cual no importa para que yo le quiera a usted más cada día y esté cada día más dispuesto a convertir un periódico en un anuncio perpetuo de su talento grandioso y sin par.

Escobar, el de *La Epoca* me escribe la adjunta carta. Contéstele usted porque *La Epoca* es un periódico que servirá a usted de mucho.

Cuente usted siempre con el afecto apasionado y la admiración entusiasta de su discípulo, aunque indigno, s. s.

q. b. s. m.

J. O. MUNILLA

---

(13) Esta edición fue ilustrada por los pintores que hemos indicado en la nota anterior y por el propio Galdós. Se publicó en la imprenta *La Guirnalda* a partir de 1882, en 10 vols. en 4.º, y abarcaba las dos series primeras.

XII

EL IMPARCIAL
Diario liberal
MADRID

Sr. D. Benito Pérez Galdós.

Muy querido amigo mío y maestro: recibí su carta que le agradezco y el primer cuaderno de *Los Episodios*. Se ha hecho enseguida un suelto largo y se publicará en el *Lunes* o un día inmediato. (A la hora en que escribo a usted—las cuatro de la mañana—ignoro si las necesidades del ajuste permitirán la publicación inmediata de este suelto). No tengo que hacer a usted ofrecimiento. Usted dispone de *El Imparcial* para propagar esa admirable obra. Tanto Gasset (14) como yo estamos dispuestos a ayudarle. Porque ayudar a Galdós es una gloria que no quiero dejar pasar en blanco. Alas me ha escrito preguntándome si quiero para el *Lunes* venidero un artículo sobre *La Desheredada* (1.ª parte). Le he contestado que le espero ansioso. Mi disgusto con usted no es tanto que después de su carta prevalezca. He leído los 7 cuadernos publicados de la novela. ¿Qué me parece?... Pues nada; de usted y todo está dicho.

Es cierto mi fin trágico. Acabo como el capitán Febo, me caso el día 9 de junio, con la hija segunda de Gasset. Estoy contento porque las prendas de mi futura son las que necesito en mi compañera: modestia, virtud, cariño y belleza. No se ría usted de mí.

A un favor aspiro que acaso sea excesivo. ¿Quiere usted ser testigo de mis esponsales? No hay que ponerse el

---

(14) Eduardo Gasset y Artime (1832-1884), célebre periodista y político, fundador de *El Imparcial*, uno de los más importantes periódicos de la época.

frac, no hay que realizar ningún acto oficial y solemne de los que a usted le molestan. Todo queda reducido a firmar, con otros 3 testigos, un documento curialesco. Para mí será un honor. Pero usted sin género alguno de presión decide. Contésteme lo antes que pueda.

Le abraza su apasionado amigo

q. b. s. m.,

J. O. MUNILLA

Lunes (al amanecer).

XIII

Sr. D. Benito Pérez Galdós.

Mi queridísimo amigo y maestro: supongo que habrá usted recibido la carta que le escribí hace pocos días suplicándole me honrase prestándose a ser testigo de mi boda (lo cual—decía entonces y repito ahora—no obliga a usted a ponerse el frac ni hacer ninguna aparición solemne, sino firmar un documento curialesco y nada más).

Me urge saber la respuesta pues el expediente está detenido por esto solo. Sírvase pues decirme hoy mismo lo que resuelve enviándome a mi casa—Espíritu Santo 15 y 17—o a *El Imparcial* una carta.

No influye en su decisión mi súplica. No será usted menos admirado y querido por mí si me da calabazas.

Urgencia es lo que pido y franqueza también.

Le quiere mucho su pasionado s. s.

q. b. s. m.

J. ORTEGA MUNILLA

Madrid   Mayo 11 de la mañana.

XIV

J. Ortega Munilla
Villalar, 3, dup.

MADRID

Sr. D. B. Pérez Galdós.

Mi queridísimo amigo: suplico a usted encarecidamente que me envíe un capítulo inédito de *El Amigo Manso* para el próximo *Lunes*. No tiene usted que elegir, todos son buenos: el que publica el cuaderno 2.º quitando el graciosísimo familiar de *José María y Lica* (15); no hubiese tenido precio; ya que no éste, puesto que está publicado, venga otro. Le advierto a usted que soy muy exigente: no sólo lo quiero, sino que lo quiero mañana viernes.

No hay tu tía. Así como el amigo Manso no podrá librarse de Doña Cándida, usted no ha de poder librarse de mí. Soy su cínife.

Le quiere mucho su afmo. amigo s. s.

q. b. s. m.,

J. Ortega Munilla

Ayer se publicó el suelto consabido.

---

(15) Se refiere a la pintoresca pareja antillana del hermano y la cuñada del protagonista de *El Amigo Manso*, publicada en 1882.

J. Ortega Munilla
Villalar, 3, dup.
MADRID

Mi querido Don Benito: ha leído usted de prisa *El Imparcial* de ayer. En la plana 3 verá usted, por el ejemplar adjunto—que le mando señalado—el suelto que usted me mandó.

Mi pesada insistencia en que me dé el capítulo inédito de *El Amigo Manso* para el *Lunes* próximo no sería disculpable si la amistad de usted no me asegurase sus bondades. Si no tiene usted tiempo de arreglar ese capítulo inédito me doy por contento con que me autorice a reproducir el cuadro de la familia de *José María* y *Lica*.

En fin; perdóneme tanta molestia.

Sabe usted que le quiere mucho su apasionado,

J. Ortega Munilla

9 marzo 1882.

J. Ortega Munilla

Sr. D. B. Pérez Galdós.

Mi ilustre y queridísimo amigo: viendo que usted no se acordaba de mí para enviarme las capillas del *doctor Centeno* (16) (capillas que son para mí catedrales y de las más hermosas), he tenido que acudir a Cámara, el cual me en-

---

(16) Se refiere a la 3.ª de la serie "Novelas españolas contemporáneas", publicada en 1883, en dos volúmenes.

vió ayer un tomo (por cierto con el epílogo 9 repetido y el 10 de menos). Le he leído, como leo sus obras. Hace muchos meses que no gozaba tanto. En una palabra, es admirable. *Don Pedro* es una figura llena de verdades. Aquellas "vueltas" que da por Madrid son revelaciones dichas con tal arte que todo se adivina, las luchas del voto de castidad, las amarguras de un hombre obligado a ser eunuco cuando se siente sultán. El *doctorcillo* y su amigo el *Redactor,* los comensales del cura, el poeta de las estrellas... todo es de primera, o en otros términos, de usted. Lo que me ha dejado estático por las maravillas de estilo, los primores de forma, la minuciosa observación es cuanto se refiere a la calle del Almendro, a la virgen acartonada, que perfuma sus virtudes con esencia de flores cordiales, vestal tal de la limpieza, que madruga a lustrar sus cómodas y trasnocha para fregotear sus cristales. Alejandro, el héroe, empieza a dibujarse; en este tomo no hace más que asomar su rostro a una ventana para que le reconozcamos luego, cuando en acción le hallemos en el resto de la obra. Lo mejor de este libro es que no *pasa nada.* El que busque acción (ilegible) y díscola a las órdenes de la lógica que se meta en el manicomio de los dramáticos o en el tonticomio de los folletinistas. La buena novela es análisis y nada más que análisis. Espero con impaciencia el segundo tomo. En cuanto al que ya he leído el *Lunes* haré un artículo sobre él. ¿Le conviene a usted que inserte en la próxima algún fragmento del libro, por ejemplo, lo de *Doña Isabel Godoy de la Hinojosa* (17). Respóndame a esto, pero con toda libertad.

No voy a verle, porque como ya le he dicho, mi mujer ha dado a luz hace pocos días y no quiero dejarla sola durante la convalecencia, que en tales trances es peligroso (18).

---

(17) Personaje femenino, tía de la madre de los Miquis, que aparece en *El doctor Centeno, Tormento* y *Lo prohibido.*

(18) El niño nacido en esta fecha llegaría a ser el gran ensayista y filósofo José Ortega y Gasset (1883-1956).

Adiós, mi queridísimo maestro. Mil y mil enhorabuenas por su *Doctor Centeno*.

Le abraza su entusiasta amigo y discípulo (malgré vous)

J. Ortega Munilla

XVII

J. Ortega Munilla

Jadraque (19) (Guadalajara). 4 noviembre 1883.

Sr. D. B. Pérez Galdós.

Mi ilustre maestro y cariñoso amigo: muchos meses hace que no sé de usted ni usted sabe de mí. De mí, le diré que he venido a este pueblo en el mes de Junio y que pienso permanecer aquí, aún, una temporada, perpetrando cierto grave delito de lesa literatura, que ya debe usted conocer porque las musas, tan amigas de usted, han de gritar y quejarse las pobres, de mi mal trato. De usted no sé si esta carta le cogerá a usted en Madrid o en Santander, o ese Londres, donde la prensa ha dicho que usted estaba. Desde el Manzanares, el Támesis o el mar escríbame usted cuatro líneas para que yo sepa que es de usted, si escribe ahora algo, y, caso afirmativo, qué es ello. Aún podrá usted hacer otra cosa que me sería cien o mil veces más agradable, a saber: salir de Madrid para Jadraque en el tren mixto de las 7 de la mañana. Llegaría usted a este emporio de pobreza y salvajismo a las 10 y 1/2 de la mañana, después de 3 horas y 1/2 de viaje. Podrá usted honrar mis manteles comiendo conmigo y si sus ocupacio

---

(19) Villa y municipio de la provincia de Guadalajara, diócesis de Sigüenza, situada a la margen izquierda del Henares, con cerca de dos mil habitantes.

nes no le dejaban tiempo que echar a perros, volver a Madrid en el tren que sale de aquí a las 5 de la tarde y llega a Madrid a las 9 de la noche. Pero esto es hacer el itinerario de un sueño. No me concederá usted tanto gusto, ni tanta honra.

¿Y los *Episodios Ilustrados?* Nada sé de ellos. Veo que envía usted los cuadernos que se publican en *La Epoca*. ¡Y a mí, que tanto le quiero no me envía nada! Sólo tengo el primer tomo que me regaló.

Envía a usted un cariñoso abrazo su apasionado,

J. ORTEGA MUNILLA

XVIII

J. ORTEGA MUNILLA

Jadraque, 7 noviembre 1883

Sr. D. B. Pérez Galdós.

Mi querido amigo y maestro: probablemente pasaré aquí una larga temporada, quién sabe si un año o dos, claro está que con buenos viajes a Madrid, aún cuando ahora no pienso salir de esta villa. Por eso y en mi deseo de verle, de hablarle, de que me comunicase sus impresiones de viaje le preparé un viaje a Jadraque; a usted le servirá de distracción y a mí y a mi familia de sumo placer. Le advierto a usted que mi casa es una *maison bourgeoise,* en que al gato se le llama gato y a Rollet (20) un bribón; quiero decir que estaría usted a la pata la llana, y no hay más *maître d'hôtel* que una cocinera alcarreña, ni más esplendores que

(20) François Grand Yeblanc du Rollet, autor dramático francés (1716-1786).

la de una venta cervantina. De modo que la comida que le ofrezco a usted y que al fin y al cabo mi insistencia le obligará a aceptar, es un *pot-bouilli* teorizado, que nada tiene que ver ni con el de Zola ni con Lhardy (21).

Yo también, cuando fui a París, hace año y medio, quedé maravillado de aquella inmensidad grandiosa y terrible. Si he de decir a usted la verdad, mi primera impresión fue de miedo, la de sentirme pequeño, insignificante, ante aquella vida rica, reglamentada, espléndida. El artículo que sobre París ha escrito Edmundo de Amicis (22) es muy hermoso, lleno de cierta elocuencia familiar y simpática que le hace más verdadero. Lo que usted escriba sobre París desde luego le digo que sería admirable porque el asunto es deber de usted, porque exige observación original y nueva y un estilo que se fije en las líneas que retrata como el coladius en el cristal del *cliché* fotográfico. Escriba, escriba usted ese libro parisiense y siga la primera impresión que él ha dictado.

Varias veces me ha aconsejado usted que diese nueva forma a mis crónicas del *Lunes*. Sobre esto tengo que pedir a usted un favor. Déme usted una idea original para esta innovación. Usted las tiene de sobra. Espero esa idea pronto. Algo bonita, imprevisto y al mismo tiempo natural.

Estoy escribiendo una novelita, del tamaño de la *Cigarra* y en que procuro dar entrada a la atmósfera de pobreza, suciedad y relajamiento en el deber, gentes que viven aquí adheridas al terruño. En el materialismo de esta gente hay algo más brutal que el materialismo de la Villette de París. Allí hay algo de idea, aunque absurda:

(21) Famoso restaurante madrileño de la época situado en la Carrera de San Jerónimo, fundado por el suizo Emilio Lhardy en plena época romántica y vuelto a abrir después de 1868. Reuníanse en él Galdós, J. O. Picón, Natalio Rivas, Mélida.

(22) Edmundo de Amicis (1846-1908), novelista italiano conocido sobre todo por sus sentimentales historias de niños, de tendencias moralizantes y patrióticas.

aquí no hay idea alguna, sólo el instinto vegetativo del tronco que chupa su vida de la tierra. Para estas gentes solo hay en la vida un problema fisiológico, negro y asqueroso como una noche de indigestión. Las pasiones de la gente son cierta cosa que podría expresar si me atreviese a decir que es lo que le pasaría a un asno que se hubiese embriagado en un lagar. En medio de un paisaje bonito y lleno de ideas esta humanidad, que no tiene ninguna, resalta grotesca y horrorosamente.

El *Gil Blas* (23) de París anuncia una novela de Zola, *Joie de Vivre* (24), drama burgués, sin descripciones largas, cuyo interés se encuentra en el estudio de los caracteres. Por cierto que ese periódico ha publicado con mucho bombo una novela de (ilegible), *Ce qui ne meurt pas,* que no tiene de notable más que la novedad del género; es una mezcla del esceptismo de Byron y del sentimentalismo de Rousseau, que no se comprende en la Francia de Zola y Flaubert.

Escríbame usted, que sus cartas me llenan de alegría.

Sabe usted cuánto le quiere su afmo. amigo y apasionado lector

J. ORTEGA MUNILLA

Envíeme los sueltos de los *Episodios Ilustrados.* Desde aquí les enviaré para su inserción. Cuantos quiera, y sin limitación.

---

(23)   Famoso diario de los literatos parisienses fundado en 1879 y desaparecido en 1914. Era de tendencias liberales y de expresión libre. Tuvo imitadores en España.
(24)   Su título es *La joie de vivre,* novela publicada en 1884.

XIX

J. Ortega Munilla

Jadraque, 22 Noviembre 83.

Sr. D. B. Pérez Galdós.

Mi queridísimo amigo: en mi artículo del *Lunes* penúltimo habrá usted visto el suelto que usted me envió, sobre los *Episodios Ilustrados*. Modifiquélo un poco porque así lo exigía la contextura de mi crónica, pero allá fue la sustancia. Supongo que habrá usted visto esto. Cuando se publicó *El Doctor Centeno* le dediqué también un artículo: por si acaso no llegó a noticia de usted que debía cuidarse entonces para sus *Lunes* le incluyo un recorte de dicho artículo, que he hecho republicar en un periódico de Buenos Aires, de los dos, de que soy corresponsal.

Yo también dedico algunos ratos al inglés; aun cuando adelanto poquísimo, porque aprender las lenguas sin maestro es como pretender abrir una puerta sin llave. Todos los días dedico una hora a buscar significados y luego me echo a volar por las páginas del *Sketches by Charles Dickens* (25), donde me desespero de no entender dos oraciones seguidas. Si la educación universitaria no fuese un sistema de embrutecimiento académico hoy sabría yo inglés, en vez de saber aquello de las leyes de Toro (26), que me tiene absolutamente sin cuidado.

La idea de dar una nueva forma a mis artículos del *Lunes* me tiene nervioso. No se me ocurre nada. En lo francés, tiene usted razón, no hay que buscar nada nuevo. Los

---

(25) Una de las primeras obras del gran novelista inglés, publicada en 1836 y que trata de los ensayos de un escritor novel.
(26) Codificación de las leyes castellanas aprobadas en las Cortes de Toro en 1505.

courrier de Alberto Wolf (27) son sermones de boulevard: los *tableaux* de Aurélien Scholl (28) son gacetillas. De lo inglés como no puedo leer los periódicos tampoco puedo sacar lo que deseo. ¡Hombre! ¡Usted puede dedicarme un segundo de atención que me saque del paso!

Veo que la impresión de los *Episodios Ilustrados* avanza. Esa obra es un motivo de gloria para España y de fortuna para usted.

Ya ve usted cómo anda el teatro; qué de desaciertos, qué de paparruchas, qué dramas. Eso se hunde, cada día se le cae una tabla. El convencionalismo acaba con los mejores talentos y solo vive de *medio* a las *medianías*. Esto ha pasado y pasará siempre en el teatro. Note usted una cosa: Daudet va a poner en escena *Les rois en exil* (29) y Zola *Pat Builli* (30). Los dos se tienen que valer de un M. Busnach, un Paria Domínguez del Sena, que les enseña el nado en ese revuelto río del aplauso. ¿Cómo ellos, que tanto talento tienen se ven obligados a aceptar la guía de uno de tantos *homme de teatro*? Porque nada tienen que ver el talento y los bastidores porque estos son un *métier* y no un arte. He leído el *Assommoir* (31), drama y aquella trágica naturalidad, aquello que Zola llama el *train train* de la vida, que hace todas aquellas porquerías y todos aquellos horrores profundamente humanos, desaparecer: hay un traidor de por medio. Si no lo hubiese no se concebiría el drama. ¡Viva, viva la novela donde no hace falta más traidor que el público, que es el que nos vende cuando no nos compra!

---

(27) Albert Wolff (1835-1891), escritor francés de origen alemán, colaborador del *Fígaro* y cronista teatral, dejó algún drama como *Egmont* y unas *Mémoires d'un parisien*.

(28) Aurélien Scholl (1833-1902), periodista francés, autor de unas novelas tituladas *Les scandales du jour* y *Tableaux vivants*.

(29) Novela publicada en 1879.

(30) Su título es *Pot Bouille*, publicada en 1877.

(31) Una de las más famosas novelas de Zola, publicada en 1877.

Dispénseme usted estos desahogos, ya que puede prescindir de ellos, echando mi carta al cesto para que fue creado. Abraza usted cariñosamente su entusiasta,

J. Ortega Munilla

XX

J. Ortega Munilla

Jadraque, 24 Enero 84.

Sr. D. Benito Pérez Galdós.

Mi muy querido amigo: por este mismo correo le envío el primer ejemplar que ha llegado hoy a mis manos del tomo en que empiezo a coleccionar mis revistas del *Imparcial*. Aunque el ejemplar está ya catado y nada limpio le ruego que lo acepte y perdone, que luego le enviaré otro encuadernado. Mi precipitación en enviárselo consiste en que deseo que me haga usted el favor de escribirme una carta publicable sobre dicho tomo. Si puede usted enviármela pronto mejor: la daremos a luz en *Los Lunes*.

Confiando en que atenderá usted mi súplica me reitero afmo. amigo y admirador,

q. b. s. m.

J. Ortega Munilla

Se me olvidaba decirle que a mi regreso de una corta expedición me he encontrado con dos cartas suyas y he visto publicado en el *Imparcial* el suelto mismo que acompañaba a una de ellas. En lo sucesivo envíemelos como siempre.

XXI

J. Ortega Munilla

Jadraque, 20.2.84.

Sr. D. B. Pérez Galdós.

Mi insigne amigo: hace muchos días envié a usted un ejemplar de mi tomo de *Crónicas* del *Imparcial,* el primero que salió de la encuadernación. Fiado en la benevolencia con que usted me ha tratado siempre, tuve el atrevimiento de pedirle que me enviara una carta *publicable* sobre aquel baladí librejo. Hoy viendo que usted no me ha complacido, comprendo que no he debido pedirle esa carta. En un arrebato lo hice, dispénseme.

Vamos a otra cosa. Hace mucho tiempo que no tengo noticias de usted. Deseo que me diga qué es lo que tiene entre manos. El *Pedro Sánchez* (32) de Pereda me ha gustado mucho. Es un libro de maestro. En cambio *La tribuna* (33), de la Pardo Bazán es una cosa incompleta, pretenciosa y hueca: obra de *blas bleu.*

Pase usted la vista por el artículo titulado *libros,* que se publica todos los *Lunes.* En él me he ocupado y me ocuparé de sus *Episodios Ilustrados.* Envíeme lo que quiera que se inserte en dicha sección, que he abierto casi con el objeto único de poder servir a usted sin tener que apelar a las benevolencias de la redacción. Ahora puedo publicar,

---

(32) Obra compuesta por Pereda en 1883 para refutar la opinión de la Pardo Bazán de que no era capaz sino de componer novelas regionales.

(33) Una de las primeras novelas naturalistas españolas, publicada en 1883.

al *lunes* siguiente del día en que usted me lo mande, los sueltos que quiera.

Sabe usted que le quiere y admira su affmo. amigo, discípulo,

J. Ortega Munilla

Lea usted la polémica que sostengo en el *Lunes* con Luis Alfonso (34). Allí saldrá usted a relucir.

XXII

J. Ortega Munilla

Jadraque, 11 mayo 84.

Sr. D. Benito Pérez Galdós.

Mi querido amigo y maestro: recibo su carta y comprendo que tiene usted razón para no enviarme la carta *publicable* sobre los *Lunes* que le pedía. Lo triste para mí, en este caso, es que yo me tengo que ocupar por oficio de lo que hace todo el mundo y nadie se ocupa de lo que yo hago y para lo cual pido, no bombo, sino examen. No hablo de usted, que está sobre mí y sobre todos y a quien es obligación literaria de los hombres de buena voluntad y buen gusto, elogiar. Hablo de la gente nueva, poetillas y novelistas que me abruman todos los días con sus obras, me ocupo de ellas, y a mí me acontece con mis libros, especialmente con el *Lunes* que ni un solo periódico lo ha anunciado. Repito a usted que no es bombo lo que yo pido, sino que se hable del libro; ya sabe usted

_____

(34) Luis Alfonso (1845-1892), literato y periodista, nacido en Mallorca; publicó algunas novelas y unas *Impresiones de viajes.*

que con el silencio se mata a una obra, mejor que a un hombre con un puñal. Dejaréme matar y tendré que desistir de publicar libros, porque cada uno me proporciona un curso de desengaños, no literarios, que no caben en quien sabe que no es otra cosa que un vulgar periodista, sino sociales. Esto no es insistir en mi súplica: me basta para mi satisfacción con la amable carta que ha tenido la bondad de escribirme, que aun cuando no publicable es *adorable*.

Espero con ansia el *Tormento...* (35), como le esperaban los mártires cristianos. No se olvide de enviarme el primer tomo que haya, o las capillas. Encárgueselo a Cámara, que me hagan el envío bajo certificado para prevenir extravíos.

Mi *Panza-al-trote* saldrá en seguida. Es una cosa incompleta y floja. Como nadie se ha de ocupar de ella esta vez voy ganando: el público y los amigos guardarán el secreto. Ayer terminé otra novela, que no sé cuándo podré publicar. Se titula *Cleopatra Pérez*: siento que no haya podido decirse nada de ella, al menos en los círculos literarios, antes del estreno del drama de Sellés *Las vengadoras* (36); pues aun cuando no es lo mismo, trata del viejo asunto de la prostituta elegante. Me he atrevido a todo y donde he visto un cuadro verdadero allá me he ido con el aparato fotográfico. Creo que el libro ha de oler al *patchouli* de la casa pública. Creo que me van a perseguir como a un perro rabioso por este libro. Salude a los amigos y cuente con el cariño sincero de un apasionado discípulo,

J. ORTEGA MUNILLA

(35) Publicada en 1884, de la serie "Novelas españolas contemporáneas", continuación, en cierto modo, de *El Doctor Centeno*.
(36) Popular obra de estilo echegariano estrenada, con gran éxito, en 1884.

J. Ortega Munilla

Jadraque, 18.

Sr. D. B. Pérez Galdós.

Mi queridísimo amigo: ya habrá usted visto cuánto me gusta *Tormento.* Yo hubiera hecho con ella lo que don Agustín Caballero (37): llevármela por esos mundos de Dios, poniéndome el del diablo por montera. O el *Lunes* venidero o el otro que le sigue haré un artículo largo y trabajado sobre *Tormento,* es decir, *acerca,* no se enfade don Agustín, a quien yo quiero como a un amigo. ¡Qué he de decir a usted! Que todo eso es hermosísimo: tiene la hermosura hermosa Caballero, la pobre *Tormento:* tiene la hermosura horrenda aquel *menage* Bringas, tan económico y tan vil. Es la verdad misma; pero una verdad muy honda, para llegar a la cual es preciso profundizar de veras. En fin, amigo mío: que se me acaban las palabras y el entusiasmo rebosa de ellas y se escapa sin hallar una cavidad grandiosa y brillante, algo así como una campana de Toledo hecha de cristal de Bohemia, donde podría estar a sus anchas.

Si es lícito, después de haber hablado de Aquiles, ha-hablar del *Boum-Boum* participaré a usted que se ha puesto a la venta un tomo de novelitas y cuentos míos, *Orgía de hambre.* No se lo envío porque es malísimo: sólo hay en él dos o tres cosas nuevas: lo demás es ya publicado. Corrijo las últimas pruebas de *Panza-al-trote.* Esto si se lo enviaré. Después y sin dar paz a las prensas, vomitaré (realismo) la *Cleopatra Pérez.* Si quiere usted ser el Noé que se salve de este diluvio de obras malas, apréstese a hacer

(37) Personaje galdosiano y central de la novela *Tormento* pero que también aparece en *La de Bringas* (1884).

su arca flotante, meta dentro un par de académicos de cada especie y... en el monte Ararat nos veremos.

La idea de celebrar en Alcalá el aniversario de Cervantes, un banquete, que Armando me ha comunicado, es excelente.

Quiero que me envíe usted el primer tomo de *Centeno,* ¡pues recordará que le advertí que el que recibí, en su día, estaba incompleto!

Escríbame de cuando en cuando.

Sigo aquí encerrado en mi casa, con mi mujer y mis hijos. Tengo también a mi lado a mi padre que está enfermo, viejo y disponiéndose el infeliz al último viaje. ¡Quiera Dios que éste se retrase tanto como mi deseo quiere!

Ayer me escribió Alarcón (38) doliéndose de que me haya lanzado a la palestra naturalista.

Es preciso trabajar mucho y con entusiasmo. De usted han de partir las iniciativas y los cimientos. No se vaya usted a meter en su concha, que la concha, aun siendo madreperla, es un encierro.

Salude a los amigos y reciba un abrazo y mil enhorabuenas de su apasionado,

ORTEGA MUNILLA

Hace tiempo escribí a Mélida para que me haga una portadita sencilla para mis novelas. Usted que tanto influjo tiene sobre aquel simpático artista recomiéndele mi pretensión.

_____

(38) Pedro Antonio de Alarcón intervino en la polémica levantada por la publicación del ensayo *La cuestión palpitante* (1882), de la Pardo Bazán, y tomó partido contra el naturalismo

XXIV

Sr. D. B. Pérez Galdós.

Mi olvidadizo amigo y maestro jamás olvidado: para honrar las páginas de un librejo de cuya confección me he encargado, me he permitido tomar de uno de sus libros un breve fragmento. Cuento de antemano con su benevolencia.

Otra cosa más: el día 1.º de año publicará el *Imparcial* un número doble en el que colaboran la mayor parte de los literatos de nota. Es preciso que usted escriba unas páginas para ese día, advirtiéndole que, si lo estima así (y yo creo que debe ser), se le pagará el trabajo. Si no tiene tiempo para hacer algo nuevo, envíeme un capítulo de la novela que esté escribiendo; pero preferiría un artículo especial.

El original ha de estar en mi poder antes del día 28; y cuanto antes, su respuesta respecto a mi pretensión.

Diríjame sus cartas al *Imparcial* donde las recibo antes.

Su apasionado amigo,

J. ORTEGA MUNILLA

XXV

Mi querido D. Benito: hace muchos días escribí a usted pidiéndole permiso para reproducir en un *Lunes* un precioso cuento de usted que he hallado en *La Prensa* de Buenos Aires. Como no he tenido respuesta a mi carta repito la petición, bien que temiéndome ser en ella tan infortunado como suelo en mis rogativas a usted. Aún siendo así le suplico me escriba dos líneas para que sepa su resolución.

Soy de usted apasionado lector y afmo. amigo q. b. s. m.

J. ORTEGA MUNILLA

Hoy, 22 Enero 1885.

José Ortega Munilla

Córdoba, 5 Abril 91.

Sr. D. Benito Pérez Galdós.

Mi insigne amigo: me tiene usted hace mucho tiempo completamente olvidado. No sólo no me escribe, pero ni siquiera me envía sus libros. Después de pedirlos logro que vengan a mí, no por acto espontáneo de usted. He leído —(no, no es leer devorar páginas y páginas, cuando se invente el verbo le aplicaré)—*Angel Guerra* (39) que me encanta. Adivino una larga estancia de usted en Toledo y hubiese querido pasar con usted unos días en aquel emporio perdido para gozar en común impresiones y efectos de lo antiguo. El libro es hasta ahora maravilloso.

Yo, después de trabajar años y años en el periódico, no he podido resistir más a mi deseo de aislarme y reanudar la serie de mis novelas. Entre una que empiezo a preparar y mi artículo de América estoy en Córdoba ocupado y divertido. He construido aquí una casita, pequeña como para muñecas, pero alegre como para pájaros. La hermosa tierra poblada de naranjos y casas, y la llanura extensa, me recrean y enamoran. Estoy aquí muy contento, viendo crecer a mis hijos, y atemorizado cuando llega el correo por si alguna de sus cartas me obliga a volver a Madrid.

El gran afecto que tengo a usted, la admiración que le profeso me mandan hoy escribirle que si tiene a bien darme cuenta de su persona.

(39) Publicada, en tres volúmenes, entre 1890 y 91.

Procure que me envíen el tercer tomo de *Angel Guerra* en cuanto lo haya para poder escribir de él algo.

Sabe cuánto le quiere su apasionado,

J. Ortega Munilla

S/c. Carrera de la Estación, Hotel.

XXVII

Marbella, 14 marzo 1892.

Sr. D. Benito Pérez Galdós.

Mi insigne y queridísimo amigo: en este pueblo de la provincia de Málaga, donde he traído a mi mujer para que pase unos días con su abuela, recibí su carta anunciándome el estreno de *Realidad* (40). Me disponía a emprender el viaje a Madrid cuando al llegar a Málaga me encontré con las líneas férreas cortadas y el telégrafo interrumpido, en suma, sin medio de ir a esa, ni de avisarle la causa de haber suspendido mi expedición.

No puede usted imaginarse que contrariedad he sufrido: la noche del estreno era para mí objeto de impaciencia y de interés.

Ahora espero que lleguen los periódicos con la noticia del *éxito*. Como el servicio postal con Madrid está interrumpido Dios sabe cuando podré satisfacer esta curiosidad.

Deseando que el triunfo sea digno de usted me repito cariñoso amigo y admirador s. s.,

q. b. s. m.,

José Ortega Munilla

---

(40) Estrenada, en el teatro de la Comedia, el 15 de marzo de 1892.

XXVIII

José Ortega Munilla

Córdoba, 1.º Enero 93.

Mi querido D. Benito: aquí me tiene usted en esta su casa de Córdoba esperando que me avise para ir a Madrid el día del estreno de *La loca de la casa* (41). Deseo asistir al ensayo general porque sólo así podré hacer en el periódico el trabajo que proyecto. Ruégole pues que me avise cuatro o cinco días antes de dicho ensayo. Es probable que un día de estos vaya a Málaga por lo que le ruego que a fin de evitar retrasos en el recibo de su aviso me dirija dos, uno a Málaga *(Nuevo Hotel Victoria)*, otro a Córdoba, sin más señas éste que mi nombre. De este modo podré recibir con oportunidad el aviso ya esté en Córdoba, ya en Málaga.

Sabe usted cuanto le quiere su affmo. amigo y admirador,

J. Ortega Munilla

XXIX

Madrid, 11 Enero 93.

Mi querido D. Benito: acabo de llegar de Córdoba. Con arreglo a lo que me dice en su carta mañana a la una y cuarto de la tarde estaré en la cervecería de la calle del Príncipe inmediata al teatro de la Comedia. Le espero allí para asistir al ensayo de *La loca de la casa.*

Suyo admirador y amigo,

Ortega

---

(41) Estrenada en el teatro de la Comedia el 16 de enero de 1893.

XXX

José Ortega Munilla

Señor D. Benito Pérez Galdós.

Mi querido amigo:

El pertinaz catarro que me tiene en cama, me imposibilita acompañar a usted como era mi deseo al almuerzo de mañana. En cuanto esté mejor tendrá el gusto de ponerse a su disposición su admirador y amigo

q. s. m. b.

Ortega

Hoy, 18-1-93.

XXXI

Querido Galdós: hoy ha publicado *El Imparcial* el suelto y anuncio concebido.

Estoy en cama con un fuerte catarro. ¿Quiere usted enviarme un ejemplar de *Trafalgar* ilustrado? Esto me servirá de alivio en mi aburrimiento de un día de cama.

Gracias pues y dispensar.

Suyo apasionado,

J. Ortega Munilla

XXXII

J. Ortega Munilla

17-9-97.

Querido Don Benito: por Alcántara conozco su respuesta a mi carta. Me permito insistir en lo que le proponía, por lo mismo que sé que no le perjudica ni como autor ni como editor. El que *El abuelo* (42) sea una novela dialogada no es razón, al contrario. El diálogo es la forma mejor para que la literatura llegue al vulgo. Piénselo usted bien y esté seguro de que apareciendo el volumen cuando vayan publicados 10 ó 12 folletones la venta aumentará mucho. El servir a los lectores de *El Imparcial* esta primicia será motivo, además, para que enlace con nuestro público la propaganda de los *Episodios Ilustrados*.

Espero su respuesta.

Suyo

Ortega

XXXIII

EL IMPARCIAL

Sr. D. Benito Pérez Galdós.

Mi distinguido amigo: Desde hace algún tiempo, se viene notando el agrado con que la opinión pública recibe toda voz que se alza en el parlamento, en la prensa o en reuniones de diverso carácter, reclamando para nuestro país alianzas con otros Estados y protestando de nuestro ais-

(42) Véase el prólogo de Galdós a esta novela en "cinco jornadas", publicada en 1897 y adaptada, por él mismo, a la escena en 1904.

lamiento político. Creo de gran interés el que sea conocida la opinión acerca de este problema de las altas personalidades que dedican su actividad al estudio de la vida contemporánea.

He pensado, desde luego en usted para que si le es posible me honre enviándome su concepto en este asunto de importancia tan grande para la reconstrucción de España.

Ruego a usted me perdone tanta molestia y con mi gratitud reciba el homenaje de mi admiración y amistad

S. S. q. b. s. m.,

J. Ortega Munilla

27 Noviembre 1903.

XXXIV

El Director
de
EL IMPARCIAL   3 Mayo 1905.

Sr. D. Benito Pérez Galdós.

Mi querido amigo y maestro: Después de nuestra última conversación sobre la elección de Valentín Gómez (43) en la vacante de Balart (44), han ocurrido cosas que modifican completamente el plan de operaciones.

(43) Valentín Gómez (1843-1907), escritor católico tradicionalista, dejó numerosas obras poéticas, novelas, relatos de viajes y un estudio crítico de Felipe II; obtuvo en 1905 el sillón académico, a pesar de la oposición de los liberales.

(44) Federico Balart (1831-1905), poeta y crítico, colaboró en *El Universal* y en *El Globo,* y se reveló como un delicado y contenido poeta en su *Dolores.*

Ya sabe usted que yo deseaba presentar cualquier candidatura frente a la que se nos quiere imponer y para la que los neos, y especialmente Cataluña no han contado con nosotros infiriéndonos con ello una ofensa y haciéndonos objeto de una desconsideración que no podemos tolerar.

Creíamos seguro el triunfo de Valentín Gómez. No lo es tanto. Grilo (45) cuenta con los votos del duque de Rivas, conde de Casa Valencia, Benot, Viñaza (46), que vendrá de Lisboa a votar cuando sea preciso, Cavestany (47), mi humilde persona, Ferrari, Villaverde y Maura y también Silvela (48).

El voto de usted es importantísimo. No se trata ya de Grilo, que merece, ciertamente, entrar en la Academia por ser un poeta lírico de brío y ternura; se trata de presentar frente a la conjura de los neos los elementos de que disponemos. El voto de usted no es sólo un voto, es una autoridad, la definitiva que bastará a amparar la candidatura.

Sé que van a verle hoy Cavestany y Grilo. Téngase por advertido de su visita y procure complacerles. Será para mí un nuevo motivo de reconocimiento y una nueva ocasión de lucha en que iremos a la docta casa los que no podemos ni debemos resignarnos a una continua humillación.

Muy suyo admirador, condiscípulo y amigo

q. b. s. m.,

J. Ortega Munilla

---

(45) Antonio Fernández Grilo (1845-1906) fue elegido académico de la Lengua en 1906, pero no llegó a tomar posesión a causa de su muerte.

(46) Véanse notas correspondientes en las cartas a J. Octavio Picón.

(47) Juan Antonio Cavestany (1861-1924), poeta y dramaturgo. Su mayor éxito teatral fue *El esclavo de su culpa;* académico de la Lengua en 1902.

(48) Véanse notas en las cartas de Octavio Picón.

XXXV

El Director
de
EL IMPARCIAL   8 Junio 1905.

Particular

Sr. D. Benito Pérez Galdós.

Mi ilustre amigo y maestro: Deseo que esta noche no falte usted a la Academia para votar a Grilo. Claro que éste será derrotado, pero sería una gran amargura para mí, como para él, el que usted no contribuyese a la brillantez de la derrota.

Si fuera usted tan amable que fuese a buscarme a mi casa a las 8 y 1/4 para que fuéramos juntos a la Academia, sería miel sobre hojuelas.

Supongo que me enviará usted fragmentos de su nuevo *Episodio Nacional* para publicarlos en el periódico.

Muy suyo constante amigo y admirador ferviente

J. ORTEGA MUNILLA

XXXVI

Querido D. Benito: Bello me dijo que iba usted a enviarme para reanudar la publicación de los *Lunes* de *El Imparcial* un artículo sobre Navarro Ledesma (49), noticia que

---

(49) Francisco Navarro Ledesma (1869-1905), catedrático de Retórica, cofundador del *A B C;* dejó una importante biografía de Cervantes y falleció prematuramente. Galdós le dedicó un interesante artículo, con datos de sus cartas, para ser leído en el aniversario de su muerte (1906). Se puede ver en el t. VI de las *O. C.* de M. Aguilar, págs. 1411 y ss. Véanse también las cartas recogidas por Soledad Ortega, *ob. cit.,* págs. 301 y ss.

me llenó de satisfacción y orgullo. Pero ahora me dicen que no podrá usted entregar el trabajo para el número de pasado mañana porque contaba con su trabajo de usted como base principalísima del éxito. Mucho le agradecería que aun a costa de algún esfuerzo me remitiese el artículo mañana por la noche a la redacción.

Muy suyo, affmo. amigo y admirador,

J. ORTEGA MUNILLA

Hoy, sábado.

XXXVII

JOSÉ ORTEGA MUNILLA

Mi querido D. Benito: pensando ir a buscarle no le he contestado. Me tiene usted como siempre, a su disposición. Dígame cuando quiere que comamos juntos, siempre que sea a las 6 y media de la tarde, porque tengo que ir muy temprano a la redacción.

Suyo,

ORTEGA

Hoy 21.

XXXVIII

El Director
de
EL IMPARCIAL   2-11-1905.

Sr. D. Benito Pérez Galdós.

Mi muy querido D. Benito: Mariano de Cavia (50) y yo deseamos que asista usted el lunes próximo al banquete que en honor de los veteranos de la guerra de Africa estamos organizando con Aguilera (51). Adjunta la tarjeta. No deje usted de ir de ninguna manera.

Muy suyo admirador y amigo que le quiere tanto

Cavia   Ortega

XXXIX

El Diputado a Cortes
por
Padrón

Sr. D. Benito Pérez Galdós.

Mi ilustre amigo: ruego a usted con gran interés, examine atentamente los merecimientos del opositor don Ja-

---

(50) Mariano de Cavia (1855-1920), famoso periodista y escritor, redactor de El Imparcial y del A B C; conocedor profundo del idioma, se hizo popular con sus ingeniosas crónicas tituladas "Despachos del otro mundo".

(51) Lo mismo puede referirse a don Francisco Aguilera y Egea, general que se distinguió en las campañas de Marruecos, o a Alberto Aguilera Ariona, notable periodista y abogado de la época.

vier Gaztambide que ha de sufrir examen ante el tribunal de su digna presidencia. Adjunto a usted una nota explicativa sobre la que llamo su atención.

Dándole mil gracias por este favor se repite de usted siempre buen amigo e incondicional admirador su afmo.,

J. ORTEGA MUNILLA

19 Marzo 1909.

XL

EL DIPUTADO A CORTES
POR
PADRÓN

Sr. D. Benito Pérez Galdós.

Mi querido amigo y maestro: para hablar del asunto de Cavia le ruego me espere en el Congreso el sábado a las tres de la tarde.

Hoy me marcho al Escorial y no volveré hasta el propio sábado por la mañana.

Sabe cuánto le quiere su amigo y admirador de siempre,

ORTEGA

1 Abril 1909.

CARTAS DE GREGORIO MARTINEZ SIERRA

Este fino dramaturgo y escritor, que vivió entre 1881 y 1947, ha sido clasificado por Díaz Plaja en la segunda promoción de la generación modernista. La delicada sensibilidad, casi femenina, en sus obras, su preocupación esteticista en poesía, en la novela y en el teatro, y, por último, su colaboración en las principales revistas de su tiempo, que dieron la batalla por las nuevas tendencias, como *Vida Nueva* (1899), *Alma Española* (1903), *Helios* (1904) y *Renacimiento* (1907), le califican como un modernista militante y activo. En estas cartas le vemos preocupado por que salga a tiempo el número de *Helios* con unas páginas del maestro Galdós, o escribiendo, desde la redacción de *Renacimiento,* para atender sus colaboraciones en el extranjero. Pero también nos dan el testimonio de la preocupación por sus primeras obras, con las que pronto alcanzará éxitos populares, como con sus obras dramáticas: *Mamá, Canción de cuna, Don Juan de España,* etc.

Sin duda, su temperamento liberal y moderado, sin estridencias, le hizo un incondicional admirador y discípulo de don Benito, aunque no coincidiera con su estilo teatral ni con sus vigorosos problemas. Pero bien claro se ven, en sus artículos, su amor por España, como había aprendido en la obra de Galdós, aunque, naturalmente, se expresara de otro modo. Así hace un suave reproche a sus

15

jóvenes compañeros de generación: "...los modernistas se han encerrado en la famosa, aunque ya un tanto desacreditada, torre de marfil... Claro está: metidos allí de día y de noche, los pobres muchachos, a fuerza de tragar polvo y de tomar notas, se están poniendo anémicos que es un dolor. Entretanto, la Patria, que contaba con ellos, está la pobrecita sin cantores; ya no hay poeta que se acuerde de que hazaña rima con España".

S. N.

I

HELIOS

Madrid, 23 Junio 1903.

Sr. D. Benito Pérez Galdós.

Muy admirado Sr. mío:

Nuestro amigo Mauricio López Roberts (1) nos comunicó la agradabilísima noticia de que estaba usted dispuesto a autorizar la publicación en *Helios* (2) de algunos fragmentos de su comedia nueva, *Mariucha* (3). Distinción es esta que no sabemos como agradecer: tanto nos honra. Esperado hemos hasta ahora, fecha en que de ordinario está ya encuadernándose la revista y nos encontramos sin poder ajustar, ni tirar, por consiguiente, un solo pliego. Por estas razones, y abusando acaso de la amabilidad de usted, me permito encarecerle que nos envíe a vuelta de correo, si le es posible, lo que tan generosamente nos tiene ofrecido. Por tratarse de un trabajo que siendo de usted tiene tanta importancia, como es además *Helios,* una

(1) Este político, diplomático y escritor vivió entre 1873 y 1940. Publicó novelas de tipo costumbrista como *Noche de ánimas, La cantaora, El verdadero hogar,* etc. Esta última recibió el premio Fastenrath de la Academia, en 1917.
(2) Comenzó a publicarse en 1904 y en ella colaboraron González Blanco, Juan Ramón Jiménez, Martínez Sierra, Pérez de Ayala y otros. Según G. Díaz Plaja, ésta es la revista del modernismo militante.
(3) Esta obra se estrenaría en el teatro el Dorado de Barcelona el 16 de julio de 1903.

revista que nace y que necesita a toda costa dar testimonio de formalidad, seríale altamente perjudicial dejar de publicar un trabajo anunciado previamente. Espero que considerando todo esto perdonará usted mi atrevimiento y no dejará de complacernos.

Vuelvo a darle en nombre de mis compañeros y en el mío por su incomparable amabilidad y tengo una grandísima satisfacción en ofrecerme de usted con todo respeto admirador y affmo. amigo q. b. l. m.,

G. Martínez Sierra

S/c. Prim, 15, bajo.

II

HELIOS

Prim, 15. Madrid.

Sr. D. Benito Pérez Galdós.

Muy admirado amigo: Supongo que el Sr. Bethancourt (4) habrá anunciado a usted una visita mía. Gran deseo tengo, en efecto, de verle; pero Acebal (5) me ha dicho que está usted atareadísimo con los ensayos de *El*

---

(4) Se refiere a José Betancourt Cabrera (1874-1935), natural de Lanzarote, periodista, ensayista y autor de novelas regionales.
(5) Francisco Acebal (1866-1933), periodista y novelista. En 1900 obtiene un premio convocado por *Blanco y Negro,* donde juzgaban Galdós, Echegaray y Ortega y Munilla. Es autor de preciosos cuentos como *Los de mi rincón,* de obras dramáticas y fundador de la revista *La Lectura.*

abuelo (6) y la preparación de un nuevo libro. Esto me obliga a renunciar a mi propósito porque no quiero molestar a usted robándole tiempo; pero tampoco quiero dejar de decirle mi agradecimiento por el interés que mi comedia (7) haya alcanzado en usted: ella y yo hemos logrado en su juicio más benevolencia de la que merecemos, y yo me complazco en reconocer por ella y por mí esta deuda de gratitud.

También, aprovechando su amable ofrecimiento, me permito rogarle que si alguna vez habla usted de estas cosas con Trino Escudero, le diga algo de *La muy amada* (8). Si así sucediera, agradecería a usted infinito que me lo hiciese saber, dado caso de que antes no haya podido lograr el gusto de verle. Perdóneme esta mi pertinacia, dándole por disculpa mi desaliento y mi impaciencia de autor de comedias inédito, y reconózcame una vez más como un amigo y sincero admirador, q. l. b. l. m.,

G. MARTÍNEZ SIERRA

6 Febrero 1904.

---

(6)   Esta obra, escrita en 1897, fue concebida como una novela dialogada y luego llevada a la escena, por el mismo autor, en 1904.

(7)   Se refiere a alguna de sus primeras obras como *Primavera en otoño* o *Mamá*.

(8)   Una de las novelas primerizas de Martínez Sierra.

III

RENACIMIENTO (9)

Velázquez, 76. Madrid

Sr. D. Benito Pérez Galdós.

Muy respetado y querido amigo:

El director de la revista alemana *Aus Freinden Junguen* me encargó un estudio sobre la obra de usted. Ya está en su poder y lo publicará pronto. Como verá usted en la adjunta postal quiere un retrato de usted, para darle al mismo tiempo. Ruego a usted que me le envíe hoy mismo a ser posible.

Gracias anticipadas de su incondicional amigo y admirador,

G. MARTÍNEZ SIERRA

IV

CONTINENTAL EXPRESS
Sociedad Anónima

Mi querido maestro:

Acabo de llegar de París y veo anunciado para esta noche el estreno de su obra en la Comedia (10). ¿Quiere usted enviarme una butaca si aún le queda alguna?

Perdone y mande a su siempre admirador y amigo

G. MARTÍNEZ SIERRA

S/c. Mayor, 20.

---

(9) Esta revista comenzó a publicarse en marzo de 1907, y sus principales colaboradores fueron: Rueda, Villaespesa, Juan Ramón Jiménez, Martínez Sierra y S. Rusiñol. Según G. Díaz Plaja, es la revista del modernismo triunfante.

(10) Probablemente, se trata del estreno de *Amor y ciencia*, verificado en el teatro de la Comedia el 17 de noviembre de 1905.

CARTAS DE LOS HERMANOS
ALVAREZ QUINTERO

Entre los dramaturgos de la época, más devotos y sinceros admiradores del "venerado y querido maestro" Galdós, como ellos suelen encabezar casi todas las cartas, se destacan las figuras de los hermanos Alvarez Quintero. Abarca esta colección los años de mayor actividad y de mayores éxitos de estos autores costumbristas, y la época última de la dedicación teatral de don Benito, que corresponde también a sus últimos años de actividad literaria.

A la par que vemos jalonarse en estas cartas los gozosos triunfos de los Quintero con *El genio alegre* (1907), *Las de Caín* (1908), *Los leales* (1914), etc., vemos también testimonio de la airada réplica del prólogo de Galdós a su fracasada obra *Alma y vida* (1902), cuyo oscuro simbolismo no gustó al público ni a la crítica, a lo que don Benito replica, ingenuamente, diciendo que "El simbolismo no sería bello si fuese claro, con solución descifrable mecánicamente como las de las charadas". Respuesta digna de las disputas gongorinas. Alude también otra carta, al desdichado caso del Premio Nobel, cuando la Real Academia Española se resiste a hacer la solicitud por boca del señor Maura, que trató de disimular su rencor político contra Galdós, ofreciendo como muestra de su amistad sus aficiones comunes a la pintura.

Mas, sobre todo, nos dan testimonios estas cartas, desde la señalada con el número VIII hasta la número XV, del proceso de escenificación, ensayos y representación de *Marianela*, adaptada al teatro por los hermanos Quintero. Viejo deseo de don Benito había sido poner en escena él mismo esta novela, ya desde 1897. Pero, por diversas causas de índole sentimental o técnica, abandonó la empresa largo tiempo. Sabemos que en 1904 le entrega la obra a Valle-Inclán para que la lleve al teatro. Aunque esta elección nos parezca hoy un tanto extraña, mirada desde nuestro enfoque histórico, las circunstancias que determinaron esa resolución se adivinan en las cartas de aquel escritor a Galdós, que ofrecemos también en este volumen. Como era de esperar, don Ramón abandona el proyecto de escenificación de *Marianela*, aunque, al parecer, le faltaba poco para terminarla.

Cuando, en 1914, se inicia una suscripción nacional como ayuda y desagravio a Galdós por no haberse aceptado la solicitud de propuesta para el Premio Nobel, a pesar de la petición de la Academia Sueca, uno de los proyectos para recaudar fondos, sugerido por el mismo don Benito a sus amigos, los hermanos Quintero, fue escenificar *Marianela*. Empresa, que como puede verse bien en estas cartas, acometieron con gran entusiasmo y llevaron a buen término.

Marcan también estos años la lucha titánica de don Benito por no dejarse vencer por la postración intelectual y física a la que le empujaba su creciente ceguera. Precisamente en este año de 1914, acompaña a la Xirgú en una extensa "tourné" teatral que le deja exhausto. Fueron los Quintero los que contribuyeron al restablecimiento de don Benito, llevándole a descansar a su finca de Utrera.

Finalmente tenemos el testimonio del propósito de Galdós de abandonar la pluma definitivamente, o como dice la carta número IX, tomar la "decisión de suicidarse". A pesar de las cariñosas reconvenciones de los Quintero llevó a cabo esta determinación, ya que a partir del año 1916 o principios de 1917, no volvió a componer obras teatrales. Pues *El tacaño Salomón*, estrenada el mismo mes de la fecha de aquella carta (16 de febrero de 1916), fue compuesta antes, y *Santa Juana de Castilla,* aunque se estrenó en mayo de 1918, estaba ensayándose, como se ve también por estas cartas, en septiembre de 1917, por lo que debió ser compuesta mucho antes.

Fueron, sin duda, a pesar de la diferencia de edad, los hermanos Alvarez Quintero amigos sinceros y admiradores incondicionales de Pérez Galdós. Formaron parte de las tertulias de los últimos años en su casa de Hilarión Eslava, junto con Victorio Macho, José Francés, Diego San José y otros. Y, por último, después de desaparecido don Benito, como postrero homenaje, refundieron *Antón Caballero* (1921), que el maestro había dejado en borrador y sin corregir con el título de *Los bandidos.*

S. N.

I

Querido maestro: Hemos leído el hermoso prólogo de *Alma o vida* (1), y aunque nada vale nuestro modesto aplauso, no resistimos el deseo de enviárselo a usted como el más sincero y entusiasta de los que reciba por tan magistral y contundente vapuleo.

Le admiran siempre y le quieren más desde hoy,

S. Alvarez Quintero

J. Alvarez Quintero

9 Mayo 1902.

II

Alvarez Quintero
Academia, 10

Sr. Don Benito Pérez Galdós.

Respetable amigo y maestro: con el mayor gusto hemos recomendado a los empresarios del teatro Apolo (2) a la Srta. Rosa Medina, por quien usted se interesa, y puede creer que si no consigue lo que desea no ha de ser cierta-

---

(1) Fue estrenada en el teatro Español, de Madrid, el 9 de abril de 1902, por la compañía de Matilde Moreno, y es una de las dos obras teatrales a las que don Benito les puso prólogo.

(2) Este célebre teatro madrileño, llamado el "templo del género chico", fue inaugurado en 1873 y demolido en 1929.

mente porque la recomendación no haya sido hecha con toda eficacia.

Sabe usted que puede mandar siempre y con absoluta libertad a sus muy devotos,

S. y J. Alvarez Quintero

2.6.1907.

III

Señor don Benito Pérez Galdós.

Ilustre y querido maestro: su cariñosa carta de adhesión a la fiesta con que noches pasadas fuimos honrados en la casa de *Blanco y Negro* (3), vale para nosotros tanto como la fiesta misma. Nos enorgullece y llena de satisfacción el ver que quien es padre insigne de tantos gloriosísimos hijos, no vacila en enviar su aplauso, cuando la ocasión se le ofrece, a quienes se honran con ser modestos aprendices suyos en el arte de pintar la vida y sus almas.

De usted con todo nuestro afecto y admiración

S. y J. Alvarez Quintero

15-7-(¿1907?)

---

(3) Esta carta sin año, puede serlo de 1907, fecha en que los Quintero estrenaron *El genio alegre,* por cuyo motivo las empresas (en 1904) de esta revista y la del *A B C,* les dedicaron un homenaje.

IV

Sr. Don Benito Pérez Galdós.

Ilustre maestro: entre los placeres espirituales pocos
habrá tan delicados y sabrosos como el placer de la admiración. Sus obras de usted han sido, son para nosotros,
a la vez que espejos de la vida y del arte, fuente inagotable de ese placer finísimo y hondo, y hoy queremos darle
una prueba de todo ello dedicándole nuestra última comedia *Las de Caín* (4). Le rogamos que acepte la modesta
dedicatoria, bien seguro de que ninguna se le habrá ofrecido más sinceramente.

De usted afectísimos amigos,

S. y J. Alvarez Quintero

S/c. 10 Diciembre 1908.

V

Sr. Don Benito Pérez Galdós.

Ilustre amigo: "nunca es tarde si la dicha es buena".
Como chiquillos con zapatos nuevos, nos tiene usted con
la bondadosísima carta que nos ha escrito y con el retrato
y el libro que amablemente nos ha enviado. Dios le pague a usted todo ello y alargue cien años más su vida

---

(4)   Es una de las mejores comedias de los hermanos Quintero,
que fue estrenada simultáneamente en octubre de 1908, con gran
éxito, en los teatros de la Comedia, de Madrid; en el Dorado, de
Barcelona; en el San Fernando, de Sevilla, y en el Rosalía de
Castro, de Vigo.

para satisfacción de todos y hasta de las letras españolas. Amén.

Le admiran y le quieren de veras.

S. y J. ALVAREZ QUINTERO

S/c. 16-6-1909.

VI

Velázquez, 62.

Muy querido maestro: esta tarde, a las tres, leeremos en el Español nuestra comedia nueva *Los Leales* (5). ¿Quiere usted asistir a la lectura? Nosotros, siempre que para usted no sea una molestia, le veremos por allí con muchísimo gusto. Proceda con absoluta libertad y reciba dos buenos abrazos de sus amigos y admiradores de siempre,

S. y J. ALVAREZ QUINTERO

27-12-1913.

VII

Sr. Don Benito Pérez Galdós.

Muy querido y venerado maestro: acabamos de saber en este instante la nueva y tremenda desgracia que aflige a usted, y nos apresuramos a dirigirle estos renglones con la sincera expresión de nuestros sentimiento. Unidos a us-

(5) Se estrenó en enero de 1914 en el teatro Español, de Madrid.

ted por los fuertes vínculos de la admiración, de la gratitud y de la amistad, natural es que los dolores que usted siente hallen eco en nuestro corazón.

Uno de estos días nos proponemos ir a visitarle. Entre tanto, reciba dos afectuosos saludos de sus invariables amigos,

S. y J. Alvarez Quintero

2.2.1914.

VIII

Sr. Don Benito Pérez Galdós.

Muy querido maestro: acabo de tener una viva satisfacción en clase de académico de la Española, y eso que todavía no lo soy más que a medias: la de proponerlo a usted a la Academia de Suecia para el premio Nóbel de literatura correspondiente a este año (6). Esté usted seguro de que nadie se lo desea con más convencimiento ni cariño que yo.

Salud y un abrazo de su discípulo y amigo,

S. Alvarez Quintero

27-1-1914.

P. D.—El Sr. (ilegible), corresponsal en España de *Il Giornale d'Italia*, nos ha telegrafiado expresándonos el deseo de traducir gratuitamente al italiano nuestra adaptación escénica de *Marianela* (7). Procuraremos hacer público tan simpático y nobilísimo rasgo. Vale.

---

(6) Propuesta que no prosperó por no ser apoyada por el presidente de la Real Academia don Antonio Maura. Para la larga historia del premio que nunca le dieron a Galdós, véase la Biografía de Ch. Berkowitz, págs. 413-431.

(7) Novela de la primera época de Galdós, publicada en 1878 y que ahora proyectaban los hermanos Quintero llevar a la escena.

IX

Velázquez, 62.

Sr. Don Benito Pérez Galdós.

Maestro queridísimo: infinitas y muy cordiales gracias por su cariñosa felicitación a propósito de nuestra *Cabrita...* (8).

En cuanto a la *decisión* de *suicidarse* que nos anuncia usted..., vuelva sobre ella. Cosa que en nuestras manos esté el evitar. ¡Y de tamaña trascendencia! ¡Ahí es nada!

Pronto esperamos darle más concretas noticias que hasta aquí.

Le abrazan con respeto y admiración,

S. y J. Alvarez Quintero

16 de febrero de 1916.

X

Querido Don Benito: llega a nuestras manos su cariñosa carta cuando ya llevamos algunos días con *Marianela*. ¡Milagro de telepatía! No se moleste usted en venir a casa. Nosotros, antes de que usted salga de Santander, iremos a la suya, para tener el gusto de informarle de la marcha de nuestro trabajo, y aún para que tratemos también respecto a la compañía a que haya de ofrecérsele la obra. Ahora, que ya está pasando de ser ilusión nuestra a realidad, le pedimos a Dios que como nunca nos tome de

(8) Graciosa comedia cuyo título completo es *Cabrita que tira al monte,* estrenada ese año de 1916.

su mano... e infunda en nuestras frentes siquiera un soplo del genio de usted.

Hasta la vista, querido maestro. Le abrazan cordialmente,

S. y J. Alvarez Quintero

13-6-1916. Suponemos que recibiría usted en Bilbao un telegrama que le dirigimos desde Sevilla cuando el homenaje de *El Litro*. Vale.

XI

Velázquez, 62.

Muy querido maestro: hoy hemos terminado el primer acto de *Marianela*. No estamos descontentos. Vamos con el segundo. "Adelante, siempre adelante". Le abrazan cordialmente,

S. y J. Alvarez Quintero

25 de junio 1916.

XII

Muy querido maestro: recibimos oportunamente su carta de despedida y la de la Xirgu (9) que con ella nos envió y que hoy le devolvemos. A los dos o tres días tuvimos

(9) Margarita Xirgu (1888), actriz dramática catalana que tuvo grandes éxitos con obras de Dumas, Oscar Wilde, Guimerá, etc., y luego también con los hermanos Quintero y la *Marianela*, de Galdós.

nosotros también carta de Margarita, expresándonos su alegría y reconocimiento.

Marianela ya está. Nuestro corazón ha descansado. Dios nos ha dado todo lo que le pedimos al emprender la obra.

Así que lleguemos a Fuenterrabía el próximo lunes 24, le escribiremos a la Xirgu para marchar ya de acuerdo con ella, y de todo lo tendremos a usted al corriente.

Le abrazan sus más leales amigos,

S. y J. ALVAREZ QUINTERO

7-1916.

XIII

Sr. Don Benito Pérez Galdós.

Muy querido maestro: Reiteramos a usted, primero que nada, lo dicho en nuestro telefonema de anteayer con motivo de la lectura de *Marianela* a Margarita Xirgu; fue de un efecto extraordinario. Nunca hemos visto a una actriz más emocionada ni más entusiasmada. Por usted tanto como por nosotros lo celebramos, lamentando que no se hallara usted presente. Llegó Margarita en la explosión de su alegría a declarar que con tal obra iba ya a todas partes, y que para Madrid no necesitaba ninguna más. Le comunicamos a usted esto con la reserva necesaria para que pierda ciertos temores. Es nuestra.

Y vamos ahora a un punto concreto y delicado de su última carta. Nos dice usted que no puede aceptar lo que le ofrecimos hay ya más de dos años primero y voιvimos a ofrecerle hace pocos días otra vez, confirmando aquel primer ofrecimiento. Es muy respetable la voluntad de usted, y en tal asunto, además, harto vidrioso el contrariarla. Por si ello fuera poco, lleva usted su bondad hasta el extremo de callar o querer callar de momento, para no restarnos el aplauso que nuestro *rasgo* pudiera arrancarle a la opinión. Nosotros, Don Benito, no nos pagamos nunca de vanidades—y en este caso muchísimo menos—. Si algo hay que aplaudir en nuestra conducta, ese aplauso queremos que sea callado, y que naciendo en en el corazón de usted repercuta silenciosamente en los nuestros. No aspiramos a más.

Ultimamente nos descubre usted su propósito de reintegrarnos de alguna manera el producto de nuestro trabajo.

¿Concibe usted que nosotros, sabiendo esto, vayamos a pasar ante la gente ni un momento más por la comedia —que en comedia se trocarían—de que le regalamos a usted los derechos de representación del drama? Fíjese, y comprenderá que es imposible.

En cambio, nada más fácil que reducir la cuestión para salvar todos, absolutamente todos los escrúpulos que puedan asaltarle a usted, a un convenio vulgar y corriente. Por ejemplo: de la propiedad del nuevo drama, cuyos materiales están tomados de una obra de usted, la mitad le corresponde a usted y la otra mitad a nosotros.

¿Qué le parece? Es cosa esta en la cual no queremos que haya para usted sino satisfacciones; de ningún modo ni sombra de contrariedad.

De lo que no le damos a usted nada—porque de usted nos viene a nosotros—es de la íntima alegría, del puro y alto honor que nacen de ir de las manos de un maestro como usted en una empresa literaria. Nunca lo soñamos.

Esperan su respuesta y le abrazan cariñosamente,

S. y J. Alvarez Quintero

Fuenterrabía, 20-8-1916.

Sr. Don Benito Pérez Galdós.

Muy querido maestro: esperábamos, para escribirle a usted nuevamente, a poder darle noticias concretas del reparto de *Marianela* y de otras cosas con ella relacionadas.

Como usted ha supuesto muy bien, *Teodoro Golfín* lo hará Fuentes. La figura es muy a propósito para el personaje, ¿verdad? Ayer vimos ya "caracterizado" a *Celipín*. No dirá usted que no adelantamos. Corre a cargo de Amparito Alvarez Segura, que levanta un metro del suelo y que sin duda le dará todo el brío y donaire infantil que requiere. Josefina Santanlaria, de belleza muy dulce y de voz persuasiva y suave, interpretará *Florentina*. Vamos bien. *Pablo* lo hará Rivero, que a falta de otras condiciones, posee una gran nobleza de rostro y de acento. Ensayándolo bien dará la impresión deseada. Pascuala Mesa hará una deliciosa *Señana*. Y omitimos los nombres de los intérpretes de *Sinforoso Centeno, don Francisco* y *don Manuel Penáguilas, Carlos Golfín, Sofía, la Pepina, la Mariuca* y *Tanasio,* porque sé fijo no los conoce usted. Es decir, a uno sí: a B..., que hará el padre de *Florentina*. El conjunto de la ejecución será excelente, y el cuadro principal, admirable. Sin contar con que a todos los artistas los hará mejores el resplandor entre humano y divino de la protagonista, que a todos alcanza, y el entusiasmo comunicativo de Margarita.

Ya están encargados bocetos de las decoraciones de los actos primero y segundo (o sean la hermosa huerta de *Penáguilas,* con el fondo de paisaje montañés, y las inmediaciones del establecimiento minero, donde está la vivienda de los *Centenos),* al famoso escenógrafo catalán Vi (ilegible), predilecto de la Xirgu. La decoración del tercer acto, que es la habitación contigua al dormitorio de *Florentina* en casa de *Penáguilas,* se pintará en Madrid.

Un día de estos, así que Fuentes llegue a San Sebastián, daremos lectura de la obra a la Compañía, que en seguida se pondrá a estudiarla. La temporada madrileña comenzará el 5 de Octubre próximo, y a los pocos días, en cuanto a presencia nuestra se le den los últimos ensayos, será el estreno. ¿Cuándo contaremos con usted?

Complacidísimos con que acepte usted la fórmula propuesta en nuestra última carta respecto del punto en que hemos querido armonizar la delicadeza de usted y la nuestra, y más contentos y ufanos cada día.

Crea que no nos cambiamos por nadie al oírle a usted decir que se siente rejuvenecido por obra y gracia nuestra.

Dos abrazos,

S. y J. ALVAREZ QUINTERO

Fuenterrabía, 3-9-1916.

XV

Muy querido maestro: suponemos en poder de usted una carta nuestra con pormenores sobre el reparto dado a *Marianela*. En San Sebastián dimos un par de ensayos y estamos seguros de que la interpretación será excelente (10).

Dentro de tres o cuatro días regresaremos a Madrid. A Margarita le hemos escrito a Burgos anunciándole la vuelta de usted y dándole sus recuerdos.

Con que, hasta la vista. Siempre a su devoción, admiradores y fieles amigos,

S. y J. ALVAREZ QUINTERO

Fuenterrabía, 28-9-1916.

8 Enero 1917.

Querido don Benito:

El artículo de León se lo habíamos enviado nosotros. Ahí van esos recortes de la prensa de San Sebastián que en este momento recibimos.

En cuanto al ilustre prócer y a su ahijado, recuerde usted aquellos versos que dicen:

"*¡Humo las glorias de la vida son!*"

Le abrazan cordialmente,

SERAFÍN   y   JOAQUÍN

Por si desea usted escribirle a Margarita, sepa que mañana comenzará a actuar en el teatro de los Campos Elíseos de Bilbao.

XVII

Mi querido maestro: recibimos su cariñosa carta e inmediatamente escribimos a la Sociedad de Autores encargando que nos envíen cuanto antes la liquidación de este mes, a fin de atender el ruego que usted nos hace. Allá veremos cómo se ha portado la *nieta*.

Nos contristan las noticias que nos da usted de su sobrino, a quien deseamos rápido alivio en su dolencia. Dele usted nuestros afectuosos recuerdos.

En San Sebastián veremos a Margarita y le pregunta-

---

(10)   Esta comedia se estrenó el 16 de octubre de 1916 en el teatro de la Princesa, de Madrid. Véase, para las relaciones de Galdós y los Quintero sobre el asunto de *Marianela,* la citada obra de Berkowitz, págs. 439-442.

remos por *Santa Juana de Castilla* (11), estimulándola a que active su estudio. Y a nuestro regreso a Madrid tendremos el gusto de leerla.

De San Sebastián iremos a Zaragoza unos días, a cumplir una oferta hecha el año pasado a aquel Ateneo, y a darle a conocer nuestra nueva comedia *Así se escribe la Historia* (12) a la Compañía del Infanta Isabel de Madrid, que va a las fiestas del Pilar.

Disponga usted siempre de sus fervorosos admiradores y buenos amigos,

SERAFÍN y JOAQUÍN

Fuenterrabía, 24.9.1917.

Cariñosas memorias de Pedro.

XVIII

Velázquez, 62.

11 Diciembre 1917

Sr. D. Benito Pérez Galdós.

Querido maestro:

La orden relativa a *Marianela* en favor de la Compañía de Carlota Plá, que el próximo 14 debutará en Las Palmas, está dada desde el 5 del mes pasado. Por esta razón no hemos podido satisfacer los deseos expresados en el telegrama que le devolvemos.

----

(11) Ultima obra dramática escrita por Galdós hacia principios de 1917, y estrenada por M. Xirgu en el teatro de la Princesa el 8 de mayo de 1918.

(12) Comedia de los Quintero estrenada en el teatro Infanta Isabel, de Madrid, en noviembre de 1917.

Ya iremos a verle. Quédese mientras tanto con dos abrazos de sus devotísimos,

S. y J. Alvarez Quintero

XIX

Sr. Don Benito Pérez Galdós.

Muy querido maestro: salud.

Con toda la reserva que requiere el caso y que desde luego le recomendamos a usted, por su parte, nos permitimos dirigirle una pregunta, cuya respuesta nos interesa. Rescindido el contrato entre el doctor Madrazo (13) y el Ayuntamiento de Madrid, si ocurriera que una Empresa seria y *bien orientada* en el campo artístico pretendiera que usted siguiese al frente del teatro Español durante la venidera temporada, ¿usted tendría inconveniente en aceptar? ¿Quiere usted decirnos cuál es su actitud respecto al asunto? Muy de veras se lo agradeceremos. Y cuente usted con que quedará entre nosotros cuanto nos diga.

Suyos siempre fervorosos admiradores e invariables amigos,

S. y J. Alvarez Quintero

Fuenterabía, 3-9-1918.

---

(13) Se refiere a don Enrique Diego Madrazo, médico-cirujano, catedrático y dramaturgo santanderino. Fracasado en la reforma de la enseñanza, estableció un sanatorio, y luego también fue empresario del teatro Español, de Madrid, donde estrenó varias obras de índole social y anticlerical.

CARTAS DE AMADO NERVO

En una de las cartas de Valle Inclán se lee el anuncio de una próxima visita a Galdós que hará don Ramón en compañía de Amado Nervo, poeta y secretario de la Legación de Méjico, que deseaba conocer al ilustre novelista. Las breves misivas que reproducimos aquí prueban que aquella entrevista se realizó y que ambos escritores, don Benito y Nervo, mantuvieron cierta cordial amistad, aunque no llegara a ser muy íntima. Un libro que se presta, un artículo o una composición poética que se envía en una atmósfera de mutuo respeto y admiración. Acaso el dato más curioso que testimonian estas cartas—junto con las de Valle Inclán—sea el contacto que mantuvo la nueva generación con el patriarca de las letras españolas, y esa sencilla noticia del proyectado trabajo de Galdós sobre Castilla, que esperaban con ansia—sin duda—los que veían en esa región la esencia y el símbolo de la vieja y la nueva España. He aquí una muestra del *Epitalamio*, dedicado al rey y enviado a Galdós, y que refleja ese amor por lo español, que tanto había contribuido a despertar el maestro:

el lírico homenaje de mi Méjico amada;
de Méjico, sirena que en dos mares se baña
y a quien nuestros abuelos llamaron "Nueva España",
porque en ella encontraron la imagen de este suelo:
¡la misma tierra ardiente y el mismo azul del cielo!

S. N.

Sr. Bailén 15
Nov. 5 / 1906.

Sr. D. Benito Pérez Galdós
Cercanos.

Mi respetado y distinguido amigo

Hace ya tiempo que escribí esas líneas sobre usted y no quería enviárselas porque no había llegado que valieran la pena. Sin embargo y como parece ha—

cerme dure en la ten-
tación, recibo ese re-
corte de un diario de
Cuba que reproduce
mi artículo y se lo
mando, pidiéndole
indulgencia en gra-
cia del espíritu afec-
tuoso y sincero conque
ha sido escrito

Sabe cuanto lo
admira y quiere

Amado Nervo

(1).

Junio/3/1906

Sr. D. Benito Pérez Galdós.

Muy distinguido y admirado y maestro:

Le devuelvo el libro de *Doña Juana,* con mucho agradecimiento, pues me ha proporcionado horas de gran deleite (2).

Después de esta lectura no queda más recurso, ni hay otro remedio que ir a Tordesillas y lo haré cuanto antes. Será esta una devota peregrinación.

En mi vida había visto un libro más amplia y sabrosamente documentado. Toda la época surge con un relieve admirable.

Leí en *El Imparcial* (3) que no era remoto que escribiera usted algo sobre la Vieja Castilla (4).

Ojalá que sea cierto: ganaríamos mucho todos los que amamos estos incomparables recuerdos.

Sabe cuanto lo admira y quiere su amigo,

A. NERVO

---

(1)   Hay un membrete formado con las iniciales A y N del nombre del poeta, superpuesta la primera sobre la segunda.

(2)   Se refiere, sin duda, a la obra de Antonio Rodríguez Villa, titulada *La reina doña Juana la Loca,* Madrid, 1892, que Berkowitz cita en su Biblioteca de Galdós, pág. 88. Más tarde serviría de fuente a su obra teatral, *Santa Juana de Castilla* (1918).

(3)   Uno de los diarios más importantes de España de la época de Galdós, fundado por Eduardo Gasset en 1865.

(4)   Ese trabajo nunca fue escrito, y sus ideas se condensaron en las postrimerías de la vida de Galdós, en la obra más arriba citada.

II

S/c. Bailén, 15

Nov, 5/1906.

Sr. D. Benito Pérez Galdós.

Areneros.

Mi respetado y distinguido amigo:

Hace ya tiempo que escribí esas líneas sobre usted y no quería enviárselas porque no hallaba que valieran la pena. Sin embargo y como para hacerme caer en la tentación, recibo ese recorte de un diario de Cuba que reproduce mi artículo (5) y se lo mando, pidiéndole indulgencia en gracia al espíritu afectuoso y sincero con que ha sido escrito.

Sabe cuanto lo admira y quiere,

AMADO NERVO

---

(5)   Este recorte se conserva en el archivo de Galdós.

III

AMADO NERVO
b. l. m.

al muy querido y venerado maestro don Benito Pérez Galdós y tiene el gusto de acompañarle un ejemplar del *Epitalamio* (6) que en muy solemne ocasión compuse en homenaje a España en la persona de su Rey y que ha reimpreso para obsequiarlo a sus más distinguidos amigos.

Le reitera su más alta consideración (7).

S/c. Bailén, 15.

Madrid, 31 de mayo de 1915.

---

(6) En el archivo de Galdós se conserva un ejemplar de esta obrita, compuesta en pareados alejandrinos, que fue leída por su autor en el Ateneo de Madrid el 28 de abril de 1906, para celebrar las bodas reales.

(7) En la misma carta, el secretario de don Benito, Verde, ha dejado un borrador con la contestación, cuyo texto es el siguiente: "Muy apreciado amigo: Recibo su atento B. L. M. en unión del Epitalamio que usted ha dedicado al rey. Es una bella página de poesía que me ha deleitado extraordinariamente, como todo lo que usted escribe. Siempre de s. atento y aftmo. amigo q. e. s. .m."

CARTAS DE GOMEZ CARRILLO

Aunque estas tres cartas son, en realidad, meras peticiones de colaboración y solicitud editoriales, hoy no dejan de tener interés para el conocimiento del mundo literario de fin de siglo. En ellas se alude lo mismo al escritor canario Elías Zerolo o al publicista francés doctor Paz, hoy olvidados, que a los célebres escritores Marcel Prévost y Máximo Gorky, muy representativos de su época, aunque por causas bien diferentes; uno, por la moda de todo lo parisino y sensual, y otro, por la propaganda de las ideas socialistas y la popularidad de la novela rusa. El enfoque demasiado cercano de la literatura de su época no permitía ver al corresponsal de Galdós, que, en *Misericordia,* además de una estampa realista y una visión desgarrada de la picaresca madrileña de los años de le Regencia, había más fuerza humana y revolucionaria que en los vagabundos de Gorky.

Enrique Gómez Carrillo (1873-1927), el escritor guatemalteco algo español y mucho francés, en la sangre y en el gusto, alcanzó, a fuerza de trabajo y a golpes de pluma, las columnas de los grandes diarios de América y España. Tiene un vida genial, vertiginosa y exótica, muy "fin de siècle". De su obra ha quedado poco: reportajes, crónicas de espíritu galo y frase hispana, relatos de viajes por el Japón, "heroico y galante", por "la Grecia eterna" y la "Rusia actual". (Sus obras están editadas en 26 volú-

menes en Ediciones Mundo Latino, entre 1923 y 1926.)
Escribe también novelas, pero, como son muy flojas, pide
protección, por medio de prólogos, a Clarín, a Blasco
Ibáñez, a Galdós y algunos se la otorgan, aunque diciéndole, entre líneas o claramente, la verdad, como él mismo
confiesa en una de estas cartas.

Pío Baroja le dedica un recuerdo en sus *Memorias,* donde evoca un grotesco desafío con él, a causa de ciertas
declaraciones del escritor vasco, tan contrario a la retórica funambulesca de los modernistas hispano-galo-parlantes. En cambio, Rubén Darío, que había sido coronado
en una fiesta parisina príncipe de los poetas por el mismo
Gómez Carrillo, le llama profundo español y superficial
francés.

S. N.

LA FAMILIA
Edición Española de
"LA FAMILLE"
Literatura y Modas   París, 30 de enero 1893.
PARÍS
Dirección

Querido y respetado maestro:

En unión de don Elías Zerolo (1) estoy publicando una
Antología de Cuentistas Modernos (2). El primer tomo
—dedicado a los franceses—aparecerá en breve, por lo
cual empezamos ya a preparar el segundo que debe contener unos 20 cuentos "de los mejores autores españoles"—Usted es el primero de todos, señor y sin una
página suya todo florilegio estará incompleto—; por eso,
me atrevo a suplicarle nos autorice a incluir en nuestra
obra uno de los cuentos que usted puso al final de *Torquemada* (3).

(1) Escritor y político liberal nacido en Canarias (1848) y
muerto en París en 1900. Fue director de la casa Garnier, y entre
sus obras tenemos: *Campoamor y la crítica* (1897), *Noticia biográfica de Berthelot, hijo adoptivo de Santa Cruz de Tenerife* (1881)
y otras.
(2) De esta Antología se publicaron dos tomos; uno titulado
"Cuentos escogidos de los mejores autores españoles", y otro,
"Cuentos escogidos de los mejores autores franceses", París, 1893,
el mismo año de esta carta.
(3) Por la edición de *Torquemada en la hoguera* de 1920—que
debe ser reproducción de la de 1889—vemos que los cuentos inclui-
dos en ella son: "El artículo de fondo", "La mula y el buey", "La
pluma en el viento", "La conjuración de las palabras", "Un tribunal literario", "La princesa y el granuja" y "Junio".

Dándole de antemano las gracias por su respuesta, aprovecho la ocasión para felicitarlo, en nombre de toda la Colonia Española en París, por su último triunfo teatral (4).

Enrique Gómez Carrillo.

56, Rue Monsieur le Prince.

II

Mi muy querido maestro,

Le supongo a usted en Madrid, dirigiendo los ensayos y corrigiendo las pruebas de otra cosa, y allá le envío mis votos por su dicha en este año que empieza (5). Crea usted que son muy ardientes y sinceros.

Por aquí cada día se habla más de usted. He repartido, entre gente que puede ser útil, tres ejemplares de *Misericordia* (6). A todos les parece una obra maestra, sólo comparable a las mejores novelas de Gorky (7). ¿Conoce usted a este ruso? Es maravilloso. Pero no le lea usted en las traducciones de Barcelona que son atroces. En francés están mejor. Creo que será para usted la revelación de una fraternidad artística.

Le ruego me encamine la adjunta carta, pues yo ignoro

(4) Se refiere a *La loca de la casa,* estrenada en el teatro de la Comedia, de Madrid, el 16 de enero de 1893, por la compañía de Emilio Mario y María Guerrero.

(5) No podemos señalar la fecha aproximada de esta carta, que puede estar escrita entre 1897 y 1900.

(6) Esta novela, publicada en 1897, representa una de las obras más espirituales y humanas de Galdós.

(7) Máximo Gorky (1868-1937), seudónimo del novelista ruso Alejo Maximovitch, cuyos primeros cuentos se publicaron en 1892. Según Berkowitz, en la biblioteca de Galdós sólo se conservaba una obra de este autor, *En América,* poco significativa.

adónde debe escribirse a D. José María Pereda y me urge tener un cuento suyo para la Antología aquella.

Mil gracias y crea que le quiere y admira de veras su muy suyo,

E. Gómez Carrillo

III

Mi muy querido maestro

El Dr. Paz está veraneando. En cuanto vuelva le comunicaré la carta de usted.

Por ahora me concreto a repetir a usted que el Dr. Paz (8) me dijo que todas las crónicas de usted se le contarían lo mismo que a Marcel Prevost (9), 300 francos (francos y no pesetas) y que deseaba la colaboración *eterna* de usted.

Ahora, maestro, voy a pedir a usted un favor. La casa Bouret está publicando una edición lujosa de tres novelitas mías que usted no conoce: *Bohemia Sentimental, Del amor, del dolor y del vicio* y *Maravillas* (10).

Deseo que usted honre la primera de estas obras con

(8) Se refiere al profesor y publicista francés doctor Eugenio Paz (1837-1901), que realizó una campaña para la curación de las enfermedades nerviosas por medio de la gimnasia y la hidroterapia. Colaboró en el *Journal de Paris,* en el *National,* etc.

(9) Novelista y autor dramático francés (1862-1941), cuyas obras, *Le Scorpion, Les Demi-Vierges* y otras, le dieron gran popularidad a principios de siglo y el ingreso en la Academia.

(10) Las primeras ediciones de estas novelas se hicieron en Madrid en los años 1899, 1898 y 1899, respectivamente.

un prólogo. Para la segunda Rubén Darío ha escrito uno; y para la tercera Blasco Ibáñez.

Envío a usted certificada mi *Bohemia Sentimental.*

Soy siempre su más ardiente admirador.

E. Gómez Carrillo

Bohemia está llena de erratas de imprenta: nombres cambiados, palabras repetidas, etc. En la edición Bouret irá todo eso corregido.

Usted puede hablar con toda franqueza. *Clarín* me puso un prólogo en el cual me atacaba fuertemente y creyó que yo no lo publicaría. Sí lo publiqué y se lo agradecí en el alma.

Bohemia va a publicarse traducida al francés en el folletín de *Gil Blas* (11) donde ya se publicaron mis *Maravillas.* Si usted me lo permite, haré traducir también su prólogo.

---

(11) No sabemos si llegó a publicarse la traducción francesa de la *Bohemia* con el prólogo de Galdós, en esa revista, pero sí que éste recibió su edición castellana, ya que figura en la biblioteca del novelista, catalogada por Berkowitz. Sin embargo, Galdós prologó las crónicas de Gómez Carrillo tituladas *Campos de Ruinas* y *Campos de Batallas,* publicadas en 1916.

CARTAS DE EDUARDO GOMEZ
DE BAQUERO

Entre la crítica literaria de principios de siglo, bien conocido es el seudónimo de *Andrenio,* que llena las revistas y los periódicos de la época con sus comentarios, semblanzas y juicios críticos, como sus famosas *Crónicas literarias,* publicadas en *La España Moderna* desde 1890. A una de estas se hace referencia en una de las cartas dirigidas a Galdós. Pero además escribió profundos ensayos sobre *Literatura y periodismo, Nacionalismo e hispanismo* o estudios sobre algunos períodos literarios, como el que va *De Gallardo a Unamuno.* Fijó especialmente la atención en el género literario de más exito en la época moderna, y así surgieron sus obras: *Novelas y novelistas, El renacimiento de la novela en el siglo XIX,* en las que tiene, naturalmente, una gran importancia la obra de su amigo y maestro don Benito Pérez Galdós.

Estas cartas, aunque breves, nos indican momentos de actividad del gran crítico, colaborador de *La Epoca* y de *La España moderna,* y también del maestro Galdós, como, por ejemplo, la consulta que éste hacía de una colección de periódicos, sin duda, en busca de información para la composición de algunos de sus *Episodios* de la cuarta serie, cuyos volúmenes está publicando por estas fechas.

S. N.

I

LA EPOCA (1)
  Libertad, 18
  MADRID

13 de enero

Sr. D. Benito Pérez Galdós.

Maestro y amigo: Mucho le agradezco a usted su afectuosa carta.

Disponga usted siempre de su amigo y admirador.

E. Gómez de Baquero

II

Eduardo Gómez de Baquero
  Villanueva, 43
  MADRID

27 Abril

Sr. D. Benito Pérez Galdós.

Ilustre amigo: Si ha despachado usted el tomo de la Colección de La Epoca (1) que se llevó su dependiente, le agradecería que nos lo remitiera, pues hay necesidad de sacar algunos datos cuya busca reviste cierta urgencia.

Suyo, afmo. amigo, q. b. s. m.,

E. Gómez de Baquero

---

(1) Prestigioso diario madrileño fundado en 1852, interrumpido y vuelto a editar entre 1886 y 1923.

III

EDUARDO GÓMEZ DE BAQUERO
Villanueva, 43
MADRID

12 junio

Sr. D. Benito Pérez Galdós.

Ilustre amigo: En este número de *La España Moderna* (2) le he dedicado mi crónica a *Alma y Vida* (3). Como yo la he escrito un poco para usted sentiría que no la leyera. De ahí este envío.

Su admirador devoto,

E. GÓMEZ DE BAQUERO

IV

Libertad, 16

Madrid, 5 Septiembre 1913.

Sr. D. Benito Pérez Galdós.

Mi ilustre amigo: Mil perdones le pido por distraerle unos instantes en esta época de descanso y también por valerme de la comunicación epistolar en asunto que es más propio para tratado de palabra.

---

(2) Importante revista de esta época, dirigida por don José Lázaro que se publicó entre 1889 y 1914; donde Gómez de Baquero, bajo el seudónimo de *Andrenio,* publicaba sus "Crónicas literarias" a las que se refiere la carta.

(3) Obra dramática de Galdós estrenada en el teatro Español el 9 de abril de 1902.

Es el caso que trato de ver si puedo presentar mi candidatura a la vacante que ha dejado en la Academia Española don Andrés Mellado (4). Mi atrevimiento al abrigar esta ambición, es grande; cortos mis méritos. Con todo, fiándolo a su benevolencia, me atrevo a solicitar su apoyo (5).

Y para no cansarle más hasta que tenga el gusto de verle en Madrid me despido, quedando como siempre suyo amigo y admirador q. l. b. l. m.

E. Gómez de Baquero

---

(4) Nació y murió en Madrid (1846-1913) este prestigioso periodista y político, que fue diputado liberal a Cortes y alcalde de la capital.

(5) Aunque no consiguió el sillón académico en este año de 1913, sí lo obtuvo en 1925.

CARTAS DE GRANDMONTAGNE

Aunque las cartas aquí contenidas son pocas, nos dan muestras suficientes para revelarnos noticias sobre el menester crítico de Grandmontagne en la prensa de Buenos Aires y de Madrid, y también sobre sus actividades como creador literario, como la que nos ofrece en la carta III, con el drama titulado *El Avión,* de sorprendente novedad léxica para su época. En ella expone ideas sobre el antagonismo del tradicionalismo y el industrialismo moderno, o sobre la separación de la Iglesia y el Estado; ideas que proceden, en gran parte, de las expuestas por Galdós en algunas de sus novelas y en sus dramas de tesis. Finalmente, en una tarjeta, donde le comunica a Galdós su próximo casamiento a los pies del Cristo de Lezo, tradicional y vasco, que es ser doble tradicionalista, podría desorientarnos. Mas sus conclusiones sobre la moral cristiana le emparenta con su paisano Maeztu en la época de su nietzscheanismo españolizado.

Creemos que no será enteramente inútil la lectura de estas cartas para el que quiera ahondar en las relaciones entre el paradójico y olvidado escritor vasco-argentino y nuestro gran novelista, que, con las de otros escritores contemporáneos, marcan un importante eslabón en la historia de la ideología de la España moderna.

A pesar de haberse cumplido recientemente el primer centenario del nacimiento de Francisco Grandmontagne, nacido en el pueblecito de Barbadillo de los Herreros (Burgos) en 1866 y muerto en San Sebastián en 1936, casi nadie se ha ocupado de este interesante escritor, paralelo—en vida y en ideas—a los grandes escritores del 98. Su espíritu crítico, sus ideas sociales, su acentuado amor a lo hispánico, tienen bastante de Unamuno y de Galdós. Acaso por su larga estancia en Argentina, y por sus más conocidas novelas, *Teodoro Foronda* (1896) y *La Maldonada,* que plantean temas americanos, en España ha sido olvidado, y la crítica hispanoamericana no lo toma en cuenta por su origen vasco-español, como ocurre en la obra de Luis Alberto Sánchez sobre el *Proceso y contenido de la novela hispanoamericana* (1953), aunque sí, como autor local, lo recoge Germán García en su estudio sobre *La novela argentina* (1952).

S. N.

I

(Tarjeta)

Francisco Grandmontagne

Saluda efusivamente al gran patriota y artista inmenso, D. Benito Pérez Galdós, y le felicita con toda su alma por los fines de su *Electra:* al mismo tiempo le envía por este mismo correo un número de *El Siglo XX,* donde, como redactor, le ha tocado el humor de tratar el tema palpitante, habiéndolo hecho a vuela pluma, pecador reincidente, pues ya en *El País,* con motivo de la presentación de *Los Ayacuchos* (1), le tocó tratar con igual ligereza al novelista que ahora al dramaturgo. Pídele por todo perdón, habida cuenta de lo precipitado que se hace todo en los diarios, y mucho más en América, donde se consume mucha vida en pocos momentos; agregando, además, a lo limitado del espacio, lo más limitado aún del pensamiento de este su admirador y ss.

Bnos. As. Febrero 10/901.

S/c. Avenida de Mayo, 781.

---

(1) Penúltimo *Episodio* de la tercera serie, publicado en 1900.

FRANCISCO GRANDMONTAGNE

Buenos Aires, octubre 20/901.

Sr. D. B. Pérez Galdós.
Madrid.

Mi respetable amigo y muy querido maestro: recibí su cariñosa carta del 15 de Mayo, y celebro que mi pobre artículo sobre su labor teatral fuera de su agrado (2). Su acción en el moderno teatro español me interesa muchísimo, pues veo el espíritu de innovación que le anima y lo mucho que le cuesta a Vd. sacar los ojos espirituales de los españoles de los cánones consagrados, en ese nuestro muy amado país donde todo se vuelven cánones. Quiere Vd. mucho de un golpe al pretender proscribir de la escena las carreras y los encontronazos, los toros, en una palabra.—De su teatro de Vd. sólo nos ha dado la Guerrero este año *La de San Quintín* (3), que aquí gusta mucho por las interioridades que tiene. Es una farsa (?) original y muy bella de la idea socialista. La Guerrero la representa muy bien; es quizá uno de sus mejores papeles, pues lo que interpreta con más feliz acierto son los caracteres exentos de violencia. En un estudio sobre ella he dicho que es la actriz de la ternura, del cariño y del regocijo: en la cuerda dramática hace muy bien la congoja. Ha sido muy buena su última campaña aquí, gran abono y muchos aplausos. Hay verdadera simpatía por ellos aquí, donde tan pocas simpatías tiene lo espa-

---

(2) Se refiere a un trabajo de Grandmontagne titulado *Galdós dramaturgo*, publicado en el núm. 4 de la revista *Electra* de Madrid, el día 6 de abril de 1901.

(3) Esta obra la estrenó la misma actriz en el teatro de la Comedia de Madrid, el 27 de abril de 1894.

ñol. Y es que Díaz de Mendoza además de un actor y un director excelente, es hombre de gran talento social y ha sabido manejar su empresa admirablemente. Dada la horrible crisis económica porque atraviesa este país, no cabe mayor éxito.

En el n.º de Septiembre de *Nuestro Tiempo* (4) habrá visto Vd. un estudio mío sobre la decadencia del espíritu español en América y la guerra que aquí se hace a toda procedencia moral española. Como todo cuanto sobre esto pudiera decirle aquí ahora, lo digo allí, me atrevo a suplicarle lo lea si es que no lo ha leído, pues conviene esté Vd. en antecedentes sobre este fenómeno por si, como he visto anunciado varias veces se le ocurre hacernos una visita.— De su *Electra* se han hecho aquí algunas ediciones que a Vd. no le habrán producido nada. Me permito hacerle la siguiente indicación para el porvenir. Cuando escriba Vd. alguna obra que por su carácter agitador se preste a un negocio de librería, debe Vd., antes de editarla en España, venderla a un editor de Buenos As., con contrato legalizado, localizando así la propiedad, con lo cual se hace respetable el derecho del editor aquí. Es la manera de burlar la falta de tratado literario. Sobre esto hay sentada jurisprudencia en casos presentados por el diario *La Nación* (5), con algunas reproducciones de novelas francesas. Cualquier informe que necesite sobre estos asuntos, puede mandarme con toda franqueza.

La vida literaria es aquí pobrísima, y además sin orientación de ningún género. Esta sociedad bonaerense, mixtiforme y deforme, no ofrece las grandes líneas definidas de

(4) Prestigiosa revista fundada en 1901 por el portorriqueño Salvador Canals, donde colaboraron los escritores españoles e hispanoamericanos más importantes de la época.

(5) Conocido diario de la mañana de Buenos Aires, que comenzó a publicarse en 1870 hasta la actualidad, y donde han colaborado los más importantes escritores de España y de Hispanoamérica.

los pueblos hechos, por lo cual, al querer hacer sobre ella una psicología literaria, es como pretender levantar una estatua sobre un monumento de gelatina. Por otra parte la vida económica lo absorbe todo. Por todo esto y otras muchas causas, la vida literaria casi no existe.

Le remito el n.º de *El País* en que escribí el artículo de presentación de *Los Ayacuchos*. Es un trabajo ligero, indigno de su obra novelesca; pero el tiempo y el espacio no daban para más, ni quizá, aunque lo dieran, fuera yo capaz de cosa mejor. En fin, ahí va, para satisfacción de su curiosidad. Le mando también un pequeño libro que acabo de publicar, tres estudios de sociología popular (6).

Ahora estoy engolfado en un drama, *El Avión* (7), que representará el año próximo Díaz de Mendoza. Me propongo meter en él la decadencia de España, algo entre simbólico y realista. Allá veremos lo que sale. Estoy contento de mi plan y trabajo en la obra con ahínco.

Mándeme cuanto guste. Y consérvese bueno y fuerte para que siga trabajando por esa España cuya generación única está en los volúmenes que Vd. ha consagrado a orientarla en el sentido real de la vida. Le quiere tanto como le admira su amigo y ss.

FRANCISCO GRANDMONTAGNE

S/c. Avenida de Mayo, 781.

---

(6) Acaso se refiera a sus ensayos titulados "Vivos, tilingos y locos lindos".

(7) No hemos podido averiguar si llegó a estrenarse esta obra.

III

Francisco Grandmontagne

Buenos As. Junio 12/902.

Sr. D. B. Pérez Galdós.
Madrid.

Mi respetable amigo y querido maestro:

Por conducto del portador, mi muy querido amigo Braulio Echevarría, a quien tengo el gusto de presentarle, envíole mi más afectuoso saludo.—Hace tiempo le envié el n.º de *El País,* en que hice la presentación de *Los Ayacuchos,* número que Vd. me pedía en su carta. Juntamente le remití un librito conteniendo tres estudios de sociología popular americana. No sé si lo habrá Vd. recibido.

La compañía de la María me anunció la representación de *Alma y Vida* (8) (traducción de Napoli-Vita), pero no se ha representado aún. Quizá la representen a su vuelta de las provincias y Montevideo. Me interesan muchísimo sus esfuerzos innovadores en teatro y creo firmemente en que logrará usted sacudir las telarañas de la casa de Calderón.

Mi amigo es portador de un drama mío *El Avión* para la Compañía de Díaz de Mendoza. Allá veremos lo que sale; digo en él algunas verdades de grueso calibre que no sé cómo caerán ahí. Mi obra quiere sintetizar la lucha entre el catolicismo militante español (militante en política) y la revolución económica del mundo y, especialmente, del Norte de España. En suma: el carlista frente a la transformación de la industria vascongada, o sea el paso de la ferrería antigua a la fábrica. Combato el descendimiento de la Igle-

---

(8) Fue estrenada esta obra de Galdós el día 9 de abril de 1902, en el Teatro Español, por la compañía de Matilde Moreno.

sia a la política, con lo cual sale perdiendo la política y la Iglesia, el orden social y la paz del país, que buena falta le hace para poder orientarse en alguna forma. La Iglesia española no cobrará prestigio y augusto respeto mientras no se aleje de las luchas políticas, en las cuales, según veo, no hay hombre eminente que se gaste y desprestigie en seguida. El español es étnicamente, anárquico, o guerrillero, que es igual; de aquí que no pueda resistir ninguna clase de jefatura duradera. En tal sentido mi obra ataca, o quiere atacar, muchas cosas que me parecen funestísimas en España. Estas cosas las he visto con ojos de extranjero, pues salí muy niño de mi país. El sentido íntimo de la obra se funda, por lo tanto, en el espíritu histórico y en mi observación del pensamiento español seguido a la distancia en sus manifestaciones filosóficas y literarias. Más que *El Avión,* debía titularse mi obra *El Avión en el suelo,* pero me ha parecido largo. Ya sabe Vd. que el avión es una máquina de volar; cuando por cualquier accidente cae a la tierra es pájaro muerto que no puede levantarse. El símbolo de toda la obra consiste en esto, en que las evoluciones industriales y económicas le han obligado a descender a la tierra, a la realidad. ¿Se levantará? ¿Podrá buscar altura para orientarse de nuevo? No se imagina Vd. cuánto he pensado en esto. En la técnica me he sometido, aunque de mala gana, a los cánones teatrales. Si logro conquistar auditorio, seré luego más personal. Usted va preparando los oídos del público, y haciendo espíritu, labor alta que hemos de amar mucho los que venimos detrás.

Manténgase bueno y fuerte, trabaje menos; y mande cuanto guste a su joven amigo que tanto le quiere y admira.

Franco. Grandmontagne

IV

B981185
(Escudo de España)

TARJETA POSTAL
Unión Universal de Correos
(Carte postale. Union Postale Universale)

E s p a ñ a
(Sello y matasello: 10-Nbre.-905)

A Don Benito Pérez Galdós.
Madrid.

(Reverso)

Querido maestro: mañana me caso; no tengo parientes físicos a quienes comunicárselo, y aunque los tuviera, siempre estaría en primer término Vd. mi padre espiritual. Ya he hallado, mi querido D. Benito, los hilos del arraigo definitivo. Ya no seré un alga marina, sino un roble con sus raíces aprisionadas en la terraza de las rocas vascas.

Me caso a los pies del Cristo de Lezo (9), un cristo de hierro, sacado de las bodegas de un bergantín náufrago. Amo a este Cristo, porque el haber naufragado por andar metido en las aventuras de la navegación, vale más que el haber sido sacrificado por defender los instintos inferiores del hombre que dieron por resultado la moral cristiana. Un cristo víctima de las olas me parece más grande que el vencido por el sentido de la vida romana.

Me voy a Niza, Montecarlo e Italia. Volveré por París. Ya sabe cuánto le quiere y cuánto le admira quien le desea una felicidad constante y una salud eterna.

GRANDMONTAGNE

S. Sebastián, 8/905 Nobre.

---

(9) Pequeño pueblo de la provincia de Guipúzcoa, donde se venera una milagrosa imagen de Cristo.

CARTAS DE JOAQUIN COSTA

Este gran político, jurista, historiador y sociólogo español vivió en esa época crucial de la crisis de la España tradicional a la España del siglo XX, y es rigurosamente contemporáneo de Galdós, pues nace en 1844 y muere en 1911. Estudia la carrera de Derecho, como éste, pero se dedica a la enseñanza, aunque no obtiene cátedra y es uno de los mejores colaboradores de Giner de los Ríos en la Institución Libre de la Enseñanza. Su idea era hacer una España europeizada, pero basada en la tradición nacional, resolver los problemas modernos, como los hubieran resuelto ahora El Cid o los Reyes Católicos; pero no volver atrás, a lo que ellos crearon para otros tiempos y otros problemas. El desastre del 98 le hace reaccionar con energía y propone un plan de regeneración de la patria, basándose en los siguientes postulados: despensa, escuela y política hidráulica. En la asamblea federal agrícola de 1899 se declara republicano abiertamente, pero, viendo las egoístas miras de los elementos directores, se retira a su pueblo de Graus en 1903 y lanza un anatema contra los que contribuían al empobrecimiento de la nación. Aunque fue nombrado diputado por Madrid y Zaragoza, se negó a tomar asiento en el Congreso, pues todavía creía que sus ideales podrían lograrse por medio de la revolución. Sólo volvería a la capital a informar contra una ley impuesta por Maura, pero en 1907 abandonó toda actividad política. De este momento son las cartas que ofrecemos aquí, sin contar con las tres editadas por Soledad Ortega en *Cartas a Galdós* (págs. 417 a 419), que fueron escritas entre 1901-1902. En la segunda de ellas, vemos una desolada declaración del gran tribuno que ratifica con un recorte de un periódico local, donde hace un resumen de sus actividades y afirma su determinación de retirarse de toda acción: "Yo hice ya mi tiempo —dice—soy un fracasado, me resigno a esa condición y no hay que acordarse más del santo de mi nombre."

Tienen también interés estas cartas por lo que se refiere al carácter bondadoso de Galdós y por su actitud en su petición de consejo a Costa para estrenar su acta de diputado republicano. Acaso el pesimismo de su amigo pudo influir en el ánimo de don Benito, pues ya sabemos que se ocupó muy poco de su cargo de diputado y se desilusionó muy pronto de toda política activa.

S. N.

Graus 29 Junio 1907.

Sr. D. Benito Perez Galdós

Mi ilustre querido amigo: Recibo su juicio
detallado y razonado, modelo de crítica y de lenguaje,
sobre Vado difícil. De esas entran pocas en libra;
y puede sentirse orgulloso y satisfecho de tan sustanciosa
lección Sr. Rebolar, á quien la traslado. ¿Cómo le
expresaría á V. adecuadamente mi agradecimiento?

Ni el ingreso de un prestigio como el
de V. en el republicanismo, pudo revivirlo; tan
muerto estaba. ¿Ha visto V. qué funerales tan
cochinos acaban de hacerle?

Su adicto obligado amigo y fervoroso admir.
q. b. s. m.

Joaq. Costa

Madrid, 3 febrero 1907.

Sr. D. Benito Pérez Galdós

Ilustre maestro y querido amigo: Agradezco muy rendidamente la bondadosa acogida que dispensó a mi recomendado D. Hipólito Gz. Rebollar (1) y haberle autorizado para remitirle su drama *Vado difícil*.

Si, no obstante las abrumadoras atenciones que reclaman todo su tiempo, pudiese usted leer dicha obra (que va adjunta, en galeradas impresas para hacer más fácil y breve el trabajo) yo se lo agradecería mucho: ya le dije que tengo por ella más interés que si yo mismo la hubiese compuesto, y el autor lo merece todo.

Y si, caso de encontrarla digna de su recomendación y apoyo, quisiera usted hablar con toda eficacia al Sr. Mendoza (2) o a Thuillier (3), colmaría mi afán.

Mendoza leyó ya el drama, y por indicación suya ha introducido el autor un cambio en cierta escena. Thuillier lo ha tenido también, o lo tiene, manuscrito; pero no sé si lo ha leído.

(1) Desconocido autor dramático que, a pesar de sus cartas de recomendación, nunca salió de la oscuridad.
(2) Fernando Díaz de Mendoza, de familia noble, su gran vocación le llevó al teatro, donde conoció a la gran actriz María Guerrero, con la que casó en 1896, formando una compañía dramática que contribuyó poderosamente al renacimiento del arte teatral en España y en América española en aquella época. Representó con gran éxito a Echegaray, Guimerá, Galdós y Benavente.
(3) Emilio Thuillier, natural de Málaga, uno de los más famosos actores de la época. Interpretó obras dramáticas de autores españoles y extranjeros, entre ellas las discutidas obras de *Galdós, Realidad, La de San Quintín* y *Alma y vida*.

Si tuviese usted que decirme u ordenarme algo, podría escribirme al Ateneo.

Anticipo a usted las gracias más cumplidas por el favor que espero de su buena amistad cuando quepa dentro de su presupuesto de tiempo; y me repito suyo adicto cordial amigo y admirador,

Joaquín Costa

II

Graus 17 Junio 1907.

Sr. D. Benito Pérez Galdós.

Ilustre maestro y querido amigo: A persona como usted que tiene por situación y posición tanto y tanto que hacer, hay que agradecer doble y múltiplemente el que haya emprendido la ingrata labor de leer *Vado difícil* y tomar apuntes en obsequio a mí sin compensación. No sé cómo expresar a usted mi agradecimiento y adelantarme al de Rebollar por el ímprobo trabajo que se ha tomado, por el que todavía piensa tomarse y me anuncia, y por la recomendación que se propone hacer de la obra a Mendoza y Thuillier después de vacaciones.

Quisiera poder corresponderle de otro modo que con la voluntad.

Ya vi que su Madrid le llevaba a donde pudiera presenciar desde dentro del enchufe de sus *Episodios Nacionales* con los *Episodios Internacionales* del Estado oficial. Felicito a usted por lo que la jornada electoral tiene de sanción (4).

---

(4) Se refiere al acta de diputado a Cortes por Madrid que don Benito obtuvo, en su candidatura republicana, por gran mayoría de votos, en las elecciones de 1907.

Me pide usted rumbos, como se los pedí yo a usted, salvo que justificadamente, en otra ocasión. Por desgracia, no tengo ninguno, fuera del que no puede decirse y que no es, ¡ay!, la revolución. Porque también ésta ha quedado en agua pasada. Se acabó el caudal de la fe, que es acabarse todo. Si puede usted pasar la vista al recorte adjunto (5) verá cómo siento en punto a la situación actual, irremediable: oigo ya a España expirante, exclamando desde su cruz: *Consummatum est!*

Envidiables los todavía creyentes: yo gasté, o me quitaron, todo el calor, y no puedo dar sino jarros de agua fría.

Una vez más a su devoción y servicio adicto, obligado amigo que le venera, respeta y quiere,

JOAQUÍN COSTA

III

Graus, 29 Junio 1907.

Sr. D. Benito Pérez Galdós.

Mi ilustre querido amigo: Recibo su juicio detallado y razonado, modelo de crítica y de lengua, sobre *Vado difícil.* De esas entran pocas en libra; y puede sentirse orgulloso y satisfecho de tan sustanciosa lección, señor Rebollar (sic), a quien la traslado. ¿Cómo le expresaría a usted adecuadamente mi agradecimiento?

Ni el ingreso de un prestigio como el de usted en el republicanismo pudo revivirlo; tan muerto estaba. ¿Ha vis-

---

(5) Por el texto de este recorte, que se conserva en el archivo de Galdós, se deduce que corresponde a unas declaraciones de Costa aparecidas en el periódico de Graus, *El Ribagorzano,* el día 12 de junio de 1907.

to usted qué funerales tan cochinos acaban de hacerle? (6).

Su adicto, obligado amigo y fervoroso admirador
q. b. s. m.,

JOAQUÍN COSTA

IV

Graus 19 de enero de 1908.

Señor don Benito Pérez Galdós.

Queridísimo ilustre amigo: Después de hacerme el gran favor este año último de leer el drama *Vado difícil,* de mi amigo don Hipólito González Rebollar, juzgándolo representable, llevó su bondad al extremo de ofrecerle hablar de él al Sr. Díaz de Mendoza a su regreso de América, si yo lo deseaba.

Lo deseo más que si yo mismo fuese autor del drama. No puede figurarse cuánto se lo agradecería á usted.

Su voluntad bien la sé; pero me pongo por delante la dificultad, tratándose de un hombre con dos obras en telar (7), y, por añadidura, enfermo de esa feroz y absorbente grippe (sic) de los bronquios, según leo en los periódicos. Por esto digo: si buenamente puede usted sin hacer un esfuerzo heroico de atención o de memoria.

---

(6) Seguramente Costa alude aquí a la unión de los partidos liberales con el partido republicano, en un esfuerzo común para derrotar a los conservadores dirigidos por Maura.

(7) Acaso se refiera al primer volumen de la serie final de los *Episodios,* que comenzaba por esta época, y también a su novela *El caballero encantado.*

281

Que sepamos pronto su restablecimento, y créame su siempre obligado y adicto admirador y amigo.

JOAQUÍN COSTA

Por si acaso, al mismo tiempo que esta carta, recibirá usted otro ejemplar del drama.

V

Madrid, 28 Enero 1910 (8)

Señor don Benito Pérez Galdós.

Ilustre maestro y amigo del alma: Recibí su *Caballero encantado* (9), exornado y avalorado con tan pródiga y golosa dedicatoria; leí en seguida, de primera intención, 36 páginas de la admirable obra; comprendí que no podía leerla toda ni formar juicio mientras no regresara yo a Aragón; y he tenido que dejarlo para entonces. A mediados de semana pienso llegar a Graus, y será el primer libro que despache de los que están pendientes de lectura. Aquí en Madrid no me queda resistencia, (a) tiempo, para leer libros, después de escribir las cartas y recibir las visitas...

Mil gracias por haberse acordado de mí y obsequiándome con tan primorosa hipérbole y autógrafo. Y me reitero a su devoción adicto y constante amigo y criado que besa su mano,

JOAQUÍN COSTA

---

(8) En el manuscrito el rabo del 0 es tan largo que parece señalar el año 1916, pero ya se sabe que Costa murió el 8 de septiembre de 1911.

(9) Novela simbólica y social que su autor subtituló *Cuento real... inverosímil,* publicado en 1909.

CARTAS DE MANUEL TOLOSA LATOUR

Ya hemos observado antes la importancia literaria y biográfica de las cartas escritas por Galdós, así como las que se escribieron al novelista. Acometida inicialmente por el Museo Canario la edición de estas últimas—cuyos originales se encuentran en la Casa-Museo de Galdós en Las Palmas—, así lo anunciamos en la publicación de unas pocas cartas de Tolosa-Latour en la revista *Insula* (octubre de 1961), y luego también en la edición de una treintena del mismo autor en la *Revista del Museo* (números 77-84, años 1961-62). Ahora damos, por primera vez, el epistolario completo del médico y amigo del gran novelista. Se trata de una colección de sesenta y seis cartas, que van desde 1883 a 1904.

Tolosa Latour nace en Madrid el 8 de agosto de 1857. Desde niño sobresale por su aplicación y talento, a tal punto que al estudiar Medicina llega a ser el alumno preferido y luego ayudante y colaborador del gran cirujano Martínez Molina. Su brillante tesis doctoral—*Base científica a que debe ajustarse la educación física, moral y sentimental de los niños*—aparece en la *Revista Europea*. Luego crea, con su maestro, el Instituto Biológico, donde se complementa el entrenamiento médico recibido en la universidad con énfasis en lo práctico. Desde entonces se dedica de lleno a la pediatría. Trabaja en asilos de huérfanos y, sobre todo, en sanatorios de niños: el de Trillo y el de Chipiona, este último fundado con su propio dinero. En 1889 se casa con la actriz Elisa Mendoza Tenorio y de ahí que su interés de siempre por el Teatro se convierta en asidua afición que dura toda su vida. Sus gustos y actividades no se limitan a asuntos médicos; también le apasiona la literatura, como lo demuestran sus artículos en revistas de la época, entre ellas, *La Ilustración Española y Americana, La Revista Contemporánea,* la *Revista Europea, El Día, La Epoca, El Liberal,* y otras. Publica numerosos libros sobre temas médicos: por ejemplo, *El niño, apuntes científicos precedidos de una carta a un discípulo de Froebel por José Ortega Munilla* (Madrid, 1880), *La protección médica al niño desvalido* (Madrid, 1881), y un libro de cuentos titulado *Niñerías* (Madrid, 1889), con prólogo de Galdós. Muere en junio de 1919, meses antes que Galdós, y en 1925 se le erige un monumento en la Rosaleda del Retiro con la siguiente inscripción: "Patricio insigne y médico abnegado, protector de la madre y el niño."

El lector de estas cartas verá con qué rapidez nace y se cimenta la amistad entre Tolosa Latour y Galdós hasta llegar a un grado de confianza, cariño, intimidad y comprensión difíciles de hallar aun en grandes amistades. También se revela, desde un principio, el buen humor y la socarronería, rasgos de carácter que compartían ambos y que se observan ampliamente en la obra de Galdós. Hay en las cartas referencias a escritores de la época, a actores, a políticos, así como a amigos, parientes y criados. Leemos las intrigas teatrales, los caprichos de las *primas donnas,* el diario ahínco creador de Galdós, las alegrías, las tristezas; en fin, todo lo que cabe expresar por carta en una sincera y abierta amistad. Al leer estas cartas es uno testigo, entre bastidores, de hechos y acciones que hasta ahora no se conocían, salvo desde otro punto de vista y que de esta manera completan y profundizan nuestros conocimientos de la época. Y, sin embargo, lo no escrito, la sospecha de lo hablado entre los dos amigos, también puede aportar datos de suprema importancia literaria. En otro estudio (1) hemos tratado de fijar las posibles fuentes científicas de Galdós basándonos en los libros o revistas que pudiera haber leído. A raíz de la lectura de estas cartas parece certero afirmar, como era de esperarse, que sobre estos temas Galdós aprendió mucho de amigos suyos adiestrados en tales materias. Se puede uno explicar ahora cómo las descripciones de enfermedades, su tratamiento y tantos otros detalles especializados sobre temas como la niñez, la locura, el sonanbulismo y otros afines a estos, estén tan bien trazados en la producción literaria de Galdós.

En el caso de Tolosa Latour, alias "Augusto Miquis", médico que reaparece constantemente en las novelas y episodios de Galdós, es mucho lo que debiera haber hablado sobre estos asuntos con su *Mefistófeles,* a quien veía con frecuencia. Indicio de esto lo dan unas tarjetas sin fecha que reproduzco a continuación.

"Mi querido amigo: Adjunto es el libro de oftalmología que deseabas. Para explicaciones verbales, tiene a sus órdenes a su af.º admirador y amigo."

"Querido amigo: Si quieres ver un caso notable de sonambulismo ven mañana a las 3 por esta tu casa."

"Querido Benito: Mañana 7, a las, 3, puedes ver la enferma de que te hablé."

J. S.

(1) Ver José Schraibman, *Onirología galdosiana.* "Rev. Museo Canario", XXI, núms. 75-76 (enero-diciembre, 1960), págs. 347-66.

EL DIARIO MEDICO

28 de Enero de 1883

Sr. D. Benito Pérez Galdós.

Mi distinguido y predilecto amigo: Para que se convenza una vez más—si antes no lo estaba—de lo mucho que le quiero adjunto es un número del *Diario Médico* donde verá un suelto *en todas partes* y un anuncio en la sección correspondiente de los *Episodios*.

La nota remitida por usted se publicará en el mes próximo si le parece.

Mande como guste al *Diario* y su gente reciba de ésta mil cariñosos afectos, y sabe le quiere cada vez más su affmo. admirador y amigo

M. Tolosa Latour

II

23 marzo 1883

Mi queridísimo amigo: ¿Cómo va esa cabeza? Supongo que estará usted dispuesto al *sacrificio*. Animo pues y buen apetito.

Escribo a usted desde el Hospital. Me correspondía hacer la guardia el Lunes y un amigo (de los del *barato;* todos los compañeros de acá van al *gaudeamus)* se ha comprometido a resolver ese verdadero *conflicto entre dos deberes*.

286

Se trata ahora de que anunciaría con sumo gusto los *Episodios* y demás obras de usted en mi periódico. Si tuviera disponible algún cliché (como muestra de los grabados) haría mejor efecto. Mándeme pues, si quiere, el modelo del anuncio pues tengo ya en prensa el n.º del mes de Abril.

Y... nada más querido amigo, por hoy, considere mucho y no olvide que es todo suyo,

MANUEL DE TOLOSA LATOUR

III

Córdoba, 20 Octubre 1885

Sr. D. Benito Pérez Galdós.

Ingratísimo y querido amigo: Nadie se acuerda del *Doctorcillo* hasta que le duele algo. Un catarro ataca las narices de un novelador impresionable que huye de Madrid sin decir adiós, ni pensar en los que quedan agobiados de cólera y de trabajo, coincide esta fluxión (o lo que sea) con el espectáculo de la desgracia ajena que oprime su *pseudo* corazón y *va* y *coge* la pluma, y entre serio y bromista ensarta cuatro zalamerías y en medio de un tuteo vergonzante, se declara *cliente* para que el tal precitado vaya a verle a los tres días fecha y darse el gustazo de una visita amena e instructiva como de costumbre.

¡Trapalonazo y embustero de todos los diablos que, me ha de querer quien faltando a lo prometido me abandona hasta el extremo de tener que venir a buscar descanso a mis males y fatigas, en estas hermosas sierras... nuevo don Alvaro abrumado por la fuerza de mi fatal destino!

Ante todo: *Concedo el favor.* Venga a vuelta de correo el nombre del médico que le ha de operar. A él y a todo

287

el personal quedará recomendada profusísimamente la señora de Verdugo.

Y ahora, como dicen en los melodramas franceses: *¡A nous deux!*

Pero ¿qué te has figurado que soy yo? ¿No merezco que se me diga lo que has hecho por esos mundos, lleno de pavor?

¡Today! que diría Pereda. ¡Ese sí que es buen amigo! Hasta me regala un libro cosa que no haces tú, avarote.

Yo me he mudado a la casa de Martínez Molina (2), un *palacio* que espero veas cuando yo vaya por allá.

Cuando tenga dinero lo pondré muy bien. Ahora está *como yo,* pobre pero honrado. Pienso estar aquí toda la semana presente y si no ocurre novedad a mis *dientes* o a mi familia iré a Villajoyosa con Siguerdo.

¿Por qué no venís con nosotros? Y para que la contera de esta carta corresponda al severo comienzo de la vuestra, os doy los brazos, repitiéndose de vuesa merced (como decimos por acá) devotísimo servidor y apasionado amigo

M. DE TOLOSA LATOUR
Fonda Española.

IV

Queridísimo novelador de mis entretelas (mejor dicho, de las entretelas de la humanidad): No me he olvidado de tu *migraña* (como traduciría un catalán) y la prueba es que te envío la propia pomada sin olor. Untate ligeramente con ella y no te chupes el dedo porque es cosa venenosa.

---

(2) Martínez Molina (1816-1888), médico famoso y gran profesor. Colaboró mucho en *El Siglo Médico.* Fue profesor de Tolosa Latour.

Corita pues, que se acuerda siempre mucho de ti, tu apasionado amigo y doctor,

M. DE TOLOSA LATOUR

4 Febrero 1887.

V

Madrid, 19 Febrero 1887.

Querido Galdós: Sé que no te se quitó la jaqueca con la fórmula del amigo Ancor.

Para que te alivies, oyendo la frase chispeante e ingeniosa de Bonafoux (3), a quien ya conoces, te remito estas líneas por su conducto, dándote las gracias por cuanto hagas en su obsequio y abrazándote cariñosamente en nombre de tu afmo. amigo,

TOLOSA LATOUR

Conste que te quitaré la jaqueca. Déjate ver.

VI

MEMORÁNDUM

A Pérez Galdós.

Madrid 23 de Diciembre de 1888.

Pacientísimo Job: Adjuntas son las pruebas. En la Imprenta están aterrados ante la piedra pomes; así me lo dicen por teléfono.

Ya te mandaré las galeradas originales para que desde

---

(3) Luis Bonafoux (1855-1918), escritor y periodista portorriqueño. Fundó el semanario *El Español* y fue redactor de *El Globo* y *El Resumen*.

luego, desbastes, ese montón de forraje insípido. ¡Qué amigos tienes Benito! Exclamarás seguramente. Pero si vieras que bueno es y cuanto te quiere el pobrecito,

DOCTOR FAUSTO!

VII

Madrid 16 de mayo 1889

Queridísimo Padrino: Adjunto son los *documentos humanos* que me prestaste. Tengo tantas ocupaciones que no puedo llevarlos personalmente. Ya hablaremos.

Por las *once mil* admiradoras alemanas iguales al retrato de la traductora de marras no me olvides! Soy capaz de telegrafiar, para que vengan en busca tuya a zarandearte con más salero que el que Higinia (4) derrocha ante la justicia histórica o histérica.

Te besa la punta de las uñas,

FAUSTO

VIII

DOCTOR TOLOSA LATOUR
Atocha, 133. Teléfono 518.

Madrid, 24 Agosto 1889.

Mi queridísimo Benito:

No creas que te olvido, porque no contesté antes a tu carta. Ya sabes mi vida desasosegada y llena de quehaceres. Además he estado algo delicado de salud y ocupadísimo con mis arreglos. Muy pronto caeré, probablemente para el mes

---

(4) Higinia Balaguer, protagonista del crimen de la calle de Fuencarral, cuyo juicio siguió Galdós y vertió en una crónica periodística en la Prensa madrileña, entre 1888 y 1889.

que viene y con este motivo comprenderás si tendré tiempo de escribir. Escribí a Doña Magdalena (5) el día de su santo conste. Lo hacía también a nombre de Elisa que os envía recuerdos, pues aun cuando no conoce a doña C. (6) y doña M. la he dicho lo partidarias que son de ella.

¿Qué te haces? Leí en los periódicos que *gamaceabas,* con otros Pares de la Patria.

Consérvate bueno y no te olvides del *Doctorcillo* que os quiere tanto.

Mil recuerdos a todos y escribe siquiera sea un par de renglones a este reo que te saluda desde la capilla, enviándote un fuerte abrazo,

M. DE TOLOSA LATOUR

IX

4 Oct. 1889.

Queridísimo Benito: Mañana a las 9 detrás de la Iglesia de S. Jerónimo, es decir, en capilla reservada y completamente en familia, con lo cual dicho se está que estás invitado, *me casaré!* Conmuévete, Mefistófeles de este pobre Fausto y pide al genio de la intriga novelesca nos deje tranquilos en nuestro rincón, sin otra compañía que el estudio y el trabajo. De dinero ando tan mal como de salud, pero estoy contento por no sentir la envidia y sí tan sólo deseos vivísimos de ver a mi lado amigos cariñosos como vosotros. ¡Cuánto me alegraría que estuviérais en Madrid! Pero en fin, dentro de poco tiempo tendrá doña Magdalena otra enfermera, y vosotros una amiga tan cariñosa como tu apasionado,

MANUEL

Saluda a Pereda en mi nombre. ¿Le diste el libro?

(5) Doña Magdalena Hurtado de Mendoza y Tate, cuñada de Galdós.
(6) Doña Concha, hermana de don Benito.

6 Noviembre 1889.

Queridísimo *Guayamero* (7): Tú tardarás en contestarme, pero yo responderé inmediatamente a tus cartas; tú no te acordarás de enviarme los libros que publicas y vi crecer, pero yo los tomaré de las librerías y me los echaré al coleto, como ha ocurrido con la *Incógnita;* tú, en fin, no vendrás a verme, pero yo al llegar a Madrid pasé por tu casa y en la portería me dijeron que continuabas en Santander. Tu opulento casero falleció de una congestión, según me informaron la portera y el Dr. Castelo. Yo, perfectamente en mi nueva vida, sintiendo que según tu vahosa confesión no seas persona formal, estudiosa ni ordenada.

Elisa os agradece muchísimo el cariñoso saludo, que os devuelve con creces. Tiene verdaderos deseos de conocer a doña Magdalena y doña Concha. A ti ya te conoce desde aquella tarde que hiciste tu debut *escénico*. Te advierto que esperan tu regreso con ansia para no se qué melodrama sacado de tus episodios para Mata (8).

Tengo prurito por leer *Realidad*. En el *petit voyage de noces* (que no tiene que ver con el de Emilia Pardo) (9) fui dando bocaditos a la primera parte que me supo muy ricamente.

La parte forense está *al pelo* y supermagnífica la *vela* de la vengadora. Me gusta muchísimo el interior del bohemio y las cobas parlamentarias merecen que *te hagan algo* en el Congreso. Bien decía yo que, pese a los alfiles de la

---

(7) Alude al acta de diputado sagastino que obtuvo don Benito por el distrito de la *Guayama* en Puerto Rico, en las elecciones de 1889.

(8) Pedro Matas (1875-1946), popular novelista y dramaturgo madrileño, de tendencias naturalistas.

(9) Se refiere a *Un viaje de novios* (1881), de Emilia Pardo Bazán.

política y aunque se ofenda el amigo Martín tú eres el *Mayor* allí, de hecho y de derecho.

Ea, no te molesto más. Anúnciame tu regreso con tiempo y si puedo os iré a esperar a *la gare* y no creas que lo hago por alhagar (sic).

Observo que voy por mal camino, os envío mil afectos de Lilí y míos y para ti un abrazo de tu apasionado amigo y doctorcillo,

M. DE TOLOSA LATOUR

XI

Querido Benito:

Llevo cuatro días sufriendo en cama, las torturas de esto que llaman trancazo, y más parece pateadura.

Vosotros en cambio supongo que estaréis bien, por más que temo mucho se halle peor doña Magdalena.

Dirige pues, noveladorzuelo insigne tu paternal mirada a este tu doctorcillo y envíale, como le prometiste, el primer ejemplar de ese infundio teatral que, para admiración del mundo, ha brotado del fogón incandescente de tu caletre.

Si me curo, como espero, te prometo que no quedará dengoso alguno a quien no recomiende la ansiada *Realidad*.

Conque cumple alguna vez tu palabra, saluda cariñosamente a tu familia, recibe afectos de mi costilla, también dolorida, y no te olvides de este pobre Miquis que, moribundo y todo, te abraza con el mayor afecto, y aunque sabe firmar no puede hacerlo.

Por el doctor Fausto, LILÍ

22 diciembre 1889.

XII

GRAN HOTEL
DE
FRANCISCA GÓMEZ

Muelle, 11 y 12.
SANTANDER

Querido Benito: Estoy en Santander, he visto a Martínez en cuya casa vivo. Vine para una consulta y saldré mañana. Di a doña Magdalena que hemos acordado que no es posible que su mejoría se perturbe y hemos combinado un plan que barrerá ruidos, dolores y jaquecas.

Pereda, dengoso según dice, pero bien de salud. He tenido una larga conferencia con él.

Hasta muy pronto, pues espero poder escapar mañana en el correo.

Os saluda y te abraza con todo cariño tu,

DOCTORCILLO

Santander 26 Enero 1890.

XIII

18 julio 1891.

Queridísimo Benito: Estoy abatido, enfermo y triste. Después de mi ataque de difteria que me dejó muy débil, tuve que sufrir las horas angustiosas de la muerte del pobre Estrada. ¡Qué novela de su vida y qué agonía tan tremenda!

Hoy tengo a Elisa con difteria también y al desventurado Alarcón (10) en las postrimerías. Imagínate cómo es-

_____

(10) Se refiere al conocido novelista **Pedro** Antonio de Alarcón, que falleció en Madrid en la fecha de esta carta.

taré. Tu carta ha sido para mí un verdadero bálsamo. Un pedazo de cielo visto desde el rincón más *caldeado* del Purgatorio, es la visión mental de Santander. ¡Quién sabe lo que será de mí este verano! Si puedo ir por allá ten por seguro que aceptaré la invitación que me haces de acompañarme por mar y tierra.

No he podido ir a ver al niño de Galiano. Te prometo visitarlo en cuanto tenga un momento de sosiego, pues no me separo de casa.

Mil afectos a Concha y doña Magdalena; no me olvideis y recibe un fuerte abrazo de tu apasionado amigo,

MANUEL

Lerchundi está en Marquina (11). Muy bueno. El ciego Marejón entusiasmado con tus libros. Escríbeme.

XIV

Mefistófeles encantador:

Te han *embrujado,* por fuerza, cuando afirmas que yo soy cabecilla de *reventadores.* Quien tal cosa te dijo es mentecato o malvado. Te buscaba esta mañana precisamente para hablarte de tu *pleito* y aún cuando me digas que no estás libre a ninguna hora, yo necesito verte, a pesar de que estoy abrumado de trabajo y con Elisa en cama. Espérame, mañana en *La Guirnalda* y no desconfíes nunca del *Doctorcillo* que tanto te quiere, aquel doctorcillo que contribuyó a tu apoteosis llevando la flor y nata de tus admiradores médicos y no médicos, y que te ha probado siempre y te probará mientras viva, su leal y sincera amistad. Mala peste caiga sobre sus enemigos que

(11) Municipio de Zuya (Alava).

tales infamias propalan de él, y Dios te libre de los pseudo-amigos que no pueden sentir por ti el verdadero cariño de tu apasionado,

MANUEL

Hoy, 8 Enero 1892.

XV

Miguel H. de Cámara

Hoy, 9 Enero 1892.
12 y 1/2 de la mañana.

Ingrato Mefistófeles: Veo que no me quieres *esperar*, ni ver, pero me oirás mal que te pese. Mi deseo de verte estos días en que supe casualmente que estabas en Madrid, (¡No fuiste a casa el día primero, *hallándote en la corte!!!)* obedece al interés que nos inspira la empresa en que estás metido. Peña y Goñi (12) quería hacer un artículo en *La Epoca* sobre la próxima novela y me suplicó que te hablara acerca del particular. No quieres complacerle? Lo siento.

Además, no solo no hago atmósfera en contra de *Realidad,* sino que sabiendo por ti que pensaba dar papel a Thuillier (13), le he hecho que lea la novela, para *emparse* bien en el asunto. Tenía asimismo otro proyecto muy oportuno para los días anteriores al estreno y como decirte que Elisa tenía grandísimo interés en que la obra *encajara* perfectamente (como se dice entre bastidores) en el cuadro de la Comedia. Si supieras lo que hemos hablado del par-

(12) Antonio Peña y Goñi (1846-1896), literato y crítico musical.
(13) Emilio Thuillier (1866-1940), importante actor de la época. Estrenó obras de Galdós, Benavente, Dicenta, etc.

ticular! Pero tú ya no quieres hacerme caso y yo, por mi parte, te juro que ni siquiera desplegaré los labios para ocuparme de este asunto, quedando como siempre a tus órdenes, como de costumbre, queriéndote más, *pero mucho más* que los que por interés personal, te hagan fervientes demostraciones de amistad, pero muy triste, muy triste por lo que maltratas al pobre,

DOCTORCILLO

XVI

Mi queridísimo *Papá* y Maestro:

No puedes imaginarte la vida aperreada que hago. Todos los días he estado preparando la hace tiempo no descolgada *péñola,* para escribir a la incomparable y amadísima doña María de Magdala, a quien ansío ver, con todas mis potencias y sentidos. Supongo que estará perfectamente de salud así como la ilustre y nunca olvidada doña Concha cuyos pies beso, con la mayor humildad y fervor. Para ambas tiene Elisa mil cariñosos recuerdos siempre dis...

Aquí llegaba en mi carta cuando accidentes imprevistos me obligaron a suspenderla. Elisa cayó con fiebre después la pasé yo, y ahora está Rafael, pagando su tributo al paludismo y tomando quinina a puñadas. Diría, si no recuerdo mal, que Elisa no dejaba de pensar en hacer una excursión por Santander con objeto de conocer tu *Palacete* (como diría doña Emilia) y saludar a doña Concha y doña Magdalena a quienes quiere de veras.

El buen Thuillier me envió el telegrama que te remito, en el cual me daba cuenta del éxito de *Realidad* en Valencia. Yo por mi parte se lo transmití a Sepúlveda que dio cuenta en *El Día.* A los demás periódicos les dio por callar. Que *Tormento* deben padecer...

297

Y a propósito ya verías que el éxito de la obra de Federico el pequeño fue negativo, *digan lo que quieran los termómetros* (estilo Correspondencia). *Las Vengadoras* (14) gustaron por el estilo, pero todos los espectadores pusieron a la Peri por encima de las madamas de *landó*. Cuanto me alegro que hagan justicia a Leonorilla. Ahora te corresponde preparar municiones para la nueva campaña empezando la batalla por tu entrada en la Academia. Mi humilde opinión es que debías traerte el discurso para Octubre y entrar en la Academia en esa fecha. Habrá para entonces bastantes americanos en Madrid y será un día de júbilo para todos. No vengas con la falta de tiempo; en los meses que faltan puedes perfectamente enjaretar el sermón y Marcelino, pespunteará la contestación (suponiendo que sea él quien te conteste) con la rapidez de que ha dado tantas pruebas. Tengo deseos de saber algo respecto a otros proyectos. Aquí en este guardillón te quieren mucho y muy bien, y apetecen que el año teatral que empieza en otoño, cuente con una nueva obra y todos a coro, exclamen despellejándose las manos: ¡¡El "Author"!!...

A Mary no la he visto hace tiempo. Hacen vida de alto coturno y afortunadamente están bien de salud.

A Emilia la veo con frecuencia porque Carmencita ha estado algo enferma. Afortunadamente ya está bien. Antes de caer enfermo tuve el gusto de ir algunas tardes con tu sobrino al partido de pelota. Es un muchacho muy bueno y resultará gran crítico de los pelotaris, el *clarín* de los frontones. Su personalidad *destaca* física y moralmente sobre todos los demás... ¡Qué fiebre de pelotarismo! Por supuesto que es una forma del juego, ni más ni menos.

No quiero molestarte más con mis garabatos. Escríbeme cuando tengas un rato de lugar y no me olvides.

----

(14) Obras dramáticas de Eugenio Sellés.

Todos los de esta, tu casa, os saludan cariñosamente. Mil afectos a doña Magdalena y Conchita, y tú recibe un abrazo muy fuerte de tu apasionado doctorcillo,

MANUEL
(a) MIQUIS

8 junio 1892.

XVII

23 julio 1892

Mi queridísimo D. Benito:

Estoy hecho una cebolleta de estofado. Tuve que ir a una consulta a Cáceres y volví hastiado de calor y cansancio. ¡Pero hay que ganarse la vida!

Hoy, cuando recordaba que ni D. H. ni ninguna otra letra importante del alfabeto me habían dicho por ahí te pudras, recibí tu carta y me esponjé y tranquilicé. En cuanto mejore Elisa, que ha pasado unos días en cama, y en cuanto me manden metales los *Cacereños* haré la prometida excursión a *S. Quintín,* de tres días máximo, contando el viaje, pues he de ir a Chipiona sin falta, para llevar unas cosas al famoso Sanatorio, que debe empezar a funcionar a la sombra de la gran bandera *galdosiana.*

Conque conste que ya puedes preparar viandas, bebestibles y buen humor, para que no agonice sin auxilios temporales tu pobre

DOCTOR MIQUIS

Recuerdos de Elisa y Rafael para todos. ¿Llevó D. U. el Sparkletz? Dímelo.

2 agosto 1892

Queridísimo Benito:

Ni tiempo material de escribir más que cuatro líneas, pues salgo esta tarde para Regla con el Padre Lerchundi para asuntos profesionales, te envío estos garabatos, rogándote me digas si piensas ir a Bilbao para el estreno de *Realidad* y cuándo estarás de regreso en Santander. Quisiera hacer una excursión por allá a primeros de setiembre y naturalmente querría hallarte allí.

En Bilbao, mi amigo don Sabino de Goicochea, propietario del Nervión, te hará una buena acogida. Ya creo que conoce al Director Coll, que estuvo en Santander.

Hemos estado mal Elisa y yo. Tengo aún un catarro formidable que me impide resollar.

Mary estuvo estos días algo enferma también y don Pepe haciendo proyectos y renegando del Ministerio, pues según parece, no se han portado bien con él.

Ya me han dado informes del palacete, como dices, y sé que enarbolas una bandera a la salida de los vapores.

Nada sé de tu cuñado como no sé dónde vive no pude enviar a preguntar, y a Nonmeneu no le veo ni poco ni mucho. Además estoy atareadísimo y sin gusto para nada de suerte que no voy a ninguna parte. Supongo estarás bien.

El tren espera (me voy en el "expresso") y no puedo escribir más.

Mil afectos a las *señoras* de parte de Elisa y míos. Recibe hoy expresivos recuerdos de ésta, Rafael, Rosalía, etc., y contesta a tu devotísimo y apasionado amigo

MANUEL

Calle de Atocha, 133
Madrid

5 Set. 1892

Dulcísimo maestro y queridísimo amigo: Acabo de llegar de Andalucía, donde fui acompañando al R. Lerchundi (15) para un asunto de que te hablaré a nuestra vista. Es casi seguro que vaya a Santander y te telegrafiaré para que me busques hospedaje en casa de las *Dos Amigas*.

Sé que los *cómicos* no van a ésa ya, y que *Realidad* gustó en Bilbao. Así al menos lo dice *El Nervión*.

Recuerdos muy cariñosos de Elisa para vosotros todos, saludos a doña Magdalena, doña Concha, y para ti un fuerte abrazo de tu af.º

M. DE TOLOSA LATOUR

Trataré de averiguar cómo opina don José Hurtado.

---

(15) José Lerchundi (1836-1896), misionero y religioso franciscano. Ejerció una labor importante en Tánger. Autor de *Rudimentos de árabe vulgar de Marruecos* (1872).

Caldas de Besaya (16)

22 Set. 1892

Queridísimo Benito: Estoy pasando malísimo rato, pues Elisa no está mejor y no me atrevo a salir de aquí sin que se restablezca. Ha sido un viaje muy desdichado. No hace todavía 8 días que salimos de Madrid y me parece que han transcurrido tres meses. De todos modos, espero cumplir mi palabra y visitaros aunque no sea más que por pocas horas. Tengo grandes deseos de volver a ver a doña Magdalena y doña Concha, así como visitar la gran finca y palacio del Excmo. e Iltmo Sr. D. Ido. Ya sé por Guerrero que andas carteándote con su hija y que estás muy entusiasmado. El día de mi marcha la vi en la librería de Ruiz y parecía un pavo real. ¡Pobre chica! ¡Qué papá le ha tocado!

Me alegro que D. Manuel Martínez se acuerde de mí y más aún celebro que podremos echar grandes parrafadas.

Conque compadéceme; mil afectos y hasta cuando Dios quiera.

Tuyo de corazón,

M. Tolosa Latour

---

(16) Caldas de Besaya, establecimiento de baños termales en la provincia de Santander.

Comillas (17), 18-Nov.-1892

Queridísimo Benito:

No he recibido tu telegrama, pero sí tu carta. No sé cuándo podré ir porque Elisa ha caído enferma durante el viaje y ha tenido que guardar cama.

Dios quiera que sea pronto porque será señal de que puedo pensar en volverme a casa. Estoy fastidiado con este motivo aun cuando se halla mejor hoy.

Mil recuerdos a tu familia, recíbelos de Elisa con un abrazo anticipado de tu af.º amigo,

MANUEL

XXII

Querido Benito: Esos locos de *Fausto y Miquis* me encargan te envíe los adjuntos libros. Desean que los conserves en tu biblioteca de "Mponaponche" para que algún día de descanso los hojees y te acuerdes de tan leales amigos.

¡Qué feliz seré si dedicas también una memoria al *frailecito*

MANUEL

5 Febrero 1893.

---

(17)   Pueblo de la provincia de Santander.

XXIII

Ilustre y queridísima Víctima:

Celebro infinito que estés bien. Supongo que estarás contentísimo, pues ovación como ella no se ha registrado en el teatro. Vi a Pepe, que lloraba de alegría y a Urrecha (18) que hacía lo de la manifestación. Todos los redactores de *El Imparcial* y Rafael Gasset (19) muy satisfechos. Quiero que en *La Ilustración* publique Comba (20) un dibujo, de cuyos particulares hablaremos. Pero para ello necesito que le proporciones dos butacas de buena fila para que esta noche tome apuntes. Como el pobre Don Fausto por cosas de unos infelices enfermillos se quedó a "media miel", no estaría de más que le enviaras también algún asiento, si es posible.

Hasta luego, sol de los soles, orgullo de los españoles y de tu fiel y apasionado,

MIQUIS

En el Templo de la Gloria a 28 de Enero de 1894 años, 2 *de la tarde*.

---

(18) Federico Urrecha (1853-1935) escribió novelas y cuentos con gracia y humor. Colaboró en *El Imparcial,* y *El Heraldo de Madrid.* Marchó de Madrid a Barcelona y fue director de *El Diluvio* durante muchos años.

(19) Rafael Gasset y Chinchilla (1866-1927), político y periodista. Fue director de *El Imparcial* y ocupó varios cargos ministeriales.

(20) Juan Comba y García, pintor y dibujante. Colaboró asiduamente en *La Ilustración Española y Americana.*

XXIV

Hoy, 19 abril 1894.

Queridísimo amigo: Tengo a Elisa en cama con fiebre, y por esta razón, tengo que ser brevísimo, pues tu silencio me ha sumido en un mar de confusiones, y una carta tuya, de que tuve conocimiento ayer, me ha dejado en un pie, como una grulla. Dos cartas he tenido el honor de dirigirte. En la primera iban recortes del estreno de *La de San Quintín* en Cádiz. En la segunda te decía el precio de las botellas de agua de Vichy "Sowree Dubreis", indicando la conveniencia de pedirlas directamente, aun cuando se pueden enviar desde aquí. Si no recuerdo mal, pues Ricardo mi cuñado me dio la nota, su precio sube a más de una peseta botella. Además te decía en la 2.ª misiva que, como me indicaste verbalmente, que no veías inconveniente en que los artículos que diste al director de *La Tertulia* (no recuerdo ahora su nombre) los publicare en folleto el amigo Díaz de Quijano, editor de *Actualidades,* en cuyas columnas o páginas te se tendrá acendrado culto, dicho señor habrá encargado dibujos y te enviaría las pruebas si querías. No sé si recordarás la conversación, pero la tuvimos en la calle del Príncipe, al anochecer y más de una vez me repetiste que no tenías inconveniente en que se reprodujeran los artículos en cuestión.

Anoche me enteró Pérez de Zúñiga (21) que habían mediado cartas entre Quijano y tú—señalo por orden cronológico—y con gran asombro mío veo que has denegado el permiso, a pesar de que Pereda ha intervenido. Francamente, me he quedado *muerto,* pues mi situación resulta desairada; puede creer el Sr. Quijano que yo he faltado a la verdad, permitiendo que se metiera en gastos y, como

---

(21) Juan Pérez Zúñiga (1860-1938), popular poeta y dramaturgo madrileño, de vena festiva y jocosa, que dejó numerosas crónicas en *Blanco y Negro, El Heraldo de Madrid,* etc.

si él es formal, yo no lo soy menos, te suplico encarecidamente acudas a tu excelente memoria y me confirmes tus palabras anteriores, añadiendo que *pensaste mejor* (como supongo), pero por Dios que no vayan a creer que yo he mentido.

Excuso decirte lo que lamento todo esto, pues en cosas en que median intereses (yo, que soy desinteresadísimo) no me gusta meterme; pero hazme la caridad de no renegar de tus categóricas palabras y dejarme en buen lugar, sin que esto quiera decir que yo desee que vuelvas sobre tu último acuerdo.

Decía que iba a ser *breve.* Perdóname la molestia y ahí va un abrazo de tu afmo.

MANUEL

Recuerdos de Elisa y Rafael para vosotros; a los pies (q. b.) de doña Magdalena y doña Concha.

XXV

Madrid, 23 Abril 1894

Incomparable D. Benito! Gracias por la merced que me deja tranquilo, pues hasta la hora presente parecía un estafador de permisos. Quijano te escribirá un *firmaré,* con el mayor respeto y las mayores reverencias, endulzando todo ello con un agradecimiento sin límites.

Venga la simpática doña Magdalena a ver si templamos sus nervios, y ven tú también a ver al prodigioso Novelli. Estos días, con motivo de la enfermedad de Elisa, no he podido oírle y lo he sentido de veras. Supongo que lo conocerás de la temporada pasada. ¡Vaya un actor para el *patriarca!*

Tráete la novela y a ver si el gran Marcelino enjareta

la contestación de la Academia para hacer el ingreso a fines de mayo.

Estoy atareadísimo y no puedo escribir más. Chapí (22) me dijo hace días que te escribió largamente. Está muy dispuesto a trabajar para el invierno próximo.

Recuerdos cariñosos de Elisa y Rafael. Hasta muy pronto y un abrazo muy apretado de tu apasionado y agradecido,

MIQUIS

XXVI

DOCTOR TOLOSA LATOUR
Atocha, 133. Teléfono 518.

Madrid, julio 1894.

Mi queridísimo D. Benito:

Con lágrimas en los ojos me pide la Sra. D.ª Elisa Casas (23), viuda de Calvo, que te intereses por ella a fin de que la contratase Mario (24) para su teatro. Dice: "*que te hablase al alma para que la dediques algún papel*", y yo te ruego me envíes una respuesta *enseñable* diciendo lo que se te ocurra sobre el particular. La pobre señora es muy desgraciada, y realmente los Calvos, después de la muerte de su hermano Fernando, no se portaron bien con la cuñada, y aunque dice que ha hecho en provincias *La loca de la casa, Dolores, La de San Quitín*, etc., etc., yo

---

(22) Ruperto Chapí (1851-1909), compositor de zarzuelas, entre ellas *La Revoltosa, El equipaje del rey José,* etc.

(23) Doña Elisa Casas, viuda del actor Rafael Calvo.

(24) Emilio Mario (López Chávez) (1838-1899), actor, empresario y director del teatro de la Comedia.

no sé cómo lo hará. De todos modos, tengo gusto en servirla, por lo mismo que se halla atribulada. Hace años asistí a una hermanita suya de difteria, y como recompensa no cesan de pedirme cosas tan estupendas como ésta.

Gracias anticipadas, mil afectos y un abrazo de tu af.°

Miquis

Aquí hay marejada contra Mariquita. Dicen mis amigos que tú te vas con ella. Supongo que no, aunque cuando me hablan del asunto me encojo de hombros.

XXVII

Madrid, 25 Julio 1894.

Mi queridísimo amigo:

Aun cuando no sé dónde recibirás esta carta, ni cuándo, te envío en ella todo nuestro agradecimiento que es mucho por vuestro recuerdo. No puedes imaginarte lo triste que hemos quedado con esta nueva desgracia.

En fin, ¡paciencia y penar! Supongo que estarás trabajando mucho. Aquí dicen que no harás nada para Mario este año, sino para el Español. ¡Tú verás! Y a propósito, tengo hace tiempo una carta de D.ª Elisa Casas, viuda de Calvo, rogándome te recomiende a ella. Aun cuando yo la dije que tú no intervenías en cosas de bastidores, te agradecería que cuando me escribas me pongas dos líneas diciendo que recibiste mi recomendación.

Leí *Torquemada*, que es de *¡olé y olá!,* como dicen en Andalucía. El banquete quedará grabado en las entrañas de los *Pandos y Valles Castillos Sorianos el judicem fin finis* como... castigo. La escena de Hernani, espléndida y el final, superior.

Dios te dé mucha salud y mucho buen humor para poder seguir creando tipos y clavándolos en tus colecciones para honra de la literatura y provecho de la *antropología* contemporánea.

Mil recuerdos y mil abrazos de tu pobre,

DOCTORCILLO

Ahí va una cosa que me dio Ruiz (25) para ti.

XXVIII

Madrid, 4 Agosto 1894.

Mi queridísimo D. Benito: Recibí tu carta, gratísima como todas las tuyas y ahí te va ésta, que te producirá una *impresión*... de lujo. Pero vamos por partes, como dicen las comadres.

...Y el Sr. Alvarez Tubau, se presentó en casa de 3 a 5, hora de la consulta;

Y estaba presente el médico Venerio Fernández Cuesta (26);

Y después de los saludos de ritual me pidió hora para que Ceferino Palencia (27) viniese a hablarme;

Y prefiriendo yo ir a su casa, prometí hacerlo hoy mismo.

---

(25) Ricardo Ruiz Orsatti, intérprete de Galdós cuando éste hizo su viaje a Tánger.
(26) Nemesio Fernández Cuesta (1818-1893), periodista, político y escritor. Fundó *El Museo Universal*.
(27) Ceferino Palencia (1858-1928), autor dramático. Se casó con la actriz María Tubau.

Argumento y cantares de la obra.

"Paseo de la Castellana, cerca del Hipódromo: 2.º piso. Personajes: la 1.ª actriz, el director y el contador. Muebles y bibelots. Dos niños que hablan francés. Varias personas que saludan. Atardece.

Escena 1.ª Palencia lee un borrador de una carta para el *ilustre autor*. Pide consejo a Augusto Miquis que se atusa la barba, y canta un couplet, con música del *Dies irae,* que empieza:

> *Yo tengo una compañía,*
> *yo tengo a doña María...*

Escena 2.ª Augusto celebra la *palinodia* y dice que puede enviar la carta, pero que duda que el *Dante* suelte la partitura inédita de *I Damnati,* pues el ilustre cantor de *Torquemada* es muy caballero y formal, teniendo *pundonor y lo que hay tener,* como Julián, el personaje de la Verbena de la Paloma.

Escena 3.ª Aria de las *obras,* por María, la cual dirá que estaba dispuesta a hacer la *Realidad;* que el maestro Bittini la prometió dicha partitura a cambio de una contrata y que después no cumplieron con ella lo pactado.

Escena 4.ª Terceto, donde Augusto despliega todas sus facultades ofreciendo escribir una carta. Romanza de tenor *Escribidme una carta, Doctor Fausto...*

Escena 5.ª y última. Se enciende el gas, sale la familia, por el bien parecer, consultan a Miquis... *Largo e finale*.

Como verás, mi dulce amigo, aquí no ha pasado nada a Dios gracias. Eres un *ingrato* (y yo otro) que no vamos por el saloncillo de la *Princesa,* y tú eres ahora (¡alégrate, niño!) el sostén de la escena hispana. Prepárate a que Mario, Guerrero y Palencia entonen con música del Himno de Riego:

Es sostén de la escena española
el insigne Benito Galdós, etc., etc.

Y Dios sobre todo.

Y a todo esto me dirás: ¿qué quieres que haga y a qué viene tanto garabato?

¡Yo qué sé! Creo que debes contestarle con mucha finura a su *solicitud,* y si puedes enviarme algunas líneas en que digas que recibiste carta mía y que *proveerás,* mejor. Conviene dejar bien sentado, con toda diplomacia, por de contado, que te *piden por caridad* apoyo, y si te conviene darles algo o prometerles algo, quedando bien *con todos,* mejor que mejor.

¿Ves como hay justicia en la tierra?

Estoy atontado por el calor. Si tuviera tiempo te haría una visita en 24 horas, antes de bajar al terrible Mediodía para lo del Sanatorio.

Adiós, queridísimo Benito, mil recuerdos de Elisa y Rafael, afectos para D.ª C. y D.ª M. y un abrazo de tu ap.º amigo,

EL DR. MIQUIS

XXIX

24 agosto 1894.

Queridísimo D. Benito: Hoy salgo para Chipiona con el arquitecto para convertirme en D. Manuel de *La Loca de la Casa.* Si ves a los del Sanatorio de Madrazo diles que escribí a éste felicitándole, pero que me invitaron por medio de una papeleta impresa que llevaba la fecha en blanco. Si lo hubiera sabido con tiempo quizá habría ido, solamente por el gustazo de ir después a Mponaliquam.

Ceferino Palencia, según me ha dicho Ortega, dice que le has escrito, ofreciéndole tu *última obra,* pues estás convencido de que no tienes madera de actor. Yo he negado las frases en redondo aunque no la carta.

El pobre hombre, ni teatro tiene.

Tengo grandes deseos de conocer I *(ilegible).*

Ya sé que te vas a Canarias. ¡Qué bonito viaje! Si no fuera por el miedo que me produce el mareo iba allá. Pero no se puede hacer todo lo que viene en ganas.

Da muchos afectos a las Sras., recíbelos de todos y un abrazo de tu af.º amigo,

Miquis

Ya debías hacer una escapada para ver por dentro un convento de franciscanos y vivir con ellos unos días. Está el padre Lerchundi.

XXX

1 julio 1895

Queridísimo D. Benito:

Pues sí, efectivamente, no estoy nada bien de salud, especialmente estos días en que no ha faltado ni trabajo ni disgustos.

Quería escribirte muy por extenso y todos los días me veía precisado a salir escapado después de las *tabarras* consultivas y caía en la cama por la noche reventado e insomne.

Cuánto celebro la terminación de *Voluntad* y cuánto siento que no hayas entrado en la Academia ahora. Sellés leyó su discurso y me parece que no gustó en general, no por la forma, sino por lo que dice. Es un poco *servilón* con el periodismo y éste, que en el fondo conoce que no es muy estimable, le da las gracias, con toda la cohetería de adjetivos, y... nada más.

El mismo deseo de añadir, pulir, alisar y dar barniz a las frases lo empequeñece. Echegaray gustó mucho, y es más espontáneo y sobre todo más *cuco,* como suele decirse. ¡Ah, el público, qué difícil es de engañar y qué bien se le engaña!

El que se sale de madre y de toda su familia es *Clarín;* está dándole a Arimón (28) una importancia tan grande y se muestra tan escocido, que puede asegurarse que la gente que antes ni le conocía, ahora habla de él y le elogia. Hizo mal efecto el *palo* al pobre Núñez de Arce, y peor aún afirmar que los mestizos con Pidal a la cabeza fueron a silbarle... Como tú decías muy bien Oviedo le ha enmohecido el caletre un poco, no en mal sentido, pero, vamos, que parece que los goznes del discurrir andan oxidadillos.

Dices que te acuerdas de las noches de las *pesebreras.* Pues ¿y aquí? Vemos tu sitio vacío con nostalgia. Los primeros días el cacatúo de mi criado ponía tu cubierto, y más de una vez exclamaba: "¡Ya es tarde, hoy no viene don Benito!" Y el pobrecillo, inconscientemente, decía en alta voz lo que todos pensábamos.

Me han dicho que harán en Barcelona *Los Condenados.* Yo iría de muy buena gana, si pudiese.

¿Has visto el pobre Ixart? (29). Mucho he sentido su muerte. Era más útil que *Clarín* para *nuestra causa,* porque no hay que olvidar que Leopoldo trabaja *pro domo sua* casi siempre.

---

(28) Joaquín Arimón y Cruz, periodista español. Trabajó en *El Globo.* En 1885 pasó a la redacción de *El Liberal,* donde estuvo muchos años.

(29) José Ixart (1852-1895), crítico especializado en los estudios del teatro del siglo XIX; autor de *El arte escénico en España* (1893).

Basta de charla. Escríbeme, por el amor de Dios, y dime qué haces en esa fortaleza. ¡Oh, señor de San Quintín!

Elisa y Rafael te envían muchos recuerdos, extensivos a D.ª Concha. Al *doncel* no le veo, estará *incubando* su obra. ¡Pobrecillo!

Adiós, querido D. Benito. Ahí va un buen abrazo del pobre,

Miquis

XXXI

6 agosto 1895.

Querido D. Benito: Ayer estuvo Pepe con una carta y ciertos conflictos pendientes. Me dijo que D.ª Caridad estaba enferma, pues se quejaba del ojo sano. Le aconsejé que la viera Rebolledo, y que, en último caso, fuera a Bilbao, donde estará Cervera.

Hoy salgo para La Granja, regresaré mañana temprano, pues—entérate—cumplo años. Después me voy a los *hospitalarios*—gracias al Sanatorio—playas de Chipiona, donde el P. Lerchundi nos espera.

Trabaja en *Voluntad,* pero no olvides mi impresión y cuida ese 3.º que debe ser con arreglo a la clarificación *caceril,* y critico no 3.º, con entresuelo, sino *Primero A*. Quiero decir que allá hay que derramar sal, movimiento, interés y, sobre todo, desenlace rápido e imprevisto.

Creo que *Voluntad* puede ser un gran éxito tal como yo la veo, si la representación, y confío mucho en *Doña Perfecta,* con un nombre distinto (me refiero a la obra) bien ensayada y hecha en cuanto a desenvolvimiento teatral, a la *francesa,* es decir, en 4 actos con cada frase y cada efecto que tire de espaldas a todos los *Arimones* habidos y por haber.

314

Adiós, perla de la novela, brillante del Episodio y mina inagotable de la Escena.

Recuerdos a porrillo y para ti mil abrazos de tu pobrecito,

MIQUIS

Elisa envía a D.ª Caridad y D.ª C. abrazos. Rafael agradece tus afectos.

> *Salud, Paz, Voluntad*
> y mi bendición Pastoral,
> borreguillos míos!

XXXII

22 octubre 1895.

Queridísimo D. Benito: Te escribo desde el *fementido lecho,* donde estoy cociendo un catarro, que espero tener a *punto de caramelo* mañana. No soy ingrato, di más bien previsor, pues te suponía muy atareado con la señora *Condesa de Halma* (título que me resultaba mucho para la 2.ª parte de Nazarín) y no he querido molestarte en tu *cohabitación.* Por cierto que te agradeceré infinito que me envíen las capillas. Tengo vivos deseos de conocer el acto 3.º de *Voluntad* (30). No he visto a María ni he ido al Teatro. Este año será el favorecido. No sé quién me ha dicho (no es gente de *la casa*), que estrenará *El Estigma* de don José

---

(30) Fue estrenada, en el Teatro Español, el 20 de diciembre de 1895, por la compañía de María Guerrero.

y la *María del Carmen,* de Felíu y Codina (31). Quisiera que te dieras una vueltecita por los Madriles:

1.º   para tener el gusto de verte,

2.º   para que tuvieras el gusto de ver a la *Sara* que trabajará a fin de mes,

3.º   para que no te dejen muy retrasado en el Español,

4.º   para que se prepare la entrada en la Academia,

5.º   para que se disponga lo de Doña Perfecta con la Tubau.

...Y no te doy más razones porque si no te pones en camino, o no tienes corazón o no quieres nada con nosotros.

He hecho por Navarrito lo que deseabas. Convidé a Pepe Ortega; hablamos de varias cosas literarias (de que te hablaré largamente), y me prometió dar cabida a los artículos de nuestro amigo en los *Lunes.* Fui con él a la Redacción y entregó su primer artículo.

Ayer estuvo D. H. con su mujer y don Braulio, que está muy famoso.

Dispénsame los garabatos, prepara los bártulos, que las *pesebreras,* esperan. Recuerdos de Elisa y Rafael, mil afectos a D.ª Concha y para ti un abrazo de tu valetudinario,

Miquis

---

(31) José Feliú y Codina (1847-1897), escritor y dramaturgo catalán. Su drama *María del Carmen* fue estrenado en 1896, y premiado por la Academia española.

6 Nov. 1895.

Querido don Benito: En *efecto,* no has querido enviarme las capillas de *Halma.* ¡Oh *prometedor* inconstante!

En una de las representaciones de Sara, que aquí ha hecho buen negocio, María Tubau me preguntó de repente por ti, y me dijo: "¿Sabe usted cuando *nos* envía la obra prometida?" Empecé por hacerme el inocente, y con la mayor tranquilidad añadió: "Ya sabe usted que nos hace falta algo suyo y si no se lo ha dicho, le digo yo a usted con toda reserva que me prepara un arreglo de Doña Perfecta. Por cierto que espero que no me dará un papel de *característica,* es decir, que la protagonista no será una vieja. El tipo de la famosa creación de don Benito lo veo encarnado en una mujer de cuarenta y tantos años, no en una decrépita." Yo entonces dije que hacía tiempo que había oído algo del particular, que hasta creía que en el extranjero pensaban traducirla para la escena, pero que si ella me lo decía, te escribiría recordándote la promesa.

Y así lo hago. Ya sabes además la indirecta que ha soltado la *gran actriz.* El drama de Dicenta (32) ha gustado. Realmente tiene interés y lo que llamarían los Arimones *tensión dramática.* Ya habrás visto que el joven Navarrito metió un articulito en *El Imparcial,* donde le presenté. Tiene traducida *La Intrusa* que no creo representable, pero en fin lo importante es que trabaje.

No he ido ni una sola vez al Español. Procuraré preguntar a alguno, si es verdad que conoce la compañía tu obra, como dicen.

---

(32) Joaquín Dicenta y Benedicto (1863-1917), novelista y dramaturgo, divulgador de temas sociales, sobre todo en su drama *Juan José,* a cuyo éxito se refiere Tolosa Latour en esta carta.

Del *Estigma* sólo sé que afirman que el protagonista es un don Lorenzo, de *Locura o Santidad* joven.

Mala noticia.

El mismo día de la muerte del arzobispo de Sevilla, hallamos muerto a *Paternoy*. Le he dispuesto honras dignas de su fama, progenie y origen, quiero decir, que será embalsamado y podrás volverle a ver, cuando honres (ojalá sea pronto), las humildes *pesebreras* de tu pobre, enfermo y cariñoso amigo.

MIQUIS

Recuerdos de Elisa y Rafael. A todo esto, yo, sin *Halma*.

XXXIV

Madrid, 10 Nov. 1895

Queridísimo Benito:

Ayer recibí tu carta, mejor dicho, la cuartilla y para contestarte punto por punto, mi hermano se gastó 25 pesetas. Me explicaré:

Ayer fue la conjunción de los dos astros en la mesa española, el plato de *tortilla a la francesa,* como lo calificaba un mala lengua coetáneo, en la *Hostería del Laurel nacional,* y naturalmente, habían inventado la función extraordinaria con aumento de precios. Como yo deseaba ver a la Guerrero juzgué ocasión oportuna la de anoche y así lo dije en casa. Rafael recogió la alusión y me compró una butaca. Con lo cual vi la *ceremonia* y hablé con la *niña,* después de la función. Estábamos solos, por circunstancias que sería largo referirte. Pura casualidad, pero muy conveniente para mi objeto. Le felicité y en seguida me preguntó por ti. "¿Cuándo viene?", dijo. "¡Cuando usted

318

quiera!", repliqué; y "¿Cuándo querrá usted estrenar la obra?" *M.*: después del *Estigma* y *Petrillo;* pero a él cuente que yo deseo verle y hablarle. ¿Que hace que no viene? *Yo.*: Su novela. Usted no sabe lo que es D. Benito cuando está con galerada en la mano. *M.*: He dado a copiar los dos primeros actos. Pero quiero que hablemos él y yo del 3.º. *Yo.*: ¿Pues qué hay? *M.*: Tengo miedo a unas escenas donde sale la Madre (*tú sabes cuáles son*). *Yo.*: ¿Usted miedo? Es imposible. La obra seguramente la irá como anillo al dedo. Acuérdese de las anteriores. *M.*: Sí, me gusta mucho, pero deseo que venga don Benito. Yo le escribiré. *Yo.*: No deje usted de hacerlo. (A) descansar. Total, que quizá convenga que en cuanto termines tu trabajo, aparezcas por acá y averigües qué es lo que la asusta en el acto 3.º.

2.ª parte. Sellés ha traído terminada la *mujer de Loth.* Esta mañana he estado en su casa a darle las gracias por unas botellas de Oporto que envió, y no sólo he tenido en mis manos los tres actos, sino que me he enterado de toda la obra: 1.º, porque me refirió el argumento y 2.º, porque he leído las escenas culminantes.

Ahora bien, como dicen los oradores: Ya sabes que Sellés no se queda atrás, dígalo su entrada en la Academia. Como no le precisan más que ocho o diez días para preparar su trabajo definitivo (copia de manuscrito, supresiones y adiciones), si las obras de Echegaray no gustan, quizá no hagan *Petrillo* sino la suya, por aquello de que cuando no llega un cañonazo hay que tirar dos y porque se *impondrá* como él sabe hacerlo, su aveniente.

En cuanto tengas tu obra, ven por aquí. De ese modo se concilia todo, pues no dando *Doña Perfecta* hasta que ensayen *Voluntad,* no pueden coincidir los estrenos. Además puedes ver qué es lo que no le parece bien a la *prima-donna* (que yo no adivino, porque desconozco el tercer acto) y se arregla todo a gusto de *todos.*

Allá entre los autorcillos y *demás* hablaban de *Doña Perfecta.* Me preguntó uno de ellos, precisamente delante

319

del *doncel,* y yo respondí que estabas con la novela y nada más se sabía, ni era lógico pensar en dos trabajos a un tiempo, sobre todo tratándose de persona que tiene tanta facilidad para escribir.

La guerra entre los *dos corrales* es verdaderamente sin cuartel, (ilegible) la actitud de las Marías (33) ante Sarah. La Tubau (34), mal aconsejada, no hace apenas nada, y sólo tu obra (a mi juicio) puede salvarla. De lo contrario se romperá la sociedad pronto.

Ven, repito, en cuanto puedas y no olvides una máxima que me dio Martínez Molino y que se me ha grabado en el cerebro: *El que no parece, perece.* Aquí tienes explicado lo que deseabas conocer, *que me ha costado* (aunque mi hermano tuvo el *arranque)* las pastillas del beneficio, del cual te hablaré con todo despacio, una noche de pesebreras.

Nos presidirá *Paternoy, ¡disecado!*

R. I. P.

Recuerdos cariñosos de la *Refitolera,* que aprenderá guisos muy buenos, afectos de Rafael y para ti un abrazo de tu leal amigo que te quiere mucho,

MANUEL

---

(33) María Guerrero (1868-1928), una de las más famosas actrices españolas. En 1896 se casa con el actor Fernando Díaz de Mendoza, formando una de las mejores compañías teatrales de la época.
(34) María Alvarez Tubau (1854-1914), actriz española importante. Estrenó famosas obras de Echegaray y de Galdós. Actuó con Emilio Mario.

19 Nov. 1895.

Queridísimo Benito: No he dejado de sondar a los *españoletos* respecto a *Voluntad*. Cirera estuvo ayer en casa con un hijo suyo. No sabe cuándo irá tu obra, pero pide por caridad papel. J. Octavio Picón (35), que vi ayer también, habló de la obra de Sellés y no supo decirme de seguro que es lo que se fragua en la casa de Guerrero. Y me sorprende mucho la ignorancia porque es de los íntimos. *El estigma* (que no he visto) no ha gustado ni poco ni mucho y no podrán sostenerlo en los carteles más de 10 a 12 noches. De *Petrillo* no sé más sino que a Picón le parece bien; pero, además, de *Voluntad* y la *Mujer de Loth,* tiene Echegaray: una traducción de Guimerá (36) el arreglo de la *Hija del Aire* y otra. Creo, por lo tanto, que si la *niña* hace dengues (y desde luego los hace cuando no te ha contestado) y tú tienes *Doña Perfecta* tan perfecta y cabal, lo derecho será no perder el turno, y si te dejasen para enero o febrero recoger *Voluntad* y entregarte a la obra que te promete un éxito completo, pues convengo contigo en que no se pueden dar dos estrenos juntos y, sobre todo, que te conviene mucho más lo cierto que lo dudoso. Ramos Carrión, a quien he visitado a un niño en su casa, me ha dicho que desiste de estrenar este año en *El Español,* por las razones arriba expuestas y hace perfectamente, porque no hay tiempo para tantas cosas. Hazte un poco de querer y otra vez no envíes

---

(35) Jacinto Octavio Picón (1852-1923), novelista y crítico de arte español. Véase la introducción a las cartas que incluimos en este **volumen.**

(36) Angel Guimerá (1849-1924), poeta dramático catalán. Escribió obras de gran fuerza pasional con ambiente histórico. En el archivo de Galdós se conservan 410 cartas de Guimerá, que publicaremos en otro volumen.

las obras con anticipación a las divas histéricas, que no otra cosa es la joven Mariquita, cuyo papá ha ascendido no sé cuántos grados en el termómetro de la bestialidad. Digo, pues, que de sacrificar alguien, sacrifiques a la niña, si no hace nada por ti. *Juan José* (de cuya obra tengo un ejemplar para ti que me entregó el gran Evaristo) ha gustado y está realmente muy bien. Si se hubiera hecho en otro teatro habría obtenido muchas representaciones, pues la galería acude mucho.

He leído los 7 pliegos de *Halma*. Es cosa superior y tendrá un gran éxito.

Por esta causa, conviene que el fin de año sea todo gloria y dulzura y no nos vengan las Marías y otros *guerrilleros* teatrales a estropear la campaña que promete ser lucidísima.

Creo que el papel de *Voluntad* le vendrá bien a García Ortega (37), mejor que a Mendoza. Este no se ha mejorado más que en ropa.

Telegrafíame tu salida para que vaya a esperarte si puedo y estrenarás coche.

Recuerdos de Elisa y Rafael.

Y cuanto quieras de tu fiel y apasionado,

Miquis

XXXVI

Queridísimo don Benito:

Anteayer se operó de nuevo a Magdalenita, que de ésta hecha va a quedar como la pura seda. Sigue bien. Hoy no pude salir de casa porque mis pobres músculos se quejaban terriblemente, pues el tiempo es tremendo. Hace días que llueve y hoy, sobre todo, diluvia.

---

(37) Francisco García Ortega, actor que trabajó con Emilio Mario.

Aquí estamos todos con el alma en un hilo con los ojos puestos en Santander, compadeciéndoos de todo corazón.

Novelli, a quien no he visto, trabaja con poquísima gente a pesar de que le protege con todas sus potencias y sentidos Angelito Rodolfo. En cambio la ópera barata va bien.

En los periódicos de Cádiz he visto el éxito de *La de San Quintín* y con tan *plausible* motivo te envío los recortes del *Diario de Cádiz.*

No he visto a Pradilla, pero le he dicho a Comba tus deseos y creo que si tiene aquí retratos te dedicará uno.

Preguntaré a Moreno si tienen agua de Dubois Vichy y el importe de la caja, como deseas.

Supongo que dentro de un mes andarás por estas calles, probándote el frac nuevo y preparándote a entrar en la *Real,* como dicen los aficionados y aspirantes.

Ya para entonces se hallarán en poder de los cajistas, al mismo tiempo que las cuartillas del *Discurso,* las de la novela. ¡Y si me equivoco que te parta un rayo!

Mil afectos a D.ª C. y a D.ª M., cariñosos recuerdos de Elisa y demás gentecilla ordinaria, y para ti un abrazo del pobre,

DOCTORCILLO

29 Marzo 1896.

XXXVII

Madrid, 1.º de septiembre de 1897

Señor:

Desde este templete (*) de vuestra grandeza editorial, humildemente os saludo, recordándoos la promesa de cierta bandera para una de mis *fundaciones*.

No *abrigo* la esperanza de que os dignaréis contestarme. Los Galdós, los Mélidas (38)... los genios, se abstraen y olvidan, pero si son tardíos, son seguros.

Tened presente que aun cuando sea del tamaño de un pañuelo la estimará muchísimo, haciéndola ondear sobre el Sanatorio de Chipiona, vuestro hijo espiritual,

MANUEL JORDANA,
ex Alcalde de Santa Madrona

Afectos respetuosos de la R. Familia.

(*) Doña Emilia llamó *palacete* a vuestro palacio, séame permitido llamar *templete* a este grandioso templo.

---

(38) Fueron dos hermanos, Enrique y Arturo Mélida, pintores de cuadros históricos e ilustradores de una edición especial de las dos primeras series de los *Episodios Nacionales*.

XXXVIII

Madrid, 28-9-1897.

Mi queridísimo D. Benito: Estoy llevando un verano de prueba, casi igual al que pasa el pobre Hermenegildo (39). Creo que la dolencia de su mujer es de cuidado siempre, por el temor de que sobrevengan complicaciones, pero no mortal si se la trata bien, sin precipitaciones de ningún género. Yo no te escribí porque me dijeron que vendrías pronto por acá, pero por lo visto hasta mediados del próximo mes no aparecerás por estas malhadadas calles de la Corte. Yo estoy decidido a ir dentro de pocos días a Chipiona y abriré el pabelloncito del pobre Sanatorio el día 12, aniversario de la colocación de la primera piedra. Respecto a la bandera hazla como quieras. Inspirado en el dibujo de Mélida, han dibujado una especie de sello para la vajilla que piensan regalar para el Sanatorio. Pedro Salmerón te envía adjunto un calco, pero creo que bastaría el áncora y la estrella; si pudiera ponerse *salus infirmorum* bien, pero de no ser así la bandera nacional, combinada con el azul y el blanco, o el azul y amarillo sólo... en fin, como tú quieras y que en estas y otras muchas cosas soy un borriquito humilde. Si hace mejor la custodia, símbolo de Santa Clara, también puedes ponerla en vez del áncora, pero quizá haga mejor ésta.

Y conste que todo ello sin que te sirva de molestia en lo más mínimo.

Elisa estuvo algo indispuesta, pero va mejor. Rafael bien. Ambos me encargan mil afectos para vosotros. Ya

---

(39) Don José Hermenegildo Hurtado de Mendoza y Pérez Galdós, sobrino de Galdós.

sé que te visitó el señor Plaza, mi casero, volvió embelesado del palacete y del Sr. del *Castillo*.

Adiós, muchos cariños a tus hermanos y a D. Pepe y para ti cuanto quieras de tu apasionado y humilde amigo,

M. DE TOLOSA LATOUR

XXXIX

*Junta Superior
de*
Sanidad de B. P. G.

Presidencia

Exmo. Sr.:

Tengo el honor de poner en su conocimiento que he acordado castigar la rebeldía del *Señor de San Quintín*, condenándole a reclusión temporal en el *Castillo del Oeste* hasta nueva orden, advirtiéndole que de no seguir estrictamente los mandatos de la Junta Superior de Sanidad que presido, se verá obligado a releer, corregir y prologar las críticas escogidas de los *monos sabios,* editándolas la casa editorial que V. E. dirige.

Dios, etc.

Castillo del Oeste, a 24 de enero de 1898 años.

EL DOCTOR MIQUIS

Excmo. Sr. D. Benito Pérez Galdós.

XL

27 Sept. 1898

Querídisimo D. Benito:

¡Gracias a Dios que sé de ti! He pasado un veranc atareadísimo y enfermo. Tampoco estuvo bien Elisa a última hora, de suerte que tu silencio y el del *polígrafo* D. H. hizo que, como decía un medicastro que imitaba o parodiaba al gran Asnero: *la barquilla del diagnóstico fluctuaba en el océano de la duda.*

Ya habrás visto que *El Imparcial* anuncia *Mendizábal.* Dicen por acá que en la Comedia se estrenará *El Abuelo.* Los del Español salieron ya. Empiezan el mismo día que se reúne la conferencia para la Paz, esa lúgubre *testamentería* que preside el sombrío don Eugenio (a) Luis XI (40).

Vi a don José, que vino muy grueso y bueno. ¿Cuándo regresáis?

Afectos de Elisa y Rafael para ustedes. Saluda cariñosamente a todos los habitantes egregios del Castillo y recibe un abrazo cariñoso si *que* también apretado de tu pobre doctor,

MIQUIS

Ya te dirá don H. que te hago solemne donación de la obra de Hartzenbusch: catálogo de periódicos, etc. Ya te contaré algo de teatros otro día.

---

(40) Se refiere a don Eugenio Montero Ríos, presidente de la comisión que negoció con los EE. UU. la cesión total de las últimas colonias españolas, después de la guerra de 1898.

XLI

Madrid, 22 Nov. 1898.

Mi queridísimo don Benito: Mil gracias por la obra de caridad. Se trata de un pobre muchacho, hijo de la patrona de D.ª Mercedes, estudiante de Medicina, muy estudioso, pero pobrísimo. Es posible que no pueda librarse de ser soldado a pesar del beneficio de la Comedia, pues el público sigue tan imbécil como de costumbre. Estoy muy atareado, trabajando bastante, por eso no puedo frecuentar el palacio de la calle de Hortaleza, donde fui el día antes de la salida de *Mendizábal,* para adquirir el *primer ejemplar,* con lo cual creo que doy buena sombra a la venta. Creo que se venderá mucho y más aún *De Oñate...,* pues el lector queda muy interesado al final del segundo episodio. No he de escribir elogios que a ti te disgustan. Es un libro que parece corto por el afán con que se lee. Ríete de lo que digan (p. e., Burell (41), que lamenta escribas la 3.ª parte ésa); ojalá lo combatieran con mucha saña. Eso es gran señal y contribuye a que ese gran distraído llamado público acuda a las librerías. Creo sinceramente que no te perdonarán nunca los Señores del *margen* que seas el único escritor que saca a las gentes de sus casillas. Manda a la soberana *peineta,* a esos peines de periodistas, *púas* de la política, *fracasados* (como ahora se dice) en su mayor parte y *ebenes* (como diría Quevedo) de condición. Ellos han convertido la Prensa, ¡esa *palanca!...,* en una vulgar *palanqueta...* Ya las pagarán. A ellos se deben casi todos los males (por no decir todos) que sufrimos y, en cambio, no contribuyen en modo alguno al desarrollo de las letras ni de las ciencias. Cuando entró

---

(41) Julio Burell (1859-1921), periodista y político español. Fundó la cacharrería del Ateneo. Trabajó en *El Progreso* y *El Nuevo Heraldo.*

Fernanflor (42) en la Academia echaron las campanas a vuelo, afirmando que la Prensa tenía un sitio en la *docta casa*. Yo no conozco a nadie que desprecie más el oficio y los *oficiales* que el amigo D. Isidoro. En cuanto a sus iniciativas periodísticas, más vale no hablar. Quien sostiene al crítico de marras en su periódico está juzgado. Verdad es que en la *tienda de enfrente* campa por sus respetos el *monosabio* famoso. Créeme, no hay que hacerles caso, ni preocuparse por lo que digan o dejen de decir. Ahora bien, de vez en cuando una tanda de palos dada con oportunidad y aseo les prueba bien y hasta la agradecen, como las *sectarias* al recibir un par de bofetadas rubefacientes del Armando de tanda. No quiero molestarte más. Ven pronto a *grignoter* los mil y pico de postres, cuídate mucho, escribe otro tanto y recibe nuestros cariñosos recuerdos con un fuerte abrazo de tu humilde y apasionado

MIQUIS

XLII

20 Dic. 1898

Mi queridísimo D. Benito:

Supongo que recibirías una carta mía a raíz de la publicación de *Mendizábal*—¡cosa rica que se vende más que el turrón!—y ahora añadiré que la gente anda impaciente por saber la continuación de las aventuras del joven Calpena (43). El otro día entró en casa de Fe el gran Eche-

(42) Fernanflor, seudónimo de Isidoro Fernández Flórez (1840-1902), periodista y literato español, citado más arriba.
(43) Luis Calpena y Avila (1860-1921), famoso teólogo y orador sagrado español.

garay, preguntando por el *segundo tomo* de *Mendizábal.*
¿Y eso?...

Bueno; pues sin prólogo ni exordio voy de súbito al
objeto de la presente. Es preciso, conveniente y oportuno
que veamos en escena *El abuelo.* Estoy seguro que se con-
seguirá un éxito, pues en la Comedia hay dos niñas que
dicen comedme: la Conchita Ruiz (44) y la Blanco, Nelly
y Dolly de primera. Donato (45) es un buen actor y hará
su papel *con amore.* Ahora ha interpretado un viejo en *La
Muralla,* con gran *justeza* (como dicen los neogaláicos) y
si añades a esto los entusiasmos de la Cobeña (46), Manso (47), Thuillier, etc., por ti, excuso decirte que el conjunto será delicioso y el resultado magnífico. ¿De dónde
sacas eso, dirás? Pues del público que anda por ahí hablando de la cosa; de los actores, de los amigos, y, en fin,
de mi corazón que no me engaña. Thuiller (sic) lo ansía,
pintará decoraciones, aceptará el papel que tú le des, lo
representará cómo y cuándo quieras. Me parece que pedir más es gollería.

Ya sé con lo que vas a salir. Con lo de Novelli (48).
¡Ah, si Novelli lo ha representado fuera, en Italia o en
Francia, no digo nada, pero si se reserva presentarlo cuan-
do venga—que será por la Pascua o por la Trinidad—

---

(44) Conchita Ruiz, actriz española de la época.

(45) Donato Jiménez (1846-1910), estimable actor teatral que
trabajó con Ricardo Calvo y María Guerrero, representando difíciles papeles de obras de Echegaray y Galdós.

(46) Carmen Cobeña, actriz. Trabajó en la Compañía de Emilio
Mario. Se casó con el escultor y autor dramático Federico Oliver.
(Véase Eduardo M. del Portillo, "Carmen Cobeña y Galdós", en
A B C, de Madrid, 9 de marzo de 1963.)

(47) Ricardo Ramírez Manso, actor cómico. Trabajó en el Apolo, la Princesa, con Tubau y Mario; luego, con Thuillier y
Cobeña.

(48) Ermete Novelli (1851-1919), actor italiano. Viaja por América. En España actúa en el estreno de *Un drama nuevo,* de Tamayo y Baus.

ensayando de cualquier modo, para hacer una creación, si la hace, faltándole desde luego conjunto, francamente la cosa me parece más desventajosa, pues ni es hombre que haga nada por nosotros en tierras lejanas—y si no ahí están Echegaray y Sellés—ni la obra se representaría, quizá, después con interés por los españoles como *reprise*.

¿Conque, cuál es tu opinión respecto de este asunto? Dímelo con franqueza y medita sobre el particular. Hazte cuenta de que soy un patriota chiflado que pide protección para los suyos, ya que de fuera no nos vienen más que desdenes... y no olvides que mis *corazonadas* son leales y *Miquis* es un doctorcillo de buena sombra. Contéstame. Recibe mil cariñosos afectos de Elisa y Rafael para ti y D.ª Concha (c. p. b.) y acepta un apretado y cariñoso abrazo de tu verdadero amigo,

Manuel

Una mala noticia. Hoy ha muerto repentinamente nuestro pobre amigo D. Modesto Martínez Pacheco. Da el pésame a su pariente don Manuel, nuestro médico.

XLIII

Madrid, 4 de julio de 1899.

Mi queridísimo D. Benito. No te he escrito antes por no saber por dónde empezar. ¡Tenía tantas cosas que decirte y que contarte! Además, este invierno ha sido de prueba para mí, por el trabajo, los disgustos que no me han faltado, y el abatimiento consiguiente al cansancio físico y moral. Atendí a tu recomendado con el mayor celo posible, y leí y releí los Episodios que aumentaron mi mutismo, pues son tantas las nobles y grandes ideas que despiertan, produce la forma tales espasmos de pla-

331

cer estético y por fin, viven con tanta energía y plasticidad los personajes, que el corazón y el cerebro se quedan achicados como ocurre a un pobre lugareño que presencia una gran fiesta. Los señores del margen, vulgo, críticos, el grande y el pequeño público, todos en fin, se han quedado boquiabiertos ante tu grandiosa labor. Yo, por mi parte, he llorado de satisfacción al verte tan bueno, tan sano, tan grande. Es preciso que no olvides el teatro. Tengo el conocimiento de que has de trazar un nuevo rumbo a la forma y al fondo de nuestra escena. Lo justifican tu autoridad indiscutible y los éxitos que has obtenido ya, unidas ambas cosas a cierto cambio que hubieras podido observar en nuestro público, el de los *días de moda,* sin *chaqué,* durante los dos meses largos que ha actuado en la Comedia la compañía de Palladini, actor de mucho mérito, director de la Mariani, actriz que está en el período de transición de la dama joven a la primera dama, la cual, si continúa al lado del referido actor llegará a una gran altura, pues no la faltan condiciones. Si tuviera tiempo y no temiera molestarte te haría una breve reseña de las obras que hemos visto Elisa y yo. Puede decirse que no he dejado de asistir a ninguna obra importante del repertorio y he visto todas las nuevas. El público ha *siseado* a Feuillet (49), a Angie, a Solorni, y a Ohnet (50), comprendiendo ya lo falso de todos aquellos conflictos que antes tanto le entusiasmaban, y ha oído con suma atención obras nuevas, como *La Casa de muñecas, El Honor, Tristes amores, La trilogía de Dorina* y otras, aplaudiendo quizá con mayor entusiasmo las más psicológicas y más sencillas. Muchos han recordado tu teatro y si hubieran hecho *Realidad,* por ejemplo, habrían visto todos a que altura, respecto a todo su repertorio, estaba la tragedia

---

(49)   Octavio Feuillet (1821-1890), dramaturgo y novelista francés.

(50)   Jorge Ohnet (1848-1918), literato francés, escritor de obras de teatro y novelas.

de Federico Viera. Algunas comedias, como *Las Rozzeno* y *Zara,* produjeron cierto susto entre los timoratos, pero no protestaron ni mucho menos, y la última de estas dos, llenó muchas noches el teatro. Desde que actuaron en Madrid compañías extranjeras ninguna produjo tanto dinero como ésta. Verdad es que la favoreció el tiempo frío, la diaria presentación de las *Instituciones* en el palco regio y dos días de abono de moda: los lunes y viernes.

Repito que esta *tournée* ha sido provechosa para el arte.

Ahora toca a los escritores como tú traer a escena *lo que quieran,* en la seguridad de que el público no tiene más remedio que oírlos... y con justicia aplaudirlos, ya que aclamaron actores y obras no mucho mejores que los nuestros. Respecto a una nueva campaña no sé si obtendrán igual éxito pecuniario. Lo pasado fue una verdadera *chiripa.* Y aquí termino, porque D. M. no me da más papel y me regaña por el gasto de la tinta. ¡Qué Harpagón! Mil recuerdos y cuanto quieras de tu leal y cariñoso amigo

MANUEL

XLIV

Mi queridísimo D. Benito: Cuando tenía todo preparado para irme con D. H. a ésa, una nueva contrariedad de las muchas que me han mortificado este año—y de que te hablaré, pues te *prometo solemnemente* ir—, me ha hecho caer en cama en el día de hoy. Me levanto tan sólo para escribirte estas líneas. No he contestado a tus saladísimas *tabarras,* porque estoy sin humor para nada. No por eso desfallezco, y te doy las gracias por esas pruebas de afecto y amistad que me dais todos. Cuando no se tropieza en la sociedad más que con ingratos o traidores, cuando va uno dejando en las zarzas del camino toda la

lana, a trueque de parecer un borrego sarnoso, consuela
mucho pensar que hay almas grandes y nobles como la
tuya, serenas siempre, buenas en todo momento, de las
cuales se puede tomar ejemplo y consejo.

Conste, pues, que en cuanto pueda haré una escapato-
ria sólo para verte y abrazarte.

Repito que he lamentado infinito no ir con todos, y
más todavía no pasar el día del Carmen con vosotros,
pues no he tenido otro remedio.

Mil afectos de Elisa y Rafael para ustedes, saluda cariñosamente a tus hermanas y sobrino, y recibe un apretado abrazo de tu verdadero amigo el pobre

MIQUIS

15 julio 1899.

XLV

Querido D. Benito: Dentro de dos o tres días cumpliré
mi promesa de ir a San Quintín y darte un abrazo muy
apretado. Deseo ver los Sanatorios y quisiera visitar detenidamente el de Madrazo.

¡Qué calor hace por acá! Ya te telegrafiaré mi salida de
Bilbao. Mil recuerdos afectuosos y para ti un abrazo de
tu invariable,

MIQUIS

San Sebastián, 25 agosto 1899.

XLVI

Bilbao, 28 agosto 1899.

Queridísimo D. Benito: Se cumplieron las profecías. Anoche llegué y mañana, Dios mediante, llegaré a ésa en el tren que sale de aquí a los 12 de la mañana y *arriba* a las costas de S. Quintín a las 4.

Estoy mejor de salud en estos diez días que llevo de viaje.

Tiene grandes deseos de darte un abrazo muy fuerte, tu apasionado amigo

MANUEL L.

De Madrid muy buenas noticias. Mil afectos cariñosos a todos.

XLVII

Lunes, 28 agosto 1899

Mi queridísimo D. Benito:

Hasta pasado mañana miércoles, a las 12 y 1/2 de la tarde no saldré para ésa, llegando a las 4. Ten, por lo tanto, por no escrita mi carta en la que te anunciaba que llegaría mañana y probablemente recibirás con esta. Quizá me acompañe don La bien (sic) que va a las Caldas a ver un amigo.

Supongo que tendré ya cartas en San Quintín.

Mil afectos para todos. Te abraza con el mayor cariño tu apasionado,

MANUEL

Hoy he recorrido las cercanías de Luchana y hemos recordado la admirable descripción de la batalla.

Del doctor Fausto al Lic. Metistófeles. Amado Maestro, amigo y Mentor: Aquí me tienes con mi buena Margarita, convertido en el huésped del número 20, cuyo cuarto pongo a tu disposición y a la de tu amable familia. La vivaracha Elenita nos acompaña y figura en los registros de mi colega como hija nuestra. Esto modifica prosaicamente la leyenda de papá Goëthe, pero ahorra algunas pesetas, pues nosotros, los licenciados y doctores podemos usar y abusar de las aguas minero-medicinales del Reino, gratuitamente, gozando de tan singular beneficio nuestros parientes cercanos. Anímate y ven a bañarte, cabe el río Pas (51), en las tibias y untuosas aguas de estos manantiales que según frase del doctor Silva, tu gran admirador y amigo, producen un placer sibarítico. Llevo ya dos baños y me siento menos *tenor,* de suerte que habrá que transportar mi parte en la Opera. El escenario es pintoresco, muy pintoresco, pero aún la retina guarda las maravillosas instantáneas de San Quintín (52) y sus cercanías. El personal de esta gran compañía *reumático-histérico-gotosa* es numerosísimo y distinguido *a la par.* Si vienes, como espero, con el gran don Sabio, verás un coro de entusiastas admiradoras, capitaneadas por doña Facunda, la hija del gran Asnero; de la alta banca tenemos dos Mendietas (no confundirlos con el famoso traidor de los *Pobres de Madrid),* un gran dentista, Darlington, yerno del Saca-

(51) Pas, valle de la provincia de Santander, en el límite con Burgos.

(52) San Quintín, chalet que hizo construir Galdós en Santander alrededor de 1894 y donde pasó la mayoría de los veranos desde esa fecha.

muelas efectivo de la Real Casa; el opulento millonario señor de la R. (no estampo más que la inicial de su apellido) quien es fama manifiesta en sus tarjetas que vive en *casa propia;* la viuda e hija de Alarcón; Pozzi (53), secretario perpetuo de la Diputación madrileña; el sabrosísimo fabricante de ensaimadas, dueño de *La Mallorquina;* la familia del famoso y malogrado fotógrafo Juliá; las madres respectivas de los ilustres políticos Connig y Marqués de Lerma; los reputados clínicos Mariani y Tolosa y para no cansarte más y con este concluyo, *nominalmente,* el buen amigo *Kasabal* (54), que acaba de llegar hoy.

Estamos, pues, bien acompañados y hasta divertidos. Puedes decir al activo administrador *don H.* (no confundirle con el *activo don Heliodoro)* que en el despacho del médico director hay *dos Campañas del Maestrazgo!* (132-Hortaleza-132).

En fin, amado maestro, que debías devolverme la visita que te hice en San Quintín, como Silvela a los representantes de las humildes Repúblicas de Haití y Santo Domingo—o las que sean—. Eso está consignado en las *estafetas* diplomáticas. Compadécete de estos reumáticos infelices y recibe con nuestro afecto un abrazo de tu viejo y apasionado,

Fausto

P. V. a siete días pasados del mes de septiembre de 1899 años.

----

(53)   Camilo Pozzi, funcionario español (1841-1902). Fue entendido en música y publicó varias obras artísticas.
(54)   Kasabal, seudónimo de José Gutiérrez y Abascal (1857-1907), periodista y escritor. Trabajó en varios periódicos, entre ellos *El Imparcial* y *El Heraldo de Madrid,* del que fue director.

IL

24 de agosto de 1900

Queridísimo Benito:

Que vendes lo que has escrito como puro pan bendito... (Y si no que lo diga don H., tiburón de libreros y halcón de corresponsales.) ¿Qué es de ti? ¿Estás incomodado con este pobre Miquis? Conste que no le *remuerde* la conciencia de haberte ofendido.

Aquí estoy en Trillo, con Elisa, a quien parece que le prueban bien las *aguas*. A fin de mes volveré a Madrid y me iré a Chipiona a dar un vistazo. ¿No piensas ir al gran certamen? ¿Cómo está toda la familia? Ya sé que estás haciendo una obra para el Español. La estrenarán, sin duda, los aristócratas artistas.

No escribo más por no molestarte. Mil afectos a todos, y ya sabes que a pesar de tus injustos desdenes, te quiere siempre tu pobre,

Miquis

Elisa os saluda y envía mil cariños a las señoras.

L

Trillo, 1 de septiembre de 1900

Queridísimo Benito: Hoy salgo para Madrid, y el lunes, Dios mediante, para Chipiona, donde pasaré muy pocos días. Después... quien sabe si haré una excursión al cerebro... y tal de Europa. En fin, que no sé nada. Si vas en noviembre a Andalucía es preciso que vayas a *Tunis Coepionis* sin falta.

Celebro infinito que te *llenes* lo mismo de músculos que de oro, ese músculo de la vida social. Tú serás atleta en ambos sentidos, ya que intelectualmente llegaste mucho más allá de la meta. Ya ves que no soy tardo ni perezoso en escribirte, pues tu carta está aún calentita de manos del cartero. ¡Ah, olvidaba decirte que no perderás la esbeltez jamás!, las palmeras por mucho que engorden y crezcan siempre son palmeras. Espero que siguiendo el símil tendras *abundosísima* cosecha de *palmas* con la *Electra* esa, cuyos pies y manos beso con el mayor afecto y respeto.

Mil cariños a todos. Elisa está muy bien y yo también he engordado algo. Me encarga muchos afectos para vosotros. A los pies (q. b.) de las señoras y cuanto quieran los señores, siempre que sea cosa factible y honesta.

Siempre tuyo hasta más allá de Sirio.

TOLOSA LATOUR

LI

Queridísimo Benito:

No quiero interrumpir tus trabajos, pero sí quiero dedicarte un cariñoso saludo desde estas playas. Aquí me tiene solo (Elisa llegará mañana), con chicos, hermanas y *tout le tremblement!* En Madrid hemos constituido una Asociación para sostener esto y lo que venga. (Se admitirán beneficios.)

La hermosa bandera, regalo de V. E. ondea en el hermoso y elevado mástil.

Espero a tu sobrino Pepe un día de estos, pues dijo que volvería a fin de mes. Me prometió una visita.

Muchos afectos a todos, a los pies (q. b.) de las señoras, y para ti un abrazo de tu siempre fiel,

MANOLO

23 de agosto de 1901.

Mi queridísimo Benito:

En la imposibilidad de hacerlo personalmente, te envío un cariñoso abrazo, reiterándote mi inquebrantable adhesión.

La infame campaña de gentes miserables en contra tuya, poco o nada debe importarte, pero te convencerás de que no estaba yo descaminado al aconsejarte que desconfiases de ciertas personas que ocupan indebidamente un puesto en la prensa, gracias a la inexplicable tolerancia de sus propietarios.

Estoy algo malucho estos días.

Siempre tuyo fidelísimo, de corazón

MANUEL

10 de abril de 1902

LIII

Queridísimo don Benito:

Mil gracias por el ejemplar dedicado de *Alma y Vida*. El primer ejemplar que vendió Fe lo adquirí yo, *ganon* de dar buena sombra a la venta.

Ya hablaremos largamente de la *fraterna* preliminar. ¿Porqué no vienes un día a la clásica *pesebrera?* Avísame. Afectos de la Comunidad, y te lo indica con la unción de siempre,

FRAY MANUEL

9 Mayo 1902.

Madrid, 15 julio 1903.

Mi querido D. Benito: No puedes imaginarte la pena que tengo por serme imposible asistir mañana al estreno de *Mariucha*. Además de hallarme abrumado de enfermos, se hallan bastante graves mi cuñado Ricardo, Nicolás Escolar, marido de mi madrina, y la duquesa de Veragua cuyo esposo es, como sabes, presidente de la sociedad protectora de los niños. Imagínate con tanta conturbación, si me es posible marchar!

Lo siento muy de veras y así se lo dije anoche a toda tu familia, que estuvo en el estreno del *Equipaje del Rey José*, hermosa obra musical que me gustó sobremanera. El público, mejor diré unos cuantos, protestaron algo, yo creo que por espíritu de empresa, pues lo que no ha ocurrido nunca, hay dos corrales abiertos que no andan muy boyantes: El Lírico y Eldorado. La ejecución fue buena e inmejorable el decorado.

En fin, que te deseo un *exitazo* muy bueno y muy cordial.

Elisa me hubiera acompañado, pero, repito, que es imposible. Me encarga te salude. Mucho sentimos no verte antes de marchar, pero por Lobo supe que habías tenido que hacer muchas visitas a última hora. Rafael agradece mucho tu invitación, pero también tuvo enfermito a su hijo.

Afectos a María y Fernando y enhorabuena anticipada. Te abraza con el mayor afecto tu fiel amigo,

MANUEL

Santa Clara, 22 de Agosto 1903.

Mi muy querido don Benito:

No te puedes imaginar la pena que nos agobia a todos no sólo por la desgracia del pobre Ricardo, sino por los grandes problemas que se han de suscitar.

Estamos convertidos Elisa y yo en *padres* y, no bastando los sobrinos, que necesitan mucho de nosotros, aún tenemos aquí una docena completa. Los resultados que se obtienen en el sanatorio son extraordinarios. Es verdaderamente doloroso que no me ayuden y que instituciones como la de Sanatorios (que tanto bien hacen y cuyo desarrollo en el extranjero es grandísimo) permanezcan en España (ilegible) y menospreciadas.

Cuando vengas a Cádiz para ir a Tánger y Tetuán, tienes que venir. Ondeará el pabellón que regalaste, algo remendado, pues los vientos son tremendos y no todos los días puede ondear la bandera *grande,* que se reserva para las grandes solemnidades, y te haremos una acogida cordialísima. ¡Ya verás cuántos *Celipines* tengo!

Vuelvo a felicitarte, como ya lo hice en su día, por tu triunfo de *Mariucha,* obra que rebosa ternura, bondad y, sobre todo, sentido común. Por esta causa fingieron no entenderla los sabiondos revisteros de Madrid, que viven como los infecundos y espinosos cactus a la sombra de las grandes casas, simulando defenderlas o adornarlas en sendos jarrones.

Da un apretado abrazo a D.ª Concha, que comprenderá bien nuestra amargura, y recibe otro muy cordial de tu verdadero y apasionado amigo,

MANUEL TOLOSA LATOUR

Mi queridísimo amigo: Aun cuando lo hará oficialmente la Junta, te envío, en su nombre y en el mío, las más repetidas gracias por tu donativo en favor del Sanatorio.

Elisa me encarga te salude con el mayor afecto, así como a las señoras y a tus sobrinos, a todos los cuales envío mil cariños.

Mañana te veré en el almuerzo.

Te abraza tu leal y apasionado amigo

MANUEL

El tesorero enviará la nota de ingresos y gastos a la prensa.

Hoy, 12 Marzo 1904.

LVII

LA MADRE Y EL NIÑO
REVISTA DE HIGIENE Y EDUCACIÓN
Atocha, 96, 2.º
MADRID

Dirección

Mi queridísimo D. Benito:

Adjunto es el álbum de la marquesa de Selva Alegre por si tiene usted la bondad de transcribir dos o tres párrafos del hermoso capítulo *el mayor monstruo el crup.* No he podido ir a verle por tener a mi hermanita algo enferma, pero muy pronto iré a darle una *buena jaqueca,* que le quitará cuantas pudieran aquejarle en lo porvenir.

Tengo en prensa el *Almanaque de la Madre y el Niño.* ¿Me dará usted un *pensamientito*? Mire que se lo pido con humildad y temblando de miedo (y de frío) por el natural temor de molestarle …y que las Mamás le bendecirán. Le quiere mucho su apasionado,

M. DE TOLOSA LATOUR

LVIIII

IMPRENTA DE MANUEL GINÉS HERNÁNDEZ
Libertad, 16 (dupl.º), bajo

Mi querido Benito:

Adjuntos son algunos de los artículos, no todos, que preparo para las *Niñerías*. Hazme el favor de separar lo que no te guste. Mañana te remitiré más.

Tuyo,

MANUEL

LIX

AGUAS MINERO MEDICINALES
COLONIA DE LA ALISEDA
(Provincia de Jaén)
(Premiada en la Exposición Universal de Barcelona)

Buenos días, atormentador de Torquemadas. ¿Cómo estás? Discurriendo alguna ocupación que me arruina, pues en la presente década, como diría Ferreras (55), no verán la luz, ni la sombra, mis pobres niñerías. Como a mi regreso, que será el martes, no has preparado, no pruebas, sino

---

(55) José Ferreras (1841-1904), periodista. Fue redactor de *El País, El Gobierno, El Debate* y *Los Debates*.

original para el tirano tipógrafo de la calle de la Libertad, juro sobre la Biblia de D.ª Magdalena invadirte el despacho, dejarte sin cigarros, romper todos los "bibelots" del estudio y afeitarte en seco el bigote.

Póstrame ante D.ª Concha, cuyas plantas beso, saluda con el corazón a quien me puso la corona de espinas que nunca me abandona, abraza a la sobrinería y recibe unas cuantas oleadas de luz y perfume campestre de estas tierras con todo el cariño de tu apasionado,

DOCTORCILLO

LX

Hoy, viernes

Mi queridísimo Benito:

Te suplico aceptes a la par que un tomo encuadernado de las pobres *Niñerías,* la pobrecita niña portadora de unos cigarros que supongo selectos, pues así me los ofrecieron.

Bien sé que la *Marianeluchilla* era, no es obra de arte, como no lo son las manchas que con tanta bondad has apadrinado, pero tú eres muy indulgente y disculparás todas mis faltas, en gracia del profundo y verdadero cariño que te profesa tu apasionado,

MANUEL

Iré a verte hoy o mañana. Sigo mal. Recuerdos.

LXI

Queridísimo D. Benito:

Ya te dirá Rafael cómo estoy. Por eso no puedo ir a felicitarte, como deseaba. Ahí va un abrazo y una caja de *espléndidos* de tu tocayo, que con todo no te aventajarán en esplendidez.

He pedido *audiencia* en tu nombre y en el mío a Sotomayor, rogando la concedan por la mañana.

Los libros estarán mañana linda y esplendorosamente encuadernados. No les faltarán más que las dedicatorias autógrafas.

Mil afectos y cúmplase la Voluntad Nacional.

Te abraza cordialmente,

MIQUIS

Adjuntos irán los recibos y el oficio de la Asociación. Dios se lo pague a V. C.

LXII

Señor:

Enterado de la dispepsia flatulenta que os aqueja, la cual contribuye de modo poderoso a que Vuestro aparato gastro-intestinal adquiera proporciones Aguilareñas o Aguilarescas, me atrevo a prescribiros los adjuntos *sellos, hostias o "cachets"* que os facilitarán grandemente las funciones digestivas, devolviéndoos la delgada esbeltez de cintura que siempre os caracterizó, contribuyendo a mantener vivísima la adoración que inspiráis al bello sexo.

346

Dignaos aceptar dichos sellos, que espero sean tan benéficos como los del Sanatorio, y procurad deglutirlos momentos antes que vuestros opíparos yantares.

Vuestro siempre humildísimo servidor y amigo apasionado,

EL DOCTOR FAUSTO

LXIII

Madrid, 1.º de julio.

Queridísimo *autorcillo*:

Hice al momento la recomendación que se me pedía. ¿Qué tal ha salido de sus exámenes el joven Sendra? (56). No pude ver a su mamá, pues he llevado unos días de gran trabajo.

Me voy a marchar a Panticosa (57), pues no quiero morirme como tu hijo Miquis (58).

¡Cuánto me alegraría verte! Pero no aspiro a tanto honor. ¡Maldita sea la política, que impide que pueda darte un abrazo de tu affmo. doctorcillo que te quiere de corazón,

MANUEL!

---

(56) Juan Bautista Sendra, escritor y periodista. Fundó en Barcelona *La Ilustración Artística.*

(57) Pueblo de la provincia de Huesca, que tiene un excelente balneario de aguas minerales.

(58) Se refiere a Alejandro Miquis, uno de los protagonistas del *Doctor Centeno,* que muere tuberculoso.

LXIV

Queridísimo Benito: Es imposible que cambie de día el almuerzo. En primer lugar, porque, como convinimos el día que estuviste en casa, el padre Lerchundi designó la hora; además, están prevenidos y vendrán: Ortega Munilla, que está de paso porque se va mañana a Córdoba (y que, dicho sea entre paréntesis te convendría ver), Santiago Estrada (59) a quien no conoces y el dueño de la Aliseda..., amén de una sorpresa que te preparaba. En fin que me das un disgusto formidable, porque ya sabes que no soy como tú que prometes las cosas, *no las cumples,* y te quedas tan fresco. El amigo Covarrubias es *solo,* aquí te esperan personas que no pueden detenerse en Madrid y que creo te gustaría conocer..., pero, de todos modos, tu has de hacer tu santísima voluntad. Algún viaje (ilegible) barrunto... Pero admitido y deglutido el almuerzo.

Covarrubias, al que odiaré eternamente si no te deja libre, ¿no podrás venir después siquiera media hora a fumarte un cigarro? Te esperaríamos hasta las 3 *tomando café...*

Ya ves que soy generoso, y no que rabie de celos aparte y te *maldigo,* pues ya hemos recibido dos *repulsas,* como diría uno de tus compañeros de la calle de Valverde, de suerte que de ti depende *quedar bien,* desenfadarnos, ver la sorpresa y recibir un fuerte abrazo del triste y desairado,

DOCTORCILLO

Domingo, 7 junio.

---

(59) Santiago Estrada (1835-1891), literato y periodista argentino. Viaja por España y conoce a los escritores importantes de la época. Varela, Núñez de Arce y otros escriben prólogos a sus obras.

LXV

Queridísimo don Benito:

No puedo ir a felicitarle porque estoy enfermo. Se ha descompuesto un poco el *músculo cardíaco* con estos bruscos cambios de presión y de temperatura y anteanoche me llegué a preocupar, pues sentía opresión y me faltaban pulsaciones. Estoy condenado, pues, a reclusión temporal.

Te envío adjunto un busto del pobre Mario, como recuerdo de tu primer empresario y nuestro buen amigo.

Doña Elisa envió habas y guisantes de su campito, pero no llegarán hasta esta noche. Mañana te remitiré en su nombre y en el mío una racioncilla para que probéis tan modestos frutos de la tierra chipionera.

Mil afectos a esas Santas Señoras, no olvidar al santísimo D. José, al *noble guardia de corps* y a todas las personas de la casa-palacio.

No me olvides. Ven a comer conmigo cuando quieras. Gracias anticipadas por ello, y recibe un anticipado abrazo de tu apasionado,

MANUEL

LXVI

DOCTOR TOLOSA LATOUR.
133, Atocha. Teléf. 518.
MADRID

Queridísimo D. Benito: ¿Con que sacando celebridades médicas? ¿Con que escribiendo mucho? Me alegro mucho; así tendrás ocasión de estrenar los *pequeños cacharros* que, supongo, llegarían sin novedad. Y el regalillo para la pareja vallisoletana ¿llegó también? Dímelo.

En cuanto recibí tu carta fui al hotel de Santa Engracia "street" y vi a la Mamá de tu sobrino y les di la tarjeta para Pardo Regidor. (Por cierto, que no me dices cómo andas y si sigues el plan establecido.)

Vi al doctor, que está dispuesto a serviros en cuerpo y alma. Encontré posteriormente una tarjeta de Teodoro Guerrero (60) (¡del joven Guerrero!) (¡que te remito *adjunta*!). (Entre paréntesis, también te diré que harás bien en complacerle, porque no me dejará ni a sol ni a sombra hasta conseguir su propósito.)

Aquí en Madrid, todos locos. Yo trabajando mucho y acordándome de ese *Mponaponche* delicioso, donde iría gustoso a pasar el resto de mi vida, en calidad de *pato*.

En cuanto Pardo me diga lo que opina de tu sobrino te lo participaré.

Elisa envía muchos cariños a D.ª Magdalena y a D.ª Concha y a ti mil *finos afectos;* Rafael ídem de ídem, y yo, después de reiterarme vuestro más humilde siervo, me postro ante ti y entono el *credo* de los primeros apóstoles, rogando a la Diosa Higea (61) por tu salud, tu tranquilidad, etc., etc.

Siempre tu mejor amigo y apasionado practicante,

Miquis

Hoy, 12 de mayo.

----

(60) Teodoro Guerrero (1824-1904), nace en Cuba y colabora en *El Diario de la Marina.* Luego marcha a España y escribe cuentos. Colabora también en *La Ilustración Española y Americana, Blanco y Negro y Gente Vieja.*

(61) Higea, hija de Asclepio; diosa de la salud entre los antiguos griegos.

CARTAS DE SALVADOR RUEDA

Otra muestra de la general admiración de los escritores de la época de Galdós son estas dos cartas del popular y laureado poeta malagueño. Rueda, nacido en el pueblecito de Benaque en 1857, había llegado, a principios de este siglo, a la plenitud de su vida y de su obra. Desde que inicia su carrera poética, en 1883, bajo la protección de Núñez de Arce, hasta 1892, transcurre su primera etapa, marcada por obras como *Cantos de Vendimia* y *El tropel,* prologada por Rubén Darío. Y desde aquí hasta 1908, en que, unido a la corriente modernista, pero sin confundirse con ella, llega a las máximas orquestaciones de su lira colorista y rítmica, con los poemas de las *Trompetas del órgano* y *Lenguas de fuego.* A esta segunda etapa en que, además de versos, ha publicado novelas y estrenado teatro, corresponde su contacto epistolar con Galdós. Creyéndose ya viejo y con obra realizada, se atreve, tímidamente, a solicitar del prestigioso novelista y dramaturgo que le apoye en su posible pretensión para el sillón de la Academia que acaba de dejar vacante, con su muerte, don Ramón de Campoamor.

La segunda carta corresponde al momento en que Salvador Rueda busca camino a sus obras teatrales. Ya en 1901 había estrenado, con cierto éxito, una pieza teatral titulada *La musa.* Ahora, en 1904, debía tener alguna otra obra, que ni siquiera cita, que deseaba estrenar en el

Teatro Español, regentado en aquella temporada por la famosa Compañía de Guerrero-Mendoza. Esta carta nos revela también el carácter apocado y retraído del poeta, que él mismo explica por su origen y su arraigo campesino. Sin embargo, todos saben que Rueda fue un trotamundos, mensajero de hispanidad por todas las regiones donde podía llegar la emoción vibrante y sonora de su verbo español. En esto hay, sin duda, algo que antes había vibrado en las cuerdas patrióticas de los *Episodios Nacionales* de su admirado amigo don Benito Pérez Galdós.

S. N.

Sr D. Benito Perez Galdos
   Venerado Maestro.
Al ver en estos dias, á todas
horas, como toda España le
llena á V. de merecidisimos
piropos, me canto yo, entre
dientes para mi solo, esta
copla popular;

"Toda España te dira
salero por tí me muero,
y yo no te digo ~~nada~~
y soy el que mas te quiero..."

Tanto le quiero á V., que me
quedo sin voz cuando le veo, y
por esta razon le escribo, diciendo
que me conteste V. en dos lineas.
Anteayer, en el entierro de nuestro
Galdos y empezamos, lo menos hasta
~~y~~ya docena de personas, me insta-

23

ron, con mucho afán, para que yo
buscase una temeridad, la temeridad buscar padrinos ...... para
solicitar mi entrada en la Academia.
Me añaden esos amigos, que entre
los candidatos que buscan tal honor,
también podría yo ir, cosa que dudo,
y por ser el joven (si es que aun lo
soy) pregunta al Maestro (que positivamente es joven): ¿Me pondría en
ridículo al dar ese paso? ¿Podría conforme a la mano de V.? ¿

No sabe V. cuánto y cuánto le
quiere el más tímido de los tímidos
y? m. b   Salvador Rueda

Soy el mas desamparado de todos los aspirantes, por que casi no conozco a ninguno de los inmortales

Mis señas: Museo de Reproducciones
Artísticas; Calle de Alfonso XII

MADRID POSTAL
Escritorio público
"EL MENSAJERO"
Alcalá, 2. MADRID

Sr. D. Benito Pérez Galdós.

Venerado maestro.

Al ver en estos días, a todas horas, como toda España le llena a V. de merecidísimos piropos (1), me canto yo entre dientes, para mí solo, esta copla popular:

"Toda España te dirá
salero, por ti me muero;
y yo no te digo *na*
y soy el que más te quiero."

Tanto le quiero a V., que me quedo sin voz cuando le veo, y por esta razón le escribo, deseando que me conteste V. en dos líneas.

Anteayer, en el entierro de nuestro excelso Campoamor (2), lo menos hasta media docena de personas, me instaron, con mucho afán, para que yo hiciese una temeridad, la temeridad buscar padrinos... para solicitar mi en-

---

(1) Se refiere al popular entusiasmo con que fue acogida la representación de *Electra,* estrenada, en Madrid, el 30 de enero de 1901.

(2) Don Ramón de Campoamor murió en Madrid el 12 de febrero de 1901, si su entierro fue el día 13, la fecha de esta carta sería la del 15 de febrero de dicho año.

trada en la Academia (3). Me añadían esos amigos, que entre los candidatos que desean tal honor también podría yo ir, cosa que dudo, y por eso el joven (si es que aún lo soy) pregunta al Maestro (que positivamente es joven): ¿Me pondría en ridículo al dar ese paso? ¿Podría cogerme a la mano de V.?

No sabe V. cuánto y cuánto le quiere el más tímido de los tímidos q. s. m. b.

SALVADOR RUEDA

Soy el más desamparado de todos los aspirantes, porque casi no conozco a ninguno de los inmortales.

Mis señas: Museo de Reproducciones Artísticas. Calle de Alfonso XII.

II

Sr. D. Benito Pérez Galdós.

Querido maestro: a uno que pretende, no hay que enseñarle una esperanza; es como enseñarle un boquerón a un gato. Me refiero a la gracia que espontáneamente prometió V. hacer por mí, cuando nos vimos en el saloncillo del Español (4). Por haber sido espontáneo (sic) el movimiento de su corazón, lo quiero más.

¿Se acuerda V. de la divina *Marianela*? Pues en lo to-

---

(3) Rueda no llegó nunca a ser académico de número, pero sí fue, después de 1927, cuando ya vivía en Málaga, correspondiente de la Academia de la Lengua.

(4) Se refiere al Teatro Español, donde se solían celebrar tertulias en las épocas de ensayo, y a las que Galdós asistía, atraído por su vieja afición teatral, antes del estreno de su *Realidad*, en 1892.

cante a su timidez y a su poquedad, en mí tiene V. reproducido el tipo. Mi replegamiento de campesino ante la gente, que siendo cosa tan sencilla de entender, casi nadie lo ha penetrado, me encierra en mí mismo de tal modo, que se me secan las palabras en los labios. Esto no se puede remediar, porque si se pudiera, estaría yo curado hace tiempo. Con toda mi alma siento no poder desplegarme más que en la soledad y en el silencio, o al borde de la mesa de trabajo.

Amasado (desde mi niñez hasta los 18 años) con esas incorpóreas sustancias de soledad, Naturaleza y silencio, no me siento decidido y valiente más que hablando... con las encinas y los alcornoques; de éstos soy hermano, pero no en la corteza pues la mía se llena de arrugas y rizos con el solo roce de una palabra. Así es, querido Maestro, que soy un inepto para todo lo que no sea trabajar y esponjarme en la soledad, en fiesta perpetua con las emociones y las ideas: meter un pájaro en un líquido o colgar un pez del aire, es meterme a mí entre personas. Qué desgracia ¿verdad?

Por añadidura, María tiene en su arte, para mí, algo que, a fuerza de admirarla yo, llega a lo *religioso,* y ni me decido a hablarle, ni oso romper el respeto sagrado que le tengo.

Con nuestro querido Fernando (5), me ocurre, si no tanto, lo bastante para no poder ser yo explícito. Y eso que es amable y decidor y gracioso y comunicativo. También es así María, y sin embargo, hay una verja invisible entre ellos y mi rudeza, que yo no puedo romper, sábelo Dios.

Así es que cuando V. me prometió ser mi verbo y mi luz, me incendié de alegría. ¿Quiere su corazón de V. re-

---

(5) Naturalmente se refiere a la famosa pareja de actores María Guerrero y Fernando Díaz de Mendoza, que seguramente estarían ensayando el próximo estreno de Galdós que fue el de *Bárbara,* representada por ellos en marzo de 1905.

solver esta página de mi vida? Plantaré en ella una eterna
señal de alegoría.

Besa sus manos.

SALVADOR RUEDA

16 Dibre. 1904.

¡Urge para mí tanto este asunto!

Como no nos vemos casi nunca ¿quisiera V. ponerme
sólo dos renglones diciéndome lo que consiga? Es su casa
Provisiones, 14 pral. d.ª

ÍNDICE DEL ARCHIVO PARTICULAR
DE GALDÓS

Introducción

El archivo particular de don Benito Pérez Galdós, antes de ser adquirido por el Cabildo Insular de Las Palmas de Gran Canaria para la "Casa de Galdós", ha pasado por distintos avatares, expurgos o requisas, que lo han dejado en el estado que nos ha sido posible examinar (1). Aún así, este archivo—en seguida se podrá comprobar—es todavía extraordinariamente rico en cartas de políticos, dramaturgos, novelistas o simples corresponsales de don Benito, y en otros documentos, que creemos de consulta indispensable no sólo para conocer las relaciones de Galdós con sus contemporáneos y explicar muchos detalles de la vida y de la obra del gran escritor, sino también para interpretar la situación política, social y literaria de fines del pasado siglo y comienzos de éste, tan importante para poder explicarnos nuestra propia época.

Ya H. Chonón Berkowitz al señalar "lo abandonado

---

(1) Al presidente del Cabildo, el Excmo. Sr. don Federico Díaz Bertrana, agradezco la confianza que ha puesto en mí para abrir y examinar el bargueño que contenía el Archivo de Galdós a su llegada a Las Palmas, y que hoy es el objeto de nuestra Clasificación. Asimismo, debo dar las gracias a los Sres. Junco Vidal y Navarro Jaime, administrador y conservador de la "Casa", por las facilidades dadas a mi trabajo de investigación.

que era Galdós en las cosas de administración personal" indica una de las causas por la que "han desaparecido algunos autógrafos de sus obras, y aun más, cartas de su archivo epistolar" (2). El mismo investigador norteamericano, ya fallecido, nos dice que cuando él examinó el archivo epistolar de Galdós había cartas de Pereda, Valera, Clarín, Menéndez Pelayo, Pardo Bazán, Zola, Tolstoi y Turguéniev, pero que más tarde desaparecieron sin saberse su paradero (3).

Posteriormente, al parecer, ha sido examinado el Archivo por dos importantes amigos de Galdós. Uno fue don Gregorio Marañón, que acarició largo tiempo la idea de hacer una semblanza sobre el gran novelista, por el que sentía una gran admiración y tenía muchos recuerdos de sus últimos años. Y el otro fue don Ramón Pérez de Ayala que guardaba en su archivo epistolar importantes documentos de aquella época y que siempre consideró a Galdós como uno de sus maestros. Acaso estos escritores recogieron algunos papeles con ánimo de documentarse para llevar a cabo sus proyectos. Hoy, gracias a la diligencia de Soledad Ortega, se ha recogido en un volumen de *Cartas a Galdós* (R. O. Madrid, 1964) lo más importante del archivo galdosiano que poseía Pérez de Ayala.

A todo esto hay que añadir que la actual presentación del Archivo de Galdós, indica que una mano—acaso la del secretario, y luego su yerno, don José Verde—estuvo ordenando las cartas, papeles, recortes y reseñas del Archivo, procurando hacer una clasificación alfabética, que luego ha sufrido algunas alteraciones con el traslado a Las Palmas. Quizás a estas últimas manos habrá que atribuir la falta casi total de correspondencia íntima que, por razones bien comprensibles, los familiares han tratado de que no lleguen a los ojos indiscretos del investigador.

(2) Vid. H. Ch. Berkowitz: *La biblioteca de Benito Pérez Galdós,* Ed. Museo Canario, 1951.
(3) Vid. Berkowitz: *Gleanings from Galdós correspondence,* Ed. Rev. Hispania, XVI, 1933.

Clasificación.

Para la publicación de este Indice seguimos una ordenación distinta a la que el Archivo tiene en la actualidad, que por otra parte necesita una revisión y clasificación total y adecuada. Con su contenido hemos hecho cuatro apartados por materias generales con sus correspondientes subdivisiones, siguiendo el orden alfabético para facilitar su búsqueda. El ideal sería que se añadiera un índice temático, mas para ello es necesario leer con detenimiento todas las cartas y documentos, y esto no ha sido posible por el momento.

El apartado I, el más copioso, lo hemos hecho con las cartas de interés general, escritas por políticos, dramaturgos, novelistas, actores, etc., que tuvieron relación más o menos cercana con Pérez Galdós. Manteniendo el orden alfabético de autores, hemos procurado indicar el número, la fecha y, cuando es de interés, el contenido de las cartas .

En el apartado II reunimos notas, documentos, recuerdos etc., junto con cartas privadas y familiares. Hacemos tres subdivisiones: a) con las cartas, tarjetas de pésame, recomendaciones, etc., b) con testimonios de homenajes y celebraciones, y c) con las notas, cuentas privadas, recuerdos de viaje y documentos curiosos. Todo ello de interés especial para los biógrafos de Galdós.

En el apartado III van los documentos reunidos por nuestro escritor para la composición de sus obras: epístolas de corresponsales consultados (los que él llamaba "archivos vivientes") o de los espontáneos. En otro subapartado van las cartas de desconocidos sin clasificar y algunos textos y documentos curiosos.

En el apartado IV agrupamos el contenido más heterogéneo, compuesto por tarjetas, cartas de varios corresponsales extranjeros, admiradores y traductores, y finalmente, textos impresos: programas, invitaciones y recortes de periódicos, casi todos de reseñas sobre obras dramáticas de Galdós.

Queda todavía que hacer una última advertencia para el mejor entendimiento de esta clasificación. En el primer apartado no vemos ninguna dificultad, puesto que siguiendo el orden alfabético y con su número tendremos la cantidad de corresponsales por orden de apellidos. Pero en los apartados siguientes, como las materias son variadas, hemos creído oportuno hacer unas subdivisiones que indiquen, aproximadamente, el contenido de las carpetas, y además, en la ordenación numérica de los documentos o cartas, añadimos una letra que corresponde a la casilla donde están reunidos actualmente estos papeles. Por ejemplo, el apartado IV, subdivisión C, Textos impresos, comienza con una carpeta que lleva la nomenclatura 13B). P. Barrios (Bendo, Cuba. Envía recortes de periódicos), porque es la primera carpeta de este apartado que encontramos en la casilla B. Esto nos parece que facilitará la tarea del curioso que quiera acudir al Archivo y encontrar el documento que le interese, según su ordenación actual, sin renunciar por ello a esta clasificación por materias.

EPISTOLARIO GENERAL

A

1. ABAD HERNÁNDEZ, Morales, 4 cartas (1914-1916).
2. ACEBAL, FRANCISCO. Una carta. 1918.
3. AGUILAR DE CAMPÓO. Varias notas.
4. AGUILERA, ALBERTO. Alcalde de Madrid, varias notas y oficios.
5. * ALVAREZ QUINTERO, JOAQUÍN y SERAFÍN. Diecinueve cartas sobre literatura y teatro; varios recortes de periódicos (4).
6. ALFARO. Dos cartas.
7. ALVAREZ, MELQUÍADES. Cinco cartas sobre política; contestación a otras de Galdós.

----

(4) Señalamos con un asterisco los autores cuyas cartas van publicadas en este volumen.

8. ÁLVEAR. Una carta.
9. E. ALBA. Seis cartas.
10. ALCALÁ GALIANO, JOSÉ y MARY. 87 cartas, algunas en verso; amistosas, íntimas, literarias, etc., entre 1882 y 1912.
11. AMÓS, SALVADOR. Tres cartas breves y una tarjeta.
12. AMICH. Una carta, Barcelona.
13. ANTON DEL OLMET, LUIS. Tres cartas.
14. APRAIZ, JOSÉ. Tres cartas.
15. ARNICHES, CARLOS. Una carta, 1916; propone a Galdós formar parte de un tribunal de un concurso de novela, que además estaría formado por Baroja, Azorín, Blasco Ibáñez y Palacio Valdés.
16. ARAQUISTÁIN, LUIS. Varias cartas sobre asuntos jurídicos.
17. ARZADUM, JOSÉ. Varias cartas sobre una obra de éste en torno a doña Juana la Loca.
18. ARMIÑAN, LUIS DE. Una carta.
19. B. ARGENTE. Una carta.
20. ARIMÓN, JOSÉ. Cuatro cartas.
21. A. AVILÉS. Dos cartas, 1888.
22. * AZORÍN. Una carta donde da las gracias por el envío de un *Episodio*, 1911, y una tarjeta.
23. AZCÁRATE, GUMERSINDO DE. Varias cartas sobre política.

B

24. BALLESTEROS. Varias cartas y originales de novela.
25. BASSÓ, FEDERICO. Varias cartas.
26. BARCIA, AUGUSTO. Varias cartas.
27. * BAROJA, PÍO. Dos cartas, 1905; pide recomendación para su viaje a París.
28. BEJARANA, LUIS. De *El Liberal,* de Madrid, varias cartas.
29. BENAVENTE, JACINTO. Ocho cartas y tarjetas breves, s. a.
30. BENAVIDES, JOSÉ. Varias cartas.
31. BELLO, LUIS. Cinco cartas.
32. BENLLIURE, MARIANO. Dos cartas, 1906.
33. BERRIATUA. Varias cartas con opiniones sobre novelas de Galdós.
34. BETANCOURT, JOSÉ [ANGEL GUERRA]. Treinta y tres cartas literarias, amistosas, políticas, etc. (5).

---

(5) Próxima publicación en un volumen sobre *Los corresponsales canarios de Galdós,* S. de la Nuez.

35. * BLASCO IBÁÑEZ, VICENTE. Once cartas y una tarjeta sobre diversos asuntos editoriales, teatrales, literarios, etcétera. En una da datos del éxito de *Electra* y de la muerte de Zola en París.

36. BOBADILLA, EMILIO [FRAY CANDIL]. Varias cartas periodísticas.

37. BONAFOUX, LUIS. Ocho cartas literarias, amistosas, etc., con peticiones diversas.

38. BORBÓN, FRANCISCO MARÍA DE. Tres cartas.

39. BORRÁS, TOMÁS. Tres cartas sobre teatro.

40. BRETÓN, TOMÁS. Varias cartas y tarjetas.

41. BROUTÁ, JULIO. Varias cartas.

42. BRAVO Y BRAVO. Varias cartas del partido republicano del Cantábrico, Santander.

43. BURGOS, CARMEN DE [COLOMBINE]. Varias cartas entre 1904 y 1908, consultas sobre sus obras, literatura y amistad, una foto dedicada.

44. BUEN, ODÓN DE. Una carta, 1915.

45. BUENO, MANUEL. Treinta cartas sobre diversas campañas literarias y políticas.

46. BUENO, WENCESLAO. Nueve cartas sobre asuntos de teatro.

C

47. CAJAL, SANTIAGO RAMÓN Y. Una carta; pidiendo su voto para la Academia.

48. CALVO, RICARDO. Dos cartas sobre teatro y dos reseñas.

49. CANO, LEOPOLDO. Varias cartas sobre temas políticos.

50. CANARIOS DE CUBA. Varias cartas.

51. CÁMARA, ARTURO DE. Cinco cartas.

52. CASTRO, CRISTÓBAL DE. Catorce cartas literarias y otros temas.

53. CATARINEU, RICARDO. Diez cartas sobre asuntos varios.

54. CAVESTANY. Dos cartas.

55. CASTELLÓN, ROSALÍA. Once cartas de 1902 a 1917.

56. CAVIA, MARIANO DE. Una carta.

57. CANALEJAS, JOSÉ. Cinco cartas breves.

58. CARRERE, EMILIO. Varias cartas.

59. CARRETERO, JOSÉ MARÍA. Cuatro cartas sobre artículos, periódicos y reseñas.

60. CARRETERO, MANUEL. Dos cartas.

61. CASTROVIDO, ROBERTO. Diputado a Cortes, varias cartas.

62. A. CASERO. Una carta.

63. CALZADA. Tres cartas de Buenos Aires.
64. CALZADO. Catorce cartas, entre 1901 a 1909, sobre la representación de *Electra* en París y traducción de los *Episodios.*
65. CANALS, SALVADOR. Seis cartas desde 1895 a 1902, sobre literatura y teatro. Varios artículos del *Diario del Teatro* y la revista *Nuestro tiempo.*
66. CASTELLÓN, FERMÍN. Tres cartas.
67. CASTELLÓN, J. Una carta.
68. CEJADOR, JULIO. Una carta, 1916, pidiéndole datos para su *Historia de la Literatura.*
69. CERRALBO, MARQUÉS DE. Varias tarjetas.
70. CARRACIDO. Una carta breve.
71. CARULLA, JOSÉ MARÍA. Una carta que habla de su Biblia en verso.
72. CERVERA, JOSÉ. Varias cartas políticas.
73. CINTORO BERNABÉU, JOSÉ. Varias cartas y tarjetas.
74. CIGES APARICIO. Siete cartas sobre teatro y literatura.
75. "CLARIN", hijos de. Varias tarjetas de felicitación.
76. COBEÑA, CARMEN y OLIVER, FEDERICO. Numerosas cartas de 1896 y 1910, sobre teatro, obras, autores y otros temas.
77. CONCAS, VICENTE. Una carta política.
78. COSSÍO, MANUEL B. Varias notas.
79. * COSTA, JOAQUÍN. Cinco cartas y un telegrama, temas políticos y literarios, 1901 a 1910.
80. CORREDOR DE LA TORRE. Una carta desde París, 1910.
81. COVAIN. Una carta.
82. CUBAS, JOSÉ. Varias cartas de Galdós y otras remitidas.
83. CUTANDA, VICENTE. Una carta.
84. CHIL Y NARANJO, GREGORIO. Varias cartas (6).
84 bis. DAHLANDER, H. S. Tres cartas.
85. DELGADO, SINESIO, periodista del *Madrid Cómico.* Dos cartas.
86. P. DEVERNINE. Varias cartas.
87. DÍAZ DE ESCOBAR, NARCISO. Ocho cartas sobre teatro y periodismo.
88. DÍAZ DE ESCOBAR, ANTONIO. De *La Epoca,* seis cartas, 1890, sobre publicación de unas novelas.
89. DÍAZ DE MENDOZA. Véase María Guerrero.
90. DICENTA, JOAQUÍN. Veinticinco cartas periodísticas, como director de *El Liberal.*

(6)   Véase nota número 5.

91. Doménech, Juan. Dos cartas literarias.
92. Doreste, Luis. Dos cartas, desde París.

E

93. Echaide, Luis. Administrador de teatros. Numerosas cartas relacionadas con éste y las obras de Galdós.
94. Echegaray, José de. Tres cartas sobre teatro.
95. Echevarría, Luisa de. Numerosas cartas amistosas y literarias, entre 1905 y 1915; Buenos Aires.
96. Enseñate, Juan B. Siete cartas sobre teatro.
97. T. Escudero. Seis cartas.
98. Esquerdo. Psiquiatra; dos cartas amistosas, 1905.
99. Espina, Concha. Una carta literaria, 1906.
100. Estévanez, Nicolás. Cuatro cartas amistosas, una sobre los *Episodios* (7).
101. Estrañi, José. Director de *El Cantábrico,* numerosas cartas sobre política, artes, letras, etc.

F

102. Fernández, Busato y Amalo. Notas sobre escenografía teatral.
103. Fernández Cubas. Carta en torno a un homenaje en Valladolid.
104. Fernández González, Francisco. Varias cartas, 1872.
105. Fernández Ferraz, Valeriano. Cuatro cartas de un canario en América.
106. Fernández Junco. Tres cartas sobre literatura y periodismo, 1909-1912.
107. Fernández Shaw. Quince cartas literarias.
108. Ferraz, José. Una carta, 1903.
109. Ferrándiz. Varias cartas, periodismo.
110. Ferrer, José. Una carta sin fecha.
111. A. Fillol Granell, pintor. Varias cartas.
112. Flores García, Francisco. Una carta, 1893.
113. Francés, José. Una carta.
114. Francos Rodríguez, José. Redactor de *El Heraldo de Madrid.* Cuatro cartas.
115. Fuentes, Francisco. Catedrático, varias cartas.

---

(7) Véase nota número 5.

116. García, Telesforo. México. Dos cartas.
117. García Velloso, Enrique. Argentina. Cuatro cartas sobre teatro y otras noticias.
118. Gil y Morte. Dos cartas políticas, 1907 y 1913.
119. Giménez de Quirós y Carlos Groizard. Varias cartas.
120. Giner de los Ríos, Francisco. Catorce cartas sobre asuntos políticos, judiciales y literarios.
121. A. Gomar. Una carta.
122. * Gómez de Baquero, Eduardo. Cuatro cartas breves.
123. González Blanco, Pedro. Catorce cartas sobre literatura y periodismo.
124. * Gómez, Carrillo, Enrique. Nueve cartas y dos tarjetas, 1893, pide colaboración, prólogo para sus obras, etcétera.
125. González, de La Opinión, de Asturias, varias cartas.
126. González Fiol, Eduardo. "Bachiller Corchuelo". Cuatro cartas periodísticas en semibroma.
127. A. Goñi. Una carta.
128. E. Gorbea. Dos cartas.
129. Goy de Silva. Catorce cartas, 1909 a 1915.
130. Gozón. Dos cartas políticas.
131. Gracia, Mariano, de Zaragoza. Dos cartas patrióticas.
132. * Grandmontagne, Francisco. Tres cartas y una tarjeta, 1901 a 1908, literarias y amistosas.
133. Gual, Adrián. Cuatro cartas sobre teatro.
134. Guad El-Jelú, Marquesa de. Varias cartas.
135. Guerrero, María y Fernando Díaz de Mendoza. Numerosas cartas, de 1904 y sin fecha, sobre obras de don Benito, viajes, éxito teatrales, en tono familiar y amistoso.
136. Guimerá, Angel. Cuatro cartas amistosas, 1912 a 1913, temas teatrales (8).
137. Gutiérrez Gamero, Emilio. Cinco cartas, 1905.

H

138. E. Hediger. Dos cartas patrióticas.
139. Helker, Mary y Carmen; escritoras inglesas. Varias cartas.

---

(8) Véase nota número 5.

140. HERNÁNDEZ CATÁ. Nueve cartas y cuatro tarjetas literarias.
141. HESCAR. Una carta, donde agradece un envío.
142. HUERTAS, EDUARDO DE. Ocho cartas y dos tarjetas sobre teatro.
143. HOYOS y SAINZ. Tres cartas, 1905, sobre un eclipse.
144. A. E. HOUGHTON. Dos cartas.
145. HUNTINGTON, J. M. Dos cartas.

I

146. IBÁÑEZ, EDUARDO; actor. Dos cartas sobre teatro.
147. IBÁÑEZ DE IBERO. Una carta literaria.
148. F. A. DE ICAZA. Una carta-invitación.
149. IGLESIAS, IGNACIO. Dos cartas sobre arte dramático.
150. IGLESIAS, PABLO. Cinco cartas y dos tarjetas, temas políticos.
151. INIESTA. Una carta literaria.
152. INSÚA, ALBERTO. Cuatro cartas sobre cuestiones literarias del momento y una tarjeta junto con Hernández Catá.
153. ISABAL, MARCELINO. Una carta y una nota.

J

154. JIMÉNEZ, DONATO. Dos cartas literarias admirativas.
155. J. JORGE, traductor. Cuatro cartas.
156. JUNOY, EMILIO. Tres cartas sobre traducciones de obras de Galdós.

L

157. R. M. LABRA. Quince cartas sobre cuestiones políticas y públicas.
158. LACAMBRA SERENA, VICENTE. Cinco cartas y tres tarjetas; periodismo.
159 E. G. LADEVESE, de *La Nación,* de Buenos Aires. Seis cartas literarias y periodísticas.
160. LAMANA, CÁNDIDO. Una carta de carácter político.
161. LAGIER, RAMÓN. Tres cartas, 1901 a 1907.
162. J. LAPOULIDE, de *El Correo Militar.* Cinco cartas literarias.
163. LAPUERTA, ARTURO. Numerosas cartas amistosas y literarias.
164. LARCORT, BASILIO. Dos cartas periodísticas.

165. LARDHY. Una carta donde pide permiso para llamar *Electra* a una creación de repostería.
166. LARRAÑAGA, BELÉN. Una carta, 1897; pide un artículo.
167. LARRA, JOSÉ DE. Varias cartas sobre actualidad periodística.
168. LÁZARO, JOSÉ. Una carta.
169. * LEÓN, RICARDO. Ocho cartas, 1906 a 1912; temas literarios.
170. LEÓN Y CASTILLO, FERNANDO. Veintisiete cartas amistosas sobre diversos temas literarios, políticos y de colaboración (9).
171. LINAJE, CONCHA. Cinco cartas y dos tarjetas amistosas.
172. LINARES RIVAS, MANUEL. Dos cartas breves, 1903.
173. LÓPEZ, DANIEL. Doce cartas periodísticas y literarias.
174. LÓPEZ PINILLOS, JOSÉ. Diecisiete cartas de temas teatrales y otros.
175. LÓPEZ ROBERT. Dos cartas breves.
176. LÓPEZ BAGO, EDUARDO. Cinco cartas en las que pide dinero, consejo y publicaciones, 1884 a 1915.
177. F. LUCENO. Tres cartas.
178. LUGOL, JULIEN; editor y traductor de obras de Galdós al francés. Numerosas cartas sobre temas literarios y editoriales.
179. J. F. LUJÁN. Ocho cartas sobre literatura y periodismo.
180. A. LUQUE; ministro. Una carta literaria.

LL

181. LLORENTE, TEODORO. Una tarjeta y una foto.
182. LLORENTE, ANDRÉS; actor dramático. Varias cartas. En el mismo apartado otras cartas firmadas con el apellido Llorente.

M

183. MACÍAS DEL REAL, JUAN. Númerosas cartas y notas, 1907 a 1914; de carácter familiar y amistoso, temas de teatro y otros.
184. "MACHAQUITO"; RAFAEL GONZÁLEZ. Cinco cartas sobre toros y recomendaciones.

---

(9) Véase nota número 5. La Casa-Museo Galdós posee actualmente las cartas de Galdós correspondientes a éstas.

185. MACHO, VICTORIO. Dos cartas sobre el monumento a Galdós.

186. MADRAZO, ENRIQUE; doctor del Sanatorio Quirúrgico. Dieciocho cartas.

187. MADINAVEITIA. Una carta sobre temas políticos.

188. * MAEZTU, RAMIRO DE. Dos cartas de cortesía, 1902.

189. MAEZTU, MARÍA DE. Cinco cartas literarias y amistosas, 1903 a 1907.

190. MALAGARRIGA, CARLOS. Una carta sobre política republicana.

191. MALATS, SALVADOR. Varias cartas sobre música con una invitación de Albéniz.

192. MANRIQUE DE LARA. Varias cartas, recomendaciones y otras.

193. E. MARIO. Tres cartas sobre teatro.

194. MÁRQUEZ, MANUEL. Oculista. Veinticuatro cartas amistosas.

195. MARQUINA, EDUARDO. Cinco cartas sobre literatura y teatro.

196. MARTÍN PEÑA, EDUARDO. Cinco cartas sobre temas editoriales.

197. MARTÍNEZ, JOSÉ MARÍA. Varias cartas y cuatro notas sobre los emigrados de 1869.

198. MARTÍNEZ, ENRIQUE. Dos cartas.

199. MARTÍNEZ OLMEDILLA, AUGUSTO. Dos cartas sobre publicaciones.

200. * MARTÍNEZ SIERRA, GREGORIO. Cuatro cartas, periodismo y literatura, 1903 al 1905.

201. MARTINENCHE, ERNESTO. Una carta sobre traducciones.

202. MARTOS. Una carta circular.

203. MARTÍNEZ GUARDIOLA; sacerdote. Una carta de felicitación por *Electra*.

204. MAURA, ANTONIO. Sesenta cartas y siete tarjetas amistosas, sobre política, literatura, etc. (10).

205. MAUZO, RICARDO. Una carta.

206. MATHEU, FEDERICO; cónsul. Dos cartas y tres tarjetas.

207. MELLA, JOSÉ; diputado a Cortes. Una carta.

208. MÉNDEZ, MANUEL G.; escritor canario. Dos cartas, 1889, sobre literatura y noticias diversas.

---

(10) De próxima publicación el epistolario Maura-Galdós y Galdós-Maura, por Marcos Guimerá en "Museo Canario" de Las Palmas.

209. MENÉNDEZ PIDAL, RAMÓN. Dos cartas relacionadas con la Academia, 1901 y 1911, y una tarjeta de Alejandro Pidal.
210. MELIDA, J. RAMÓN. Ocho cartas amistosas, 1912 a 1913, en torno a algunas figuras de las obras de Galdós.
211. MESA, RAFAEL; escritor canario. Una carta literaria.
212. MEORO, BALTASAR. Tres cartas literarias.
213. MESTRES, APELES. Dieciocho cartas y tres tarjetas, 1882 a 1905, sobre los dibujos de los *Episodios Nacionales*.
214. MILLARES CUBAS, LUIS. Cinco cartas, 1903 a 1908, sobre petición de prólogo y otros asuntos literarios (11).
215. MILLIET, PAUL. Numerosas cartas en francés sobre traducciones.
216. MOLINA, RICARDO. Tres cartas.
217. MORELLA, C. DE. Una carta.
218. MORENO, MATILDE. Diez cartas y varias tarjetas sobre teatro.
219. MORENO CARRILLO; músico-bombero, tres cartas.
220. MORET, SEGISMUNDO. Varias cartas de cortesía.
221. MONTERO, JOSÉ. Varias cartas sobre refundición de obras de Galdós al teatro.
222. MOYA, MIGUEL. Treinta y dos cartas amistosas, temas periodísticos.
223. MAZZANTINI. Tres cartas.
224. MULTADO Y CORTINA. Embajada de España en la Santa Sede; numerosas cartas sobre los estrenos de Galdós en Italia.
225. MUÑOZ, CASIMIRO. Cuatro cartas sobre teatro, 1895.
226. MUÑOZ LUCHY. Varias cartas de una admiradora.
227. MUÑOZ PEÑA. Catedrático, quince cartas sobre temas literarios, 1888 a 1901.

N

228. NAHÓN. Varias cartas e invitaciones.
229. NAVARRO, ARTURO; Buenos Aires, cuatro cartas literarias.
230. NAVARRO LEDESMA, FRANCISCO. Una carta de 1900, pidiendo colaboración para *El Imparcial*.
231. NAVARRO REVERTER, RAMÓN; académico. Once cartas amistosas, 1912 a 1914; sobre temas literarios y notas de felicitaciones.

(11) Véase nota número 5.

232. * NERVO, AMADO. Seis cartas, besalamanos, tarjetas, reseñas y originales con poemas.

233. NOMBELA, JULIO. Una carta.

234. NOVOA, JOAQUÍN. Tres cartas de carácter político liberal.

235. NOVELLAU. Una carta de cortesía.

236. NÚÑEZ, JOAQUÍN. Dos cartas literarias.

237. NÚÑEZ DE ARCE, GASPAR. Una carta de 1897, contesta otra de Galdós.

238. NUÑO DE LA ROSA, "un amigo del Toboso". Cuatro cartas.

O

239. OCANTOS, CARLOS MARÍA. Cuatro cartas.

240. OLIVER, FEDERICO: Véase CARMEN COBEÑA.

241. OLIVER, MIGUEL S. Una carta, 1901.

242. OLLER, NARCISO. Veintinueve cartas y dos tarjetas con opiniones sobre las novelas más importantes de Galdós, 1884 a 1915 (12).

243. ORBE, FEDERICO. Varias cartas entre 1894 y 1903, sobre la obra de Galdós.

244. ORTEGA Y GASSET, JOSÉ. Una carta.

245. * ORTEGA MUNILLA, JOSÉ. Cuarenta cartas sobre variados temas literarios y periodísticos, 1879 a 1909.

P

246. * PALACIO VALDÉS, ARMANDO. Veinticuatro cartas amistosas y temas literarios.

247. PALOU, MARÍA. Dos cartas amistosas, 1916, sobre teatro.

248. PALAZÓN, ANDRÉS. Carta de un admirador indignado ante los ataques, en la prensa, de Bonafoux.

249. PALENCIA, CEFERINO. Cinco cartas sobre teatro.

250. PALMAROLI. Dos cartas; consulado de Génova.

251. PANASSO. Varias cartas.

252. PALOMERO. Una carta de presentación.

253. PARLOVSKY. Dos cartas críticas en francés.

254. PARIS, LUIS. Cinco cartas sobre periodismo y los *Episodios*.

255. PENA, JOAQUÍN. De *La Solidaridad*, de Barcelona, varias cartas, 1896-97.

---

(12) Han sido publicadas junto a las de Galdós a Oller por W. H. Shoemaker, *Una amistad literaria, la correspondencia epistolar entre Galdós y Narciso Oller*, Boletín de la Real Academia de Buenas Letras de Barcelona, vol. XXX, 1963-1964.

256. PEDREGAL, JOSÉ MARÍA. Tres cartas de cortesía.
257. PELLICER. Una carta literaria.
258. PÉREZ, DARÍO. Dos cartas de cortesía y temas periodísticos.
259. PÉREZ DEL ALAMO. Seis cartas de 1906; política, literatura y otros.
260. PÉREZ Y CHAIX. Varias cartas políticas.
261. PÉREZ ALONSO, GASPAR. Catorce cartas, 1907; temas literarios.
262. * PÉREZ DE AYALA, RAMÓN. Veintiséis cartas y ocho tarjetas sobre temas literarios.
263. PÉREZ RUIZ. Una carta en verso.
264. PERIANDRO SERRANO. Cuatro cartas sobre literatura.
265. PEYRO. Dos cartas.
266. PÍ Y AIZNAGA. Tres cartas.
267. * PICÓN, JACINTO OCTAVIO. Dieciocho cartas sobre temas sociales y literarios, 1886 a 1915.
268. PIÉLAGO, JORGE DEL. Diez cartas.
269. PICHARDO; legación de Cuba. Varias cartas.
270. PIN Y SOLER; escritor y polígrafo. Once cartas sobre la obra de Galdós, 1899 a 1906.
271. PINO, ROSARIO. Cuatro cartas, 1907 a 1911; recomendaciones; en otra solicita una obra teatral nueva.
272. PIVIDAL, FRANCISCO. Dos cartas, 1894-95.
273. PORTAGO, MARQUÉS DE. Una carta, 1912.
274. PULIDO. Tres cartas.
275. PRADERE; actor. Una carta.
276. PRADILLA, FRANCISCO. Seis cartas y tres tarjetas amistosas, 1901-1905, temas políticos y literarios.
277. PRATS. Varias cartas sobre las novelas de Galdós.
278. PREMIO REAL, MARQUÉS DE. Varias cartas sobre teatro y otros temas.

Q

279. A. QUEROL. Dos cartas amistosas.
280. QUIJANO. Una carta.
281. QUINTANAR. Varias cartas.

R

282. RAMOS CARRIÓN, RAMÓN DE. Dramaturgo. Siete cartas.
283. RÉPIDE, PEDRO DE. Trece cartas.
284. REYES, ARTURO. Veintiséis cartas amistosas, 1897 a 1916; temas literarios y otras noticias.

285. Rico. Una carta, 1912.
286. Ríos, Blanca de los. Dos cartas amistosas, temas literarios.
287. Roca y Roca. Dos cartas, 1896; contesta a investigaciones de Galdós para sus obras.
288. T. Rodríguez. Dos cartas con diversas peticiones.
289. Rodríguez Quegles, banquero canario. Una carta.
290. Rodríguez Marín, Francisco. Una carta, petición de voto.
291. Rodríguez Moruelo. Tres cartas amistosas, 1881 a 1902.
292. Rodríguez Valdés. Cuatro cartas políticas, 1910.
293. Rodulfo, Angel G. Numerosas cartas de carácter amical, 1894 a 1906.
294. Rogerio Sánchez. Una carta, 1908.
295. Romanones, Conde de. Siete cartas, 1912 a 1914; temas políticos.
296. Romero. Numerosas cartas sobre las campañas de prensa y del partido republicano.
297. Rubén Darío. Una carta, 1912, donde pide colaboración para *Mundial* (13).
298. Rubio, José. Dos cartas literarias.
299. * Rueda, Salvador. Dos cartas.
300. Ruiz de Linares. Treinta y tres cartas amistosas, 1895 a 1905; temas literarios, noticias de la época, etc.
301. Ruiz y Contreras, Luis. Una carta sobre literatura.
302. Rusiñol, Santiago. Cinco cartas, 1917 a 1918, sobre cuadros, notas del Greco y otras.

S

303 Sagasta, Práxedes, Mateo. Una carta de felicitación, s. a.
304. Said-Armesto, Víctor. Cuatro cartas, 1908 a 1914; temas literarios.
305. Saint Aubin. Ocho cartas cortas y amistosas.
306. Sainz, Ricardo; de México. Varias cartas, 1879 a 88, sobre ventas de libros de Galdós.
307. Salaverría, J. María. Diez cartas amistosas y cordiales, 1907 a 1908; habla de temas literarios y pide colaboración.
308. Sales, Jacobo. Una carta; pide dedicatorias.
309. San José, Diego. Una carta, 1906.

---

(13) Publicada en el *Archivo de R. Darío,* ed. A. Ghiraldo. Ed. Losada, B. A., 1945.

310. SAN LUIS, CARLOS DE. Varias cartas.
311. SAN PEDRO, MERCEDES. Una carta de petición.
312. SÁNCHEZ CALVO, de *El Imparcial.* Cuatro cartas.
313. SÁNCHEZ DÍAZ. Once cartas, 1912 a 1917; temas políticos, literarios, teatrales, etc.
314. SÁNCHEZ DE LEÓN. Cinco cartas sobre temas teatrales.
315. SÁNCHEZ DE TEJADA. Una carta sobre teatro.
316. SANDOVAL, abogado; tres cartas de un lector asiduo.
317. SANTOS CHOCANO. Una tarjeta.
318. SAWA, MIGUEL, redactor de *Los Cómicos* y *Don Quijote.* Cinco cartas, 1899 a 1904; literatura y periodismo.
319. SASSONE, FELIPE. Una carta, 1917, sobre su obra *Los Ausentes.*
320. SELLÉS, EUGENIO. Seis cartas amistosas, 1889-99 y 1912; temas literarios y otros.
321. SERRA y otros. Varias cartas, 1889; proponen asuntos para novelas.
322. SEVILLA, ALBERTO. Catorce cartas amistosas de este redac-tor de *Liberal de Murcia,* 1908 a 1914.
323. SIERRA, JOSÉ. México, dos cartas amistosas, 1905; en una presenta a Amado Nervo.
324. SILVA, MIGUEL. Redactor de *La Prensa,* de Buenos Aires, varias cartas y notas, 1884 a 1890; otras de París, de 1893.
325. SOLER Y ROVIROSA. Escenógrafo. Una carta, 1897.
326. SOROLLA, JOAQUÍN. Tres cartas, 1910, sobre diversos asun-tos literarios y artísticos.

T

327. TALLAVÍ, JOSÉ. Una carta, 1913, sobre representaciones teatrales.
328. FABIÁN VIDAL. Redactor de *La Correspondencia de España;* una carta en la que pide una entrevista.
329. TAPIA, LUIS DE. Cuatro cartas sobre temas literarios.
330. TOVAR, DUQUE DE. Tres cartas de carácter político, 1913.
331. * TOLOSA-LATOUR, MANUEL. Sesenta y cinco cartas so-bre literatura, ediciones, etc., 1882 a 1904.
332. TORRE, FÉLIX DE LA. Cuatro cartas políticas, 1911.
333. TORRES REINA. Una carta, 1897.
334. TRIGO, FELIPE. Una carta sobre ediciones, 1916.
335. TUTAU, ANTONIO. Diez cartas sobre literatura, 1894 a 1907.
336. THUILLIER, EMILIO. Numerosas cartas sobre teatro y otros temas.

U

337. UGARTE, MANUEL. Una carta, tema político, 1905.
338. UGARTE, JAVIER. Tres cartas, sobre su presentación a la Academia, 1916.
339. * UNAMUNO, MIGUEL DE. Diez cartas y dos tarjetas sobre diversos temas literarios, personales, noticias de sus obras y otras notas, 1898 a 1912 (14).
340. URBANO. Una carta y una tarjeta, temas literarios, 1900.
341. URRECHA, FEDERICO. De *El Imparcial*. Una carta, 1891, con noticias personales.
342. URZÁIZ, ANGEL. Dos cartas, 1898; recomendaciones.
343. UTRILLO, MANUEL. Una carta, 1904; pide colaboración para la revista *Forma,* de Barcelona.

V

344. VALCÁRCEL, JOSÉ. Tres cartas; peticiones y felicitación.
345. VALERA, JUAN. Una carta, 1901; petición de un artículo para la revista *Gente vieja.*
346. * VALLE INCLÁN, RAMÓN MARÍA DEL. Siete cartas y cuatro tarjetas, 1898 a 1912, incluida una de Josefina Blanco, sobre temas literarios, noticias de representaciones, etc.
347. VICENTI, ALFREDO; político, diputado por Tenerife. Veinte cartas, 1906 a 1913, temas literarios y periodísticos.
348. VEGA, RICARDO DE LA. Dos cartas, 1907.
349. VIGNOLLE, VÍCTOR. Una carta, 1910; recomendación.
350. VILLANUEVA, MANUEL. Diputado. Cinco cartas de carácter político, entre 1888 a 1909.
351. VILLEGAS, BALDOMERO. Erudito y crítico. Seis cartas, 1899 a 1907; temas literarios, pide consejo para sus obras.
352. VILLEGAS, FEDERICO. Redactor de *La Epoca*. Diez cartas, 1897-1904, sobre teatro ,literatura y política.

W

353. WEYLER. Dos notas.
354. WILLIAMNS, RICARDO. Del Uruguay. Una carta.

---

(14) Publicadas por S. de la Nuez en "Papeles de Son Armadans", núm. CX, V, 1965.

355. Xirgu, Margarita. Varias cartas y tarjetas, de carácter amistoso, sobre asuntos de teatro.

Y

356. Yumuri, Marquesa de. Varias cartas de cortesía, felicitaciones, etc.

Z

357. Zahonero, José. Cuatro cartas, temas lterarios, notas curiosas, peticiones, etc., 1890 a 1902.
358. Zamacois, Eduardo. Seis cartas sobre publicaciones, artículos y traducciones de obras de Galdós.
359. Zozaya, Antonio. Dos cartas con noticias particulares.
360. Zulueta, Luis. Cuatro cartas, amistosas, literarias y políticas, 1911 a 1916.

II°

a) *Cartas privadas*

1 - A. Varias cartas con solicitudes para la Academia (Ortega Morejón, Gómez, M. Méndez, etc.).
2 --F. Cartas de las hermanas de Galdós (noticias, recomendaciones, etc.).
3 - F. Cartas de pésame (una del Rey Alfonso XIIII, etc.).
4 - N. Nágera y Pelayo. Nueve cartas sobre asuntos económicos privados.
5 - P. Carpeta con numerosas cartas de pésame (1910).
6 - S. Señán, Latourrete e Ignacio Pérez Galdós (1886; cartas y notas sobre acreedores y asuntos económicos).
7 - S. Pérez Galdós, Salvador. Cartas familiares escritas desde Sudamérica, acompañadas de otros corresponsales.

b) *Testimonios de admiradores y homenajes*

8 - A.　Carpeta con numerosas notas y cartas de admiradores.

9 - C.　Homenaje del "Club Pérez Galdós", de La Habana, de los canarios de Cuba.

10 - C.　CABRERA. Una carta homenaje de la Sociedad Canaria de Cienfuegos, Cuba.

11 - K.　Testimonios de admiración de los estudiantes de español de un Colegio de Kansas City.

12 - M.　Menús. Colección de... ofrecidos a Galdós, y a otros, de homenajes a que asistió. Uno con los nombres de las comidas con los títulos de las obras de Galdós.

13 - M.　Cartas de una desconocida mejicana. Entre 1897 a 1904; indica la dirección del Pbro. don Santiago Larra, Santa Brígida. Méjico. Para MARÍA.

14 - V.　Manuscrito de un discurso en homenaje de Galdós, dividido: 1.º), razones del homenaje, y 2.º), Galdós, autor dramático.

c) *Notas, cuentas y documentos*

15 - A.　Carpeta con las cuentas de algunos gastos de la finca de "San Quintín" (Santander), años de 1891 a 1893, con anotaciones de don Benito al margen.

16 - C.　Créditos sobre la Propiedad Intelectual. Cuatro documentos sobre la obra *Celia y los infiernos* y otras concesiones.

17 - D.　Otras notas de crédito sobre lo mismo.

18 - I.　Notas y recuerdos de un viaje a Italia.

19 - M.　Mensajes y nombramientos; el de la Real Academia, 1889, invitaciones, oficios y otros.

20 - V.　Carpeta con varios documentos curiosos: *a)* Manifiesto de Prim, impreso; *b)* Breve de la Iglesia, *c)* Once dibujos dedicados a Galdós por J. Alcalá Galiano, algunos sin firma, y *d)* Fantástico plano de un espiritista referente a las regiones superiores.

21 - V.　Viajes por Europa. Notas de hoteles, billetes, menús, etcétera.

22 - V.　Documento de la protesta de los estudiantes de la Universidad Central por no haber sido elegido Galdós para la Academia, enero de 1889.

23 - V.　Carpeta con varios documentos: *a)* un documento masónico en pergamino, *b)* dos actos del partido repu-

378

blicano de Ecija y Carmona, *c)* diversos nombramientos de Galdós, *d)* contratos de viaje con la Trasatlántica.

III°

a) *Correspondencia de los "archivos vivientes" y otros documentos*

1 - A.   AGUIRRE, JOSÉ. Una carta con datos pedidos para el *Episodio, De Oñate a la Granja* (1898).

2 - C.   COMBA GARCÍA. Una carta con datos para el *Episodio, Montes de Oca,* solicitados por Galdós.

3 - C.   Varias cartas de corresponsales y apuntes de Galdós para los *Episodios Nacionales.*

4 - CH. CHURRUCA, descendientes del héroe; le da informes a Galdós.

5 - G.   Curiosidades. Reseñas, cartas y documentos para los *Episodios.*

6 - G.   GORBEÑA, VALENTÍN. Cuatro cartas, de Bilbao, con datos para los *Episodios Nacionales.*

7 - R.   RUIZ, RICARDO; corresponsal de Tánger. Numerosas cartas con documentos para los *Episodios* (14).

8 - S.   SALETA, HONORATO DE LA. Dos cartas, 1898; sobre datos para los *Episodios.*

9 - V.   Epistolario manuscrito de MENDINETA a VILLAVICENCIO, 1809-1810. Relata los acontecimientos de la época: episodios de la guerra de la independencia, política, rivalidades, etc.

b) *Varias carpetas con curiosidades y cartas de desconocidos sin clasificar*

10 - B. Varias cartas sin clasificar de autores desconocidos (Ap. B.).

11 - C. Cámara de Comercio de Melilla. Una carta.

12 - C. Varias notas del Scottisch Liberal Club.

13 - E. Varias reseñas, programas y cartas de desconocidos (Ap. E.).

14 - D. Varias cartas de desconocidos sin clasificar (Ap. D.).

15 - L. Varias cartas de desconocidos sin clasificar (LÓPEZ PARRA, LÓPEZ GÓMEZ, LÓPEZ ALMAGRO, J. F. LUJÁN, etc.).

---

(14)   En vías de publicación por Robert Ricard.

16 - M.	Cartas de mujeres desconocidas (admiradoras, traductoras y escritoras).
17 - M.	Varias cartas de corresponsales desconocidos (Ap. M.).
18 - N.	Varias cartas de desconocidos sin clasificar (Ap. N.).
19 - R.	Varias cartas de desconocidos sin clasificar (Ap. R.).
20 - S.	Varias cartas de corresponsales desconocidos (Ap. S.).
21 - T.	Carpeta n.º 1 de Teatro. Varias cartas de actrices.
22 - T.	Carpeta n.º 2 de Teatro. Varias cartas de actores.
23 - T.	Varias cartas de desconocidos sin clasificar (Ap. T.).
24 - U.	Varias cartas de corresponsales desconocidos (Ap. U.).
25 - V.	Numerosas cartas sin clasificar de corresponsales y autores poco conocidos (Ap. V.).
26 - V.	Varias cartas curiosas de un corresponsal hipersensible que se cree influido a distancia por don Benito.
27 - Z.	Varias cartas de autores desconocidos sin clasificar (Ap. Z.).

IVº

a) *Tarjetas y notas varias sin clasificar*

| 1 - B. | Tarjetas de Barcelona; fechadas entre el 20 a 28 de mayo de 1888. |
| 2 - V. | Una caja con numerosas tarjetas postales de diversos corresponsales indicados en el índice; amigos, escritores, familiares, admiradores, etc. |

b) *Cartas, tarjetas y notas de traductores y editores extranjeros.*

3 - C.	Varias cartas de corresponsales extranjeros. Tres carpetas con diversas reseñas, tarjetas y cartas.
4 - E.	Carpeta con numerosa correspondencia de extranjeros, editores, amigos, notas y cuentas de teatros, etc.
5 - D.	Varias cartas y notas sobre *Electra* y sus representaciones en el extranjero.
6 - H.	Carpeta con numerosas cartas de lectores y admiradores de Hispanoamérica y los Estados Unidos. 1) Argentina, Uruguay, Paraguay; 2)) La Habana y E. U. A.; 3) Venezuela, Colombia, Ecuador; 4) Perú, Chile, Bolivia; 5) Centro América y Méjico.
7 - N.	Casa Nelson. Varias cartas sobre traducciones y papeles de negocios.
8 - N.	NOVO Y COLSON. Dos cartas sobre publicaciones de Galdós en el extranjero, 1881 y 1901.

9 - P.   Cartas de corresponsales de Puerto Rico. Varias con peticiones, recomendaciones, etc.

10 - S.   Varias cartas sobre propiedad de obras y derechos de autor en España y América.

11 - T.   Carpeta con solicitud de traducciones para Francia y Bélgica (1885-89-1910).

12 - T.   Carpeta con solicitud de traducciones para Italia y Suiza (1886-1906).

13 - T.   Carpeta con solicitudes de traducción para Holanda, Dinamarca, Suecia, Noruega y Rusia (1884 a 1905).

14 - T.   Carpeta con solicitudes de traducción para Portugal (1890-1904).

15 - T.   Carpeta con solicitudes de traducción para Alemania, Austria-Hungría (1892-1904).

16 - T.   Carpeta con solicitudes de traducción para Inglaterra y E. U. A. (1883-1907).

17 - T.   Carpeta con solicitudes de traducción para Rumania (1914).

c) *Reseñas, artículos y recortes impresos.*

18 - B.   P. BARRIOS. De Bendo (Cuba); envía varios recortes y reseñas de periódicos de su país.

19 - C.   Colección de reseñas sobre obras de Galdós del *Diario de la Marina* de La Habana.

20 - V.   Carpeta con artículos y reseñas periodísticas coleccionadas por don Benito. 1) Artículos y recortes de 1892, 2) Idem de 1893 y 3) Idem de 1894; encuadernados.

21 - V.   Otros recortes y artículos sueltos en francés y alemán

22 - V.   Una carpeta con una colección de reseñas sobre *Realidad*. Una con periódicos de América. Dos con los de Barcelona, uno con los de Bilbao y uno con los de Valencia.

S. N.